Der große Sprachkurs
DEUTSCH als Fremdsprache

Sprachkurs für Anfänger und Fortgeschrittene
Buch + MP3-CD mit über 160 Minuten Audiomaterial

PONS GmbH
Stuttgart

PONS
Der große Sprachkurs
DEUTSCH als Fremdsprache

Sprachkurs für Anfänger und Fortgeschrittene
Buch + MP3-CD mit über 160 Minuten Audiomaterial

Basierend auf ISBN 978-3-12-561949-4 und 978-3-12-562763-5.

4. Auflage 2018

© PONS GmbH, Stöckachstraße 11, 70190 Stuttgart, 2016
www.pons.de
E-Mail: info@pons.de

Logoentwurf: Erwin Poell, Heidelberg
Logoüberarbeitung: Sabine Redlin, Ludwigsburg
Einbandgestaltung: Anne Helbich, Stuttgart
Titelfoto: iStock/franckreporter
Layout: BUERO CAÏRO, Stuttgart, **Layoutüberarbeitung:** Angelika Usenbenz
Satz: tebitron gmbh, Gerlingen
Bildnachweise: www.pons.de/grosser-sprachkurs-deutsch
Druck: Multiprint GmbH
ISBN: 978-3-12-562853-3

Welcome!

This language course is designed to motivate you to learn fast and in an entertaining way.

The PONS language-learning method

The emphasis of this course is on understanding and speaking in authentic situations: with this approach you are going to learn how to communicate in your everyday life by coming into contact with the language in a natural way.

Structure of the course

The course comprises 32 units and consists of a beginner's part (units 1-16) and an advanced part (units 17-32). In the beginner's part, the explanations of the German language are in English to make sure you understand everything. The advanced part is completely in German, enabling you to get more practice.

All units have the same four-part structure:

1. zum Starten: vocabulary from the unit is introduced and communication routines are presented.
2. fürs Ohr: here you will listen to dialogues and useful expressions. You can find all tracks on your MP3-CD.
3. zum Üben: in this section you will find explanations about how grammar works and will have plenty of exercises to train the knowledge you have acquired so far.
4. zum Abschluss: here, some important facts and mechanisms of the language are listed. You will also find texts about life in German-speaking countries.

The appendix

The appendix contains material that helps you understand and work independently:
- Transcriptions of everything that you hear on the CD. For the beginner's part, the dialogues are translated into English.
- Answer key for exercises.

Online word list

Go to www.pons.de/grosser-sprachkurs-deutsch: here you will find a complete list with all the words from the course translated into English, French, Polish, Russian, Spanish and Arabic.

INHALT

INHALT

1

 TR. 01

Hello! Let's start by learning some ways of greeting people in German! Listen and repeat!

Hallo! – Guten Tag!

Auf Wiedersehen! – Tschüss!

Grüß Gott!

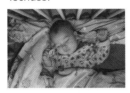

Guten Morgen!

Gute Nacht!

Gut zu wissen:
Grüß Gott! is used in South Germany and Austria only.

2

 TR. 02

Five of the main figures of the story introduce themselves. Four of them work in an editorial office in Düsseldorf. Find out who's who. Listen to the figures introducing themselves.

Who's who? Fill in the numbers of the pictures.

____ A Ich bin Susanne Kowalski.

____ B Ich heiße Sylvia Moser. Ich bin Fotografin.

____ C Ich bin Thomas Kowalski. Ich bin Redakteur.

____ D Ich bin Herr Braun. Ich bin Chefredakteur.

____ E Ich heiße Aynur Hartmann. Ich bin Studentin.

Gut zu wissen:
Düsseldorf is the capital of North-Rhine-Westphalia, one of the 16 federal states of Germany. Insiders simply use the abbreviation **NRW** instead of **Nordrhein-Westfalen**.

TR. 03

3

One Monday in the editorial office: Thomas Kowalski, the local editor, meets his new team with whom he'll work together closely. The editor-in-chief, Mr. Braun, introduces the two new colleagues to Thomas, who likes them at once. Don't worry if you don't understand everything right away.

Now listen again. If you like you can also read the tape script which you can find in the appendix.

 TR. 03

4

Listen to the dialogue again. Even if you don't understand every word, the intonation can help you to decide if the statements below are true or false. Read them and mark with a **T** for "true" or an **F** for "false".

	true	false
1. Mr. Kowalski isn't fine.	■	■
2. He is meeting Mrs. Moser for the first time.	■	■
3. Mrs. Moser is a photographer.	■	■
4. Aynur is here on a work placement.	■	■
5. Mr. Braun is in a hurry and has to go.	■	■
6. Sylvia Moser doesn't want to be called by her first name.	■	■
7. Mr. Kowalski doesn't know the name "Aynur".	■	■
8. Aynur is a German name.	■	■

5

 TR. 04

What do people say when they meet? Here you can repeat some expressions and practise your pronunciation. Listen to the sentences and then repeat them aloud.

Wie heißen Sie?	*What's your name?*
Ich heiße Sylvia Moser.	*My name is Sylvia Moser.*
Guten Morgen, Herr Braun.	*Good morning, Mr. Braun.*
Wie geht es Ihnen?	*How are you?*
Ganz gut, danke.	*Not bad, thank you.*
Das ist Frau Hartmann.	*This is Mrs. Hartmann.*
Freut mich.	*Nice to meet you.*
Auf Wiedersehen!	*Goodbye!*

Gut zu wissen:
Questions like **Wie geht es Ihnen?** or **Wie geht es dir?** are only used when the people know each other well.

Say it aloud! When you practise your pronunciation, feel free to exaggerate and to play with your voice. This is also a good way to learn new vocabulary.

6

 TR. 05

Listen to how the letters of the German alphabet are pronounced and then repeat them.

**a b c d e f g h i j k l m
n o p q r s t u v w x y z**

Answering questions like:
- **Wie schreibt man das?** *How do you spell that?*
- **Können Sie das bitte buchstabieren?** *Can you spell that out, please?*
- **Schreibt man das mit „i" oder „y" (am Ende)?**
  Do you spell that with an "i" or a "y" (at the end)?

It's important to know the German alphabet.

Gut zu wissen:
In order to explain letters with umlauts **ä**, **ö** and **ü**, you can say **a Umlaut, o Umlaut** and u **Umlaut**. And for the ß, as in **heißen**, we say **eszet** (s + z).

TR. 06

Gut zu wissen:
To avoid misunderstandings there is a special spelling system, for example **A wie Anton**, **B wie Berta** and so on.

7

When you're on the telephone you may well have to spell your name or something else and also to understand if the caller spells something to you. Listen to how the names of some European capital cities are spelled and write them down. Repeat and spell the names. Then choose some other European cities and try to spell them.

1. _____   4. _____

2. _____   5. _____

3. _____   6. _____

8

All words have syllables that are stressed. This is the basis of rhythm in the German language. There are words with the stress on the 1st, 2nd, 3rd or 4th syllable, for example:
• **Tho**mas, **schreib**en
• Stu**dent**in, ent**schul**digen Sie bitte
• Foto**gra**fin, Redak**teur**
• fotogra**fie**ren

TR. 07

Listen carefully and repeat.

schreiben – Studentin   Fotografin – fotografieren

Have you noticed the differences between the stressed and unstressed syllables? The voice becomes a bit slower, clearer and louder on the stressed syllable.

TR. 08

Listen and repeat.

Thomas – fotografieren – ganz gut
Entschuldigen Sie bitte! – Wie heißen Sie?

9

 TR. 09

You have already learnt that each word has a stress pattern and that this is the basis for rhythm in German. Try it with some international words.

stress on the 1. syllable	stress on the 2. syllable	stress on the 3. syllable
_____	_____	_____
_____	_____	_____
_____	_____	_____
_____	_____	_____

> Musik   Computer   Telefon   Hotel   Radio
> Technik   Disco

10

You have already encountered most of the personal pronouns (he, you, I ...) in the introductory dialogue. Here you can find them all together and practise some of them right away.

Gut zu wissen:
Note that **Sie**, when used as the formal form of you, always starts with a capital letter.

	singular	plural
1st person	ich *(I)*	wir *(we)*
2nd person	du *(you) (familar form)*	ihr *(you) (familar form)*
	Sie *(you) (polite form)*	Sie *(you) (polite form)*
3rd person	er, sie, es *(he, she, it)*	sie *(they)*

Choose the right personal pronoun and write it into the gap.

> ich   sie   er

1. Das ist Herr Kowalski, __er__ ist Redakteur.

2. Wie heißt du? – __ich__ heiße Aynur.

3. Aynur ist Studentin und __er__ studiert Journalismus.

TR. 10

11

You have probably noticed that the verbs used in the introductory dialogue have various endings, for example:

• **Wie heißen Sie? – Ich heiße Thomas Kowalski.**
• **Wie schreibt man das?**

The present tense of most German verbs is formed by taking the stem (**heiß-**, **schreib-**) and adding an ending which is related to the person being described (**-en, -e, -t** ...).

Gut zu wissen:
The forms of the present tense can have a future meaning. Depending on the context, the meaning of **ich komme** can be I come, I'm coming or I'll be coming. German's not so hard after all!

Look at the present tense of the verb **schreiben**. Then listen and repeat each form.

ich	schreibe	wir	schreiben
du	schreibst	ihr	schreibt
er, sie, es	schreibt	sie	schreiben

The polite form, singular and plural, is **Sie schreiben**.

To memorize the forms of the present tense take other verbs and conjugate them, for example: **machen – ich mache – du machst – er...** (to make or do)
Then try it with **sagen** (to say) and **kommen** (to come).

12

To express sentences like **Ich bin Thomas** (I'm Thomas) you need the most common verb in German: **sein** (to be).

As in many other languages, the verb **sein** is irregular and you have to learn the different forms by heart.

ich	bin (I'm)	wir	sind (we are)
du	bist (you are)	ihr	seid (you are)
Sie	sind (polite form)	Sie	sind (polite form)
er, sie, es	ist (he, she, it is)	sie	sind (they are)

Read the sentences about Aynur and write the correct form of **sein** in the gaps. Then repeat the complete sentence.

1. Das _ist_ Aynur Hartmann.

2. Ich _bin_ Studentin.

3. Thomas, Sylvia und Aynur _sind_ Kollegen.

13

Do you remember how the present tense is formed? You take the stem of the verb and add an ending. Fill in the gaps with the correct form of **stu dieren**, **heißen** and **sein**. Don't forget that **sein** is irregular. When you have completed the paradigms, repeat the forms.

studieren	heißen	sein
Ich studiere	ich *heiße*	ich bin
du *studierst*	du heißt	du *bist*
er, sie, es *studiert*	er, sie, es *heißt*	er, sie, es ist
wir studieren	wir heißen	wir *sind*
ihr studiert	ihr heißt	ihr seid
sie/Sie *studieren*	sie/Sie *heißen*	sie/Sie *sind*

Gut zu wissen:
The **du-form** has the ending **-st**. But if the stem of the verb ends in **-s** or **-ß** like **heiß-** the ending becomes **-t**: **du heißt**.

14

 TR. 11

For greeting and saying goodbye you have to make a difference between a formal and an informal situation (family, friends etc.).

formal	informal
• **Guten Morgen, Herr Braun.**	• **Hallo Thomas!** *(Hello!)*
• **Wie geht es Ihnen?**	• **Wie geht es dir?** *(How are you?)*
• **Auf Wiedersehen!**	• **Tschüss!** *(Bye!)*

15

 TR. 12

Listen to some little words and useful expressions that open up the way to a lot of language. Match each one to the correct translation.

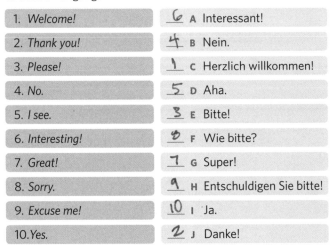

1. *Welcome!*	*6* A Interessant!
2. *Thank you!*	*4* B Nein.
3. *Please!*	*1* C Herzlich willkommen!
4. *No.*	*5* D Aha.
5. *I see.*	*3* E Bitte!
6. *Interesting!*	*8* F Wie bitte?
7. *Great!*	*7* G Super!
8. *Sorry.*	*9* H Entschuldigen Sie bitte!
9. *Excuse me!*	*10* I Ja.
10. *Yes.*	*2* J Danke!

15

16

Gut zu wissen:
Praktikum means that the students have to gain work practice to complete their studies. Very often it's unpaid. Depending on the subject it takes several weeks or months.

In the hall of the editorial office the secretary Mrs Schmidt meets Aynur. She supposes that Aynur is one of the new employees and starts a short conversation. The dialogue is jumbled up. Can you reconstruct the dialogue between the secretary Mrs Schmidt and Aynur? Write each part into the correct position. Then read the complete dialogue.

> Ich studiere Journalismus.
> Nein. Sylvia Moser ist Fotografin.
> Interessant!
> Guten Tag, ich heiße Aynur Hartmann.
> Aha! Und Sie?
> Und was studieren Sie?
> Ich bin Studentin. Ich mache hier ein Praktikum.
> Guten Tag, ich bin Frau Schmidt.
> Freut mich. Sie sind Fotografin, oder?

17

Read the sentences and write the pronouns shown below into the correct gaps. Read carefully about how many people are mentioned and whether they are speaking directly to someone or in the 3rd person about someone. If you need to remind yourself of the meanings of the personal pronouns, see § Personal pronouns.

> wir   sie   Sie   du   ich   ihr   er   es

1. Wer bist _du_ ? – Ich bin Lisa.

2. Entschuldigen _____ bitte, wie schreibt man das?

3. Wie heißt ihr? – Sie heißt Sylvia und _~~er~~ ich_ heiße Aynur.

4. Das ist Herr Braun, _er_ ist Chefredakteur.

5. Aha, _ihr_ seid Kollegen. – Ja, wir sind Kollegen.

6. Aynur ist Studentin, _er_ macht ein Praktikum.

7. Hallo, _Sie_ sind Sylvia und Aynur.

8. Wie geht _es_ Ihnen? – Danke, gut.

1

TR. 13

Would you like to travel in Europe? Which countries? Have a look at the map.

Hear and read the names of ten European countries and nationalities. Now match the countries and nationalities.

Gut zu wissen:
Germans often say **England** but they really mean Great Britain (**Großbritannien**).

1. England	_4_ A	österreichisch
2. Frankreich	_1_ B	englisch
3. Deutschland	_3_ C	deutsch
4. Österreich	_9_ D	türkisch
5. Schweiz	_6_ E	italienisch
6. Italien	_2_ F	französisch
7. Polen	_7_ G	polnisch
8. Spanien	_8_ H	spanisch
9. Türkei	_10_ I	russisch
10.Russland	_5_ J	schweizerisch

TR. 14

2

Imagine you are in a German town (town = **die Stadt**). You can find places or buildings that are often landmarks or even symbols of that town.

Look at the pictures and read the German names. Now listen to them and repeat the words.

1. die Brücke 2. der Park 3. das Museum

4. die Straße 5. die Kirche 6. der Fluss

7. der Stadtteil 8. der Markt

 TR. 15

3

After a short break, Thomas, Sylvia and Aynur continue their conversation to find out more about each other. Aynur's name leads the conversation to the topics of residence, origins and other interesting subjects.

Listen to the dialogue. Don't worry if you don't understand everything. Later we will look at more details.

4

 TR. 15

In the introductory dialogue you heard Thomas, Sylvia and Aynur speaking about nationalities and residences. You are now going to look for more details. Who lives where? Who's a foreigner?
First read the questions below. What would Aynur, Sylvia and Thomas answer? Yes or no?
Listen to the dialogue again and answer the questions. Do this for each person.

	1. Aynur		2. Sylvia		3. Thomas	
	yes	no	yes	no	yes	no
1. Is your mother Turkish?	■	■	■	■	■	■
2. Do you live in Wodan Street?	■	■	■	■	■	■
3. Are you Austrian?	■	■	■	■	■	■
4. Do you live in Düsseldorf?	■	■	■	■	■	■
5. Do you live near a market?	■	■	■	■	■	■

5

As you know from the introductory dialogue, Sylvia gave her business card (**Visitenkarte**) to Aynur and Thomas. What is written on the card? Someone has given you an empty form. Can you complete it with the help of the information on the business card?
Write the missing words into the gaps. Now it's easy to understand the new words, isn't it?

Telefonnummer	Beruf	Sylvia	Nachname	Adresse

Nachname : Moser   Vorname: *Sylvia*

Beruf : Fotografin

Adresse : Bäckerstraße 9, 40213 Düsseldorf

T. Nummer : 0211/45 06 33

Sylvia Moser
Fotografin
Bäckerstraße 9
40213 Düsseldorf
Tel.: 0211/450633
E-Mail: sylvia.moser@bmx.de

19

TR. 16

6

In the introductory dialogue, the telephone numbers and the post code were spoken separately. Of course, you can also group numbers, as you will see in the next few units.
Listen to the numbers and then repeat.

Gut zu wissen:
The sound of **zwei** and **drei** is similar. To avoid misunderstandings you can say **zwo** instead of **zwei**.

null   eins   zwei   drei   vier

fünf   sechs   sieben   acht   neun

7

What are the numbers in German? Write the number into the gap.

1. _eins_   2. _neun_   3. _vier_   4. _funf_   5. _acht_

6. _drei_   7. _zwei_   8. _seben_   9. _null_   10. _sechs_

8

There are two basic word order patterns:

1. **Normal word order:** the verb comes second.
   A Herr Müller **lebt** in Deutschland. *(Mr Müller lives in Germany.)*
   B Woher **kommst** du? *(Where are you from?)*
   C Hier **ist** meine Visitenkarte. *(Here is my business card.)*
   The first word is A the subject, or B a question word or C another element (so that the subject is placed behind the verb).

2. **Inverted word order.** Yes / no- questions start with the verb followed by the subject.

   Kommst du aus Italien?   **Sind Sie Fotografin?**
   (Do you come from Italy?)   *(Are you a photographer?)*

Listen carefully and concentrate on the intonation:
In the 1st sentence the voice falls at the end while in the 2nd sentence (yes /no-question) the voice rises.

> **Woher kommst du?**   **Kommst du aus Italien?**

Gut zu wissen:
After **und**, **oder** and **aber** you always have the normal word order:
Sie kommt aus der Schweiz, aber er kommt aus Italien.

 TR. 17

9

Put the words into the correct order.

1. Frau | aus | ist | Müller | Berlin.

   Frau Müller ist aus Berlin

2. die | Wo | Wodanstraße? | liegt

   Wo liegt die Wodanstraße?

3. Aynur | die | fährt | Türkei. | in

   Aynur fährt in die Türkei.

4. Sind | aus | Österreich? | Sie

   Sind Sie aus Österreich?

5. nach | Düsseldorf? | Sie | Fahren

   fahren Sie nach Düsseldorf?

10

When you are talking about languages or nationalities, the following expressions can be useful:

TR. 18

Ich komme aus Österreich. Ich bin Österreicherin.
(I'm from Austria. I'm Austrian (female).)
Welche Sprachen sprechen Sie? – Französisch und Englisch.
(Which languages do you speak? – French and English.)
Sprechen Sie Deutsch? *(Do you speak German?)*
Wie heißt „Bahnhof" auf Französisch?
(What is "Bahnhof" in French?)

TR. 19

Listen to the question and mark the right answer.

A Ich spreche deutsch. B Ja, Englisch und Französisch.

Gut zu wissen:
Unfortunately Turkey
and Switzerland are
exceptions: **Wo?** ▶ **in
der Türkei / Schweiz.
Woher?** ▶ **aus der
Türkei / Schweiz. Wo-
hin?** ▶ **in die
Türkei / Schweiz.**

Note that German has different words for male and female inhabitants.

Deutschland	Deutscher	Deutsche (!)
England	Engländer	Engländerin
Spanien	Spanier	Spanierin
Frankreich	Franzose	Französin (!)
Griechenland	Grieche	Griechin
Italien	Italiener	Italienerin
Österreich	Österreicher	Österreicherin
Polen	Pole	Polin
Russland	Russe	Russin
Schweiz	Schweizer	Schweizerin
Türkei	Türke	Türkin

Here are the rules for the feminine form:
-e ▶ **-in**: Türk**e** – Türk**in**   **-er** ▶ **-erin**: Schweiz**er** – Schweiz**erin**
The exceptions are: **Deutsche**, **Französin**

11

In a conversation about the place of residence, the country of origin and the destination you can use these questions and answers:

- Place:
  - **Wo** wohnen Sie? *(Where do you live?)*
  - **In** Düsseldorf, **in** Deutschland. **In der** Bäckerstraße 9.
  - **Wo** liegt Düsseldorf? *(Where is Düsseldorf situated?)*
  - **In** Nordrhein-Westfalen. *(In North-Rhine-Westphalia.)*

- Origin:
  - **Woher** kommst du? *(Where do you come from?)*
  - Ich komme **aus** Wien. / **aus** Österreich.
    (I come from Vienna. / from Austria.)

- Destination, direction:
  - **Wohin** fährt Anna? *(Where is Anna going?)*
  - Sie fährt **nach** Rom / **nach** Italien.
    (She is going to Rome / Italy.)

● Wo?	in	
● → Woher?	aus	+ Stadt/Land
← ● Wohin?	nach	

Write **in**, **aus** or **nach** into the gaps.

1. Peter fährt oft ___*nach*___ Frankreich.

2. Bist du Italiener? – Ja, ich komme ___*aus*___ Rom.

3. Wien liegt ___*in*___ Österreich.

12

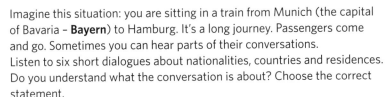 TR. 20

Imagine this situation: you are sitting in a train from Munich (the capital of Bavaria – **Bayern**) to Hamburg. It's a long journey. Passengers come and go. Sometimes you can hear parts of their conversations.
Listen to six short dialogues about nationalities, countries and residences.
Do you understand what the conversation is about? Choose the correct statement.

1. A ▪ Er ist aus Deutschland.
   B ▪ Er ist aus England.
   c ▪ Er ist aus Griechenland.

2. A ▪ Frau Müller fährt nach Bonn.
   B ▪ Frau Müller wohnt in der Gartenstraße 3.
   c ▪ Frau Müller wohnt in der Goethestraße 8.

3. A ▪ Er spricht Deutsch und Französisch.
   B ▪ Er spricht nur Deutsch.
   c ▪ Er spricht Englisch und Deutsch.

4. A ▪ Er ist Schweizer.
   B ▪ Er ist Italiener.
   c ▪ Er ist Franzose.

5. A ▪ Er fährt nach Bayern.
   B ▪ Er fährt nach Erlangen.
   c ▪ Er fährt nach Hamburg.

13

Remember the end of the introductory dialogue:
– Dort ist **ein** Museum, oder? *(There is a museum, isn't there?)*
– Ja, **das** Stadtmuseum. *(Yes, the city museum.)*

Nouns in German have an indefinite (a, an) and a definite (the) article.
The article indicates the gender of nouns. All German nouns are either
masculine, feminine or neuter and are always written with capital letters.

	masculine	feminine	neuter
indefinite	**ein** Fluss	**eine** Straße	**ein** Haus
definite	**der** Fluss	**die** Straße	**das** Haus
	(river)	*(street)*	*(house)*

TR. 21

Read and listen to the sentences.

1. **Das ist ein Haus. Das Haus ist alt.**
   (This is a house. The house is old.)
2. **Das ist eine Straße. Die Straße liegt in Düsseldorf.**
   (This is a street. The street is in Düsseldorf.)
3. **Das ist ein Fluss. Der Fluss heißt „Rhein".**
   (This is a river. The river is called "The Rhine".)

Unfortunately, there is no sure way of telling what gender a noun is. The
best thing you can do is to always learn a noun with its article, for examp-
le **die** Adresse *(the address)*.

TR. 22

14

As you already know, the article (**der**, **die**, **das**) indicates the gender of
nouns. Let's have a look at some nouns.
Read the words below. Do you remember the correct article? If you need
help, listen to the nouns. Put a circle around the correct article (*der, die* or
das). Repeat them (don't forget the article!) and try to memorize them.

1. der | die | das Bahnhof
2. der | die | das Straße
3. der | die | das Land
4. der | die | das Stadt
5. der | die | das Fluss

6. der | die | das Adresse
7. der | die | das Turm
8. der | die | das Nummer
9. der | die | das Haus
10. der | die | das Telefon

TR. 23

1

Let's see what you can eat and drink at a café.
Look at the pictures and listen to what these delicious things are called in German. Then write the words into the right gaps.

Schinkentoast   Kuchen   Schokoladentorte   Bier   Mineralwasser
Kaffee   Tee   Wein   Orangensaft   Cola

1. _F_   2. _B_   3. _C_   4. _G_   5. _____ BIER?

6. _E_   7. _J_   8. _A_   9. _I_   10. _H_

2

 TR. 24

Let's have a look at some phrases you can use when you visit a café (**ein Café**) in a German-speaking country.
Read the sentences and listen to them. What could be their meaning?
Match the English translation to the correct German sentence.

1. Was möchten Sie?	_1_ A *What would you like?*
2. Ich hätte gern einen Kaffee.	_6_ B *Can we have the bill, please?*
3. Ich nehme lieber einen Tee mit Zitrone.	_4_ C *I'd like a piece of apple pie.*
4. Ich nehme ein Stück Apfel- kuchen.	_2_ D *I'd like to have a coffee.*
5. Ich möchte nur etwas trinken.	_5_ E *I'll just have something to drink.*
6. Wir möchten bitte zahlen.	_3_ F *I prefer a tea with lemon.*

TR. 25

3

It's still early afternoon. Sylvia and Aynur have visited the editorial office, Thomas has finished his article. Because it's Aynur and Sylvia's first day of work, they have been invited to have a coffee. Now the team is sitting in a café. Thomas hasn't decided yet what to order.
What do Thomas, Sylvia and Aynur say or do during their visit to the café? Listen to the dialogue and look at the pictures.

Now listen to the dialogue again and read the text in the tape script which you can find in the appendix.

How can you understand the gist of a spoken text even if you don't know each word? Before you do a listening activity, look at the task, the questions or the pictures, so that you understand the situation and have an idea of what the text is about. And in real life? Instead of pictures you have gestures and facial expressions that help you to get the gist of a text.

4

 TR. 25

Let's have a look at the dialogue a little more closely and find some details. What do Thomas, Sylvia and Aynur drink or eat?
Listen to the dialogue again. Who drinks or eats what? Write the expressions below in the appropriate space.

Sylvia   Aynur   Thomas

_____   _____   _____

_____   _____   _____

> einen Tee mit Zitrone   ein Mineralwasser   einen Kaffee
> einen Schinkentoast   einen Apfelkuchen

5

 TR. 26

We have already talked about the intonation of words. Now we'll look a little closer at the vowels of the stressed syllable. The vowels **a**, **e**, **i**, **u**, **o** and the umlauts **ä**, **ö**, **ü** can be spoken long or short.
To develop an ear for the differences between long and short vowels, listen to the following pairs of words.

1. zahlen – Tasse
2. nehmen – essen
3. vier – bitte
4. Zitrone – kommen

5. gut – Turm
6. Käse – hätte
7. Österreich – möchte
8. Süden – Stück

Sometimes the German spelling shows you how to pronounce the stressed vowel: An h following a vowel makes the sound long like in **zahlen**. The same effect has an e behind an i like in **vier**. Note that in neither case you can hear the h or the e.
A double consonant behind the vowel is a sure sign that the vowel is short like in **kommen**.

Are you ready to try it yourself? Listen to the words again and repeat them aloud.

TR. 27

Gut zu wissen:
If you want to know
how old somebody is,
you can ask **Wie alt
sind Sie?** or informally
Wie alt bist du? You
would answer **Ich bin
...** and give your age.

6

Note how the numbers from 13 to 19 are spoken. Listen to the numbers and repeat them.

10	**11**	**12**	**13**	**14**
zehn	elf	zwölf	dreizehn	vierzehn

15	**16**	**17**	**18**	**19**
fünfzehn	sechzehn	siebzehn	achtzehn	neunzehn

7

How much is a beer? How much is the bill? Look at the pictures and complete the sentences by filling in the correct numbers.

1. Ein Bier? Das macht

   zwei Euro _____ .

2. Ein Stück Kuchen kostet

   zwei Euro _____ .

3. Das macht zusammen _____

   Euro fünfzehn.

8

Unfortunately a number of verbs are irregular, but only in the 2nd and 3rd person singular. For example:

nehmen: Was n**i**mmst du? – Ich nehme einen Tee.
(What do you take? – I'll take a tea.)
essen: Aynur **i**sst gerne Kuchen.
(Aynur likes eating cake.)
sehen: S**ie**hst du die Frau dort?
(Do you see the woman there?)
sprechen: Spr**i**chst du Englisch?
(Do you speak English?)
fahren: Peter f**ä**hrt nach Berlin.
(Peter goes to Berlin.)

Look again at the examples above and then complete the rules for the verbs with a stem-vowel change.

> Rules: The stem-vowel **e** changes into ___*i*___ or **ie** (spoken as a
>
> short or long "i") and the stem-vowel ___*a*___ changes into **ä**
> (a Umlaut).

Note that not all verbs with **e** or **a** change the stem-vowel.
You might wonder how to know if the stem-vowel changes or not.
In general, the dictionary will show you the paradigm when the verb is irregular.

9

Choose the correct verb form to complete the sentences.
Remember that a number of verbs changes the stem-vowel in the 2nd and 3rd person singular and that some verbs are irregular.

1. Was *nahm* | *nimmst* | *nehmst* du? – Einen Apfelkuchen.
2. Peter *möchte* | *möchten* | *möchtet* einen Milchkaffee.
3. Wer *zahlt* | *zählt* | *zahlen* die Rechnung? – Ich.
4. Wohin *fahren* | *fahrt* | *fährt* sie? – Nach Düsseldorf.
5. Er *ist* | *isst* | *esst* einen Schinkentoast.
6. Anna *hätte* | *hat* | *hättet* gern eine Tasse Tee.
7. Cola, Bier, Mineralwasser … – *Hat* | *Hast* | *Haben* du auch Wein?

10

In a café or a restaurant, the waiter would ask you:

 TR. 28

Was möchten Sie? *(What would you like?)*
Möchten Sie einen Apfelkuchen mit oder ohne Sahne?
(Would you like an apple pie with or without whipped cream?)
Was hätten Sie gern? *(What would you like to have?)*
Was nehmen Sie? *(What do you take?)*

 TR. 29

For your answer you would use the same structure. Listen and fill in the correct form of the verb.

1. Ich _____ einen Apfelkuchen mit Sahne.

2. Ich _____ gern einen Toast.

3. Ich _____ einen Kaffee.

Expressions with **möchte** and **hätte** are very common. That's why it's worth the trouble to learn the forms even if they are quite irregular. Here are the forms:

forms of möchte		forms of hätte	
ich	möchte ein Bier	ich	hätte gern ein Bier
du	möchtest	du	hättest
er, sie, es	möchte	er, sie, es	hätte
wir	möchten	wir	hätten
ihr	möchtet	ihr	hättet
sie	möchten	sie	hätten
Sie	möchten	Sie	hätten

 TR. 30

Gut zu wissen:
In Germany and in Austria, the currency is called **Euro**. One Euro consists of 100 **Cent**. The currency in Switzerland is the **Schweizer Franken** – one Schweizer Franke equals 100 **Rappen**.

11

To call the waiter / waitress you can say **Hallo!** or **Entschuldigung!** *(Excuse me!)*, but the best is eye contact and perhaps to raise your hand slightly and use phrases like
• **Wir möchten bitte zahlen.** *(We'd like to pay, please.)*
• **Die Rechnung, bitte!** *(The bill, please.)*

When the waiter / waitress comes to your table he / she might say
• **Das macht 19 Euro 10.** *(That's 19 Euro 10 Cent.)*
• **Getrennt oder zusammen?** *(Separate (bills) or together?)*
It is common for everyone to pay for him or herself, unless your companion expressly says he / she wants to pay for you.

Listen again to the end of the introducing dialogue. If you want to read the text you'll find it in the appendix.

You are not obliged to leave a tip (**das Trinkgeld**) as it is normally included in the bill, but you usually round up the bill saying **Stimmt so!** (*Keep the change!*) or give 5 – 10 % tip.

12

 TR. 31

Imagine you and your friend are in a café or restaurant. The waiter is speaking to you. Do you know what to answer?
Read and listen to what the waiter says. Then match the correct reaction with the waiter's sentences. Listen again to the sentences and repeat them aloud.

1. Was nehmen Sie?	____ A Haben Sie auch Milchkaffee?
2. Möchten Sie etwas essen?	____ B Zusammen.
3. Wir haben Kaffee, Cappuccino, Espresso ...	____ C Ich nehme einen Tee.
4. Möchten Sie etwas trinken?	____ D Ja, wir hätten gern ein Bier und einen Wein.
5. Möchten Sie den Kuchen mit oder ohne Sahne?	____ E Stimmt so!
6. Zahlen Sie getrennt oder zusammen?	____ F Nein, danke.
7. Das macht 19 Euro.	____ G Mit Sahne, bitte.

13

 TR. 32

It's time to go to a café to drink and eat something, isn't it?
Listen to the dialogue. What does the waiter say and what does the guest answer? You can also read the dialogue in the appendix. Now try to repeat the sentences aloud.

14

Of course you have noticed the article in sentences like
- Ich möchte **einen** Tee. (*I'd like a tea.*)
- Möchten Sie **den** Tee mit Zitrone oder mit Milch? (*Would you like the tea with lemon or with milk?*)

It's the accusative case. Don't worry, only the masculine form changes:

	masculine	feminine	neuter
indefinite	**einen** Tee	eine Cola	ein Bier
definite	**den** Tee	die Cola	das Bier

Listen and write the correct article into the gap.

| den   ein   einen |

TR. 33

1. Nehmen wir ein Bier oder _____ Wein?

2. Siehst du _____ Mann dort?

3. Ich hätte gern _____ Mineralwasser.

15

You already know a lot of nouns, their gender and their articles. Read the sentences and write the correct article into the gaps.

| das   den   der   die   die   ein   eine   einen   einen |

Die Studentin macht (1) _____ Praktikum.

Ich nehme (2) _____ Apfelkuchen und (3) _____ Kaffee.

Wir möchten bitte (4) _____ Speisekarte.

Zahlst du (5) _____ Rechnung?

Hast du auch (6) _____ Handynummer?

Ich möchte (7) _____ Rathaus und (8) _____ Bahnhof fotografieren.

Wer ist (9) _____ Mann dort? Das ist Thomas Kowalski.

1

 TR. 34

The Rhine is a river full of life and it flows through a beautiful landscape. Let's have a look at what you can find in, on and along the river Rhine. Listen to the words and read them. We have always given the plural form. On the right you can find the singular form of the words.

Häuser   Dörfer   Fische   Schiffe

Tiere   Weinberge   Burgen   Krokodile

das Haus – *house*
das Dorf – *village*
der Fisch – *fish*
das Schiff – *ship*
das Tier – *animal*
der Weinberg – *vineyards*
die Burg – *castle*
das Krokodil – *crocodile*

Now you have a general idea of the Rhine. But what about crocodiles in the Rhine? This will be an important question in this unit! Go ahead!

2

 TR. 35

What do you know about crocodiles and how would you react to a crocodile in the Rhine?
Listen to four statements about crocodiles. Then write the missing words into the gaps.

gefährlich	möglich	keine	groß

1. Krokodile sind _____ .

2. Ein Krokodil im Rhein? Nicht _____ !

3. Im Rhein gibt es _____ Krokodile!

4. Ich denke, Krokodile sind _____ .

Gut zu wissen:
The expression **es gibt** (*there is/are*) is invariable. So you can say **es gibt ein Krokodil** (*there is a crocodile*) and also **es gibt zwei Krokodile** (*there are two crocodiles*).

TR. 36

3

What is the daily work of Thomas, Sylvia and Aynur in the editorial office? Well, most of the time they read, write or speak on the phone. Here are some parts of a telephone call. Listen to the sentences. Can you guess the meaning of the phrases? Match them with the corresponding description in English.

1. Was kann ich für Sie tun?	___ A *Somebody is introducing himself.*
2. Lokalredaktion *Blickpunkte*, Sylvia Moser am Apparat.	___ B *The called person is offering help.*
3. Danke für den Anruf.	___ C *It's the form for closing a phone call.*
4. Guten Tag. Mein Name ist Kowalsky.	___ D *Sylvia is answering the phone.*
5. Auf Wiederhören.	___ E *The called person ist thanking for the call.*

 TR. 37

4

After another day without any special event in the editorial office one morning Thomas receives an interesting call from a lady. He informs Sylvia and Aynur who couldn't hear the whole telephone conversation. Together they decide that it might be a good story for their newspaper "Blickpunkte" (Limelights).
Listen to the dialogue. In the dialogue, you'll hear the word "Benrath". It's a district in the southern part of Düsseldorf.

5

 TR. 37

Let's look at the dialogue a little more closely and find out some details. Before listening once more to the dialogue read the statements below. Then you'll know what details to look for and you can pay attention to these points.
After this preparation listen to the dialogue and decide whether these statements are "true" (T) or "false"(F).

	true	false
1. The woman who is calling wants to tell a fictional story.	▨	▨
2. The crocodile swimming in the Rhine is quite big.	▨	▨
3. Thomas doubts the truth of the story.	▨	▨
4. The woman doesn't know where the crocodile is.	▨	▨
5. Aynur and Sylvia are surprised about the news.	▨	▨
6. At the end the team continues on working at the office.	▨	▨

6

 TR. 38

What can you say if you are not sure about something? Let's have a look at the possibilities. You have heard some of them in the introducing dialogue:

That's sure: **Ich weiß.** (*I know.*) and **Ich bin sicher.** (*I'm sure.*)
Quite sure: **Ich denke, wir kommen.** (*I think, we'll come.*)
Less sure: **Vielleicht kommen wir.** (*Maybe we'll come.*)
Unsure: **Ich bin nicht sicher.** (*I'm not sure.*) and
Ich weiß nicht. (*I don't know.*)

Read the questions and listen to the reactions.

1. Sind Sie interessiert? – Ich weiß nicht …, ja, vielleicht.
2. Und? Kommen Sie? – Ja, ich denke, wir kommen.

And the following questions are good for raising doubt:
Sind Sie sicher? (*Are you sure?*), **Wirklich?** (*Really?*), **Wie bitte?** (*Sorry?*)

How do people react to the crocodile in the Rhine?
Listen carefully to the intonation.

Wirklich? Das ist doch nicht möglich!
Wie bitte? Im Rhein gibt es doch keine Krokodile!

Gut zu wissen:
The word **doch** has different meanings. In **das ist doch nicht möglich!** it's used to emphasize. In **im Rhein gibt es doch keine Krokodile**, the speaker wants that the dialogue partner agrees.

 TR. 39

TR. 40

Gut zu wissen:
The farewell **Auf Wiederhören.** instead of **Auf Wiedersehen.** *(goodbye)* is only used on the phone. In a less formal situation you would say **Tschüss.** *(bye).*

7

In an official situation you usually answer the phone by saying the company's name, department, your name and asking how you can help the caller:
- **Lokalredaktion „Blickpunkte", Kowalski am Apparat. Guten Tag!** *(Local editorial office of "Blickpunkte", Kowalski on the phone. Good morning!)*
- **Was kann ich für Sie tun?** *(What can I do for you?)*

The caller also says who he is:
- **Mein Name ist Kundera.** *(My name is Kundera.)*
- **Hier spricht Maria Kundera.** *(This is Maria Kundera.)*

At the end of the call you say:
- **Danke für den Anruf. Auf Wiederhören!**
(Thanks for calling. Goodbye!)

 TR. 41

Listen to how people answer the phone.
You'll find the text in the appendix.

8

Aynur is sitting in the editorial office when the phone rings. It's her friend Claudia who wants to know what's up.
The sentences of the dialogue are mixed up. Put them into the correct order. In the word box you'll find some help with the vocabulary.

Was ist los? –
What's up?

Das ist doch nicht möglich! – But that isn't possible!

1. *Aynur:* ___ **A** Sylvia, Thomas und ich suchen ein Krokodil.
2. *Claudia:* ___ **B** „Blickpunkte". Aynur Hartmann am Apparat.
3. *Aynur:* ___ **C** Das ist doch nicht möglich! Ein Krokodil im Rhein!
4. *Claudia:* ___ **D** Wie bitte? Ein Krokodil?
5. *Aynur:* ___ **E** Hallo, Aynur. Hier ist Claudia. Was machst du? Was ist los?
6. *Claudia:*
___ **F** Ja. Eine Frau sagt, im Rhein schwimmt ein Krokodil.

 TR. 42

Listen to the dialogue. Focus on the quite neutral intonation of Aynur and the expressive reactions of Claudia. Read the dialogue aloud and try to imitate the intonation.

9

Of course, you remember the plural forms in sentences like:
- **Am Rhein gibt es Dörfer, Burgen und Weinberge.**
  (On the Rhine, there are villages, castles and wineyards.)

And what about the rules?
Good news: The definite article, nominative and accusative, is always **die**:
- **Die Dörfer und die Burgen am Fluss sind sehr schön.**
  (The villages and the castles on the river are very pretty.)

Depending on the gender and the ending of the singular there are six different endings for the plural: **-e**, **-n**, **-en**, **-er**, **-s** or no ending. The vowels **a**, **o**, **u** mostly become **ä**, **ö**, **ü**.

gender	singular	plural	ending
masculine or neuter	der Meter / der Fluss	die Meter / die Flüsse	— / -e
neuter (1 syllable)	das Dorf	die Dörfer	-er
feminin	die Geschichte / die Burg	die Geschichten / die Burgen	-n / -en
masc./fem./neuter (foreign words)	das Foto	die Fotos	-s

10

Write the plural of the nouns into the gaps. You don't have to write the article, because it's always **die**.

1. die Zeitung _____

2. das Foto _____

3. der Kuchen _____

4. die Frau _____

5. der Fisch _____

6. das Schiff _____

7. das Haus _____

8. das Tier _____

TR. 43

11

To answer questions starting with **Wie ist ... ?** (*What's ... like?*) and to describe people, animals or objects you can use adjectives:

- **Wie ist das Krokodil? – Es ist groß, gefährlich und 2 Meter lang.**
  (*What is the crocodile like? – It's tall, dangerous and 2 metres long.*)
- **Die Häuser sind alt, klein und hässlich.**
  (*The houses are old, small and ugly.*)

With **sehr** (*very*) you intensify the characteristics:
- **Der Tee ist sehr heiß und süß.** (*The tea is very hot and sweet.*)

 TR. 44

Read and listen to some other very common words:

gut (*good*), schlecht (*bad*), kalt (*cold*), neu (*new*), jung (*young*), schön (*beautiful*), bitter (*bitter*), langweilig (*boring*).

12

Look at the pictures and complete the sentences by filling in the missing adjectives.

1. Markus ist _____, Stefan ist klein.

2. Der Kaffee ist gut und sehr

   _____.

3. Die Straße ist 300 Meter

   _____.

4. Die Geschichte ist nicht gut, sie ist

   _____.

5. Das Haus Nummer 21 ist _____ und hässlich.

13

In the introducing dialogue you have seen two possibilities to negate sentences and words:

1. To negate a sentence or a part of it you add **nicht**:
   - Ich weiß **nicht**. *(I don't know.)*
   - Das ist **nicht** möglich! *(That's not possible!)*
2. To negate a noun with an indefinite article you can use **kein**, **keine**, **keinen** in the singular. The plural is always **keine**.
   - Ein Krokodil? Im Rhein gibt es **kein** Krokodil!
     (A crocodile? In the Rhine, there isn't a crocodile!)
   - Nimmst du einen Kaffee? – Nein, ich nehme **keinen** Kaffee.
     (Will you take a coffee? – No, I won't take a coffee.)
   - Zwei Schiffe? Ich sehe **keine** Schiffe. *(Two ships? I don't see any ships.)*

Write the correct form of **kein** into the sentences.

keine	kein	keine	keinen

1. Eine Cola? Nein, ich trinke _____ Cola.

2. Ein Hotel? Nein, dort ist _____ Hotel.

3. Wo sind Fische? Ich sehe _____ Fische.

4. Ich möchte bitte _____ Orangensaft.

14

Complete the sentences below by using **nicht** or a form of **kein**, for example: **Ich komme <u>nicht</u>.** or **Das ist <u>kein</u> Schiff.**

1. Einen Fisch? Ich esse _____ Fisch.

2. Die Häuser sind _____ alt.

3. Thomas sucht _____ Krokodil.

4. Nein danke, ich möchte _____ Kaffee.

5. Wir fahren _____ nach Benrath.

6. Dort gibt es _____ Tiere.

 TR. 45

Gut zu wissen:
The verb **wissen** *(to know)* is irregular: **ich weiß, du weißt, er weiß, wir wissen, ihr wisst, sie wissen**; polite form: **Sie wissen.**

nicht + ein = kein
nicht + eine = keine
nicht + einen = keinen

TR. 46

More numbers:
20   zwanzig
21   einundzwanzig
22   zweiundzwanzig
23   dreiundzwanzig
30   dreißig
31   einunddreißig
40   vierzig
50   fünfzig
60   sechzig
70   siebzig
80   achtzig
90   neunzig
100   (ein)hundert
101   (ein)hundert- eins
102   (ein)hundert- zwei
200   zweihundert
300   dreihundert

15

Listen to the numbers and repeat. Note that the ending **-ig** is spoken as **ich**.

20 zwanzig   **21** einundzwanzig   **22** zweiund-zwanzig   **30** dreißig   **37** siebenunddreißig

60 sechzig   **70** siebzig   **99** neunund-neunzig   **100** hundert   **175** hundertfünfund-siebzig

Note two things: The numbers 21–99 are formed the other way round from English: "ein + und + zwanzig". For 100 you can say **hundert** or **einhundert**.

16

Now write the numbers into the gaps.

1. Das Haus ist groß: **24** Meter.   _____

2. Das sind **100** Euro.   _____

3. Die Adresse ist Mozartstraße **63.**   _____

4. Die Straße ist **70** Meter lang.   _____

5. Der Fluss ist **850** Meter lang.   _____

TR. 47

Gut zu wissen:
In the dialects of southern Germany and in Austria people tend not to differentiate between **b**, **d**, **g** and **p**, **t**, **k**. All these letters are pronounced equally and have a "soft" sound.

17

Have you noticed that some German letters don't always have the same sound? The sounds of **r**, **b**, **d** and **g** vary depending whether they appear at the beginning, in the middle or at the end of a word.
Listen to the example words and try to repeat the words aloud. At the end of a word, an **r** is hardly heard; **b**, **d**, **g** sound like **p**, **t**, **k**. The ending **-ig** sounds like **ich** and the combination **ng** has only one syllable.

1. **R**hein – Häuse**r**
2. le**b**en – lie**b**
3. Län**d**er – Lan**d**
4. **g**ut – Ta**g**
5. zwanz**ig** – richt**ig**
6. E**ng**land – la**ng**

1

 TR. 48

Here you'll learn words you'll need when travelling by train, tram, bus or underground.

Listen to the German words for the activities, means of transport and places and write the missing words into the gaps.

1. _____

2. _____

3. _____

die U-Bahn –
underground train

die Straßenbahn –
tram

der Fahrkartenauto-
mat – *ticket machine*

die Haltestelle –
stop

das Gleis –
platform

entwerten –
to cancel (the ticket)

einsteigen –
to get on

aussteigen –
to get off

4. _____

5. _____

6. _____

Gut zu wissen:

When travelling on buses, trams or suburban trains in German cities, you can either buy a **Einzelfahrkarte** (*single journey ticket*), or, the reduced rate **Mehrfahrtenkarten** (*multiple journey tickets*).

7. _____

8. _____

> aussteigen   einsteigen   entwerten   Fahrkartenautomat
> Gleis   Haltestelle   Straßenbahn   U-Bahn

Now listen again and say the new words out loud to memorize them. Look at the word box to see the gender of the nouns and the translation.

TR. 49

Gut zu wissen:
To indicate the Intercity and Intercityexpress trains the abbreviations **IC** or **ICE** can be used.

2

Let's have a look at the information you can get from a timetable which shows three different connections from Düsseldorf Main Station to Frankfurt Airport.

4.31	⊗ 6		Köln Hbf	5.41	5.47	EC	25	⌁	7.53	Mo - Fr	▨
6.02	IC 513	☕	Mainz Hbf	8.11	8.19	⊗ 8			8.46	Mo - Sa	05
6.11	RE 10002		Köln Hbf	6.42	6.54	IC	609	☕	8.55	täglich	01
6.28	ICE 823	⌁							9.00	täglich	01
6.44	IR 2213	☕	Mainz Hbf	9.04	9.10	RB 15515			8.38	Mo - Fr	▨

Listen to questions and information about the three connections on the timetable. Then write the missing words into the gaps.

> um Intercity direkt umsteigen Regional-Express S-Bahn

1. Wann fährt der _____ aus Düsseldorf ab?

2. Um **6.**02 Uhr. Man muss in Mainz umsteigen und die _____ nehmen.

3. Der _____ um **6.**11 Uhr fährt nach Köln.

4. Der ICE kommt _____ **9.**00 Uhr in Frankfurt an.

5. Man muss nicht _____ .

6. Die Verbindung ist _____ .

 TR. 50

3

The fastest way to Benrath (where the crocodile was seen) is by public transport. That's why Thomas, Aynur and Sylvia hurry to the main station. Now they are in the station hall studying the timetable and asking at the information desk which tickets they'll need.
Listen to the dialogue and look at the pictures. They will help you to get the general sense. Later we'll look for details.

TR. 50

4

Let's look a little more closely at the dialogue for some details.
Listen to the dialogue again and decide if the statements below are true
(T) or false (F). In the appendix you'll find the tapescript.

	true	false
1. There isn't a direct connection to Benrath.	▨	▨
2. Thomas and his colleagues decide to take the S-Bahn.	▨	▨
3. The journey to Benrath will take six minutes.	▨	▨
4. Aynur is travelling with the same ticket as Sylvia and Thomas.	▨	▨
5. The tickets are available from a ticket machine.	▨	▨
6. The train leaves from Platform 15.	▨	▨

5

 TR. 51

In the introductory dialogue, there were some very useful questions you'll
need when you're travelling by public transport.
Read and listen to the questions. What do they mean? Match the
translation to the corresponding questions.

1. Wie spät ist es?	____ A *Where can we buy the ticket?*
2. Wann fährt der nächste Zug nach Benrath?	____ B *How long will it take?*
3. Müssen wir umsteigen?	____ C *What time is it?*
4. Um wie viel Uhr kommen wir an?	____ D *Do we have to change trains?*
5. Wie lange fahren wir?	____ E *Which platform does the train leave from?*
6. Wo können wir das Ticket kaufen?	____ F *What time will we arrive?*
7. Auf welchem Gleis fährt der Zug ab?	____ G *When's the next train to Benrath?*

Gut zu wissen:
In Austria and in
Southern Germany,
you may hear **Wann
geht der nächste Zug
nach Wien?**, even
though **gehen**, when
used to indicate move-
ment, normally means
to walk.

TR. 52

Gut zu wissen:
Note that, using the example **10.15 Uhr**, **Uhr** is written after the time, but in spoken German you say: **zehn Uhr fünfzehn**.

6

1. If you want to know what time it is, you ask:
   • **Wie spät** ist es? or **Wie viel Uhr** ist es? *(What time is it?)*
   and you answer: **Es ist** 10 **Uhr**. *(It's 10 o'clock.)*
2. If you want to know the time when someone will come or leave you, ask:
   • **Um wie viel Uhr** kommst du? *(What time are you coming?)* and answer: **Um 10.15 Uhr**. *(At 10.15.)*
   • **Wann** fährt der Zug nach Köln? *(When does the train to Cologne leave?)* and answer: **Um 10.23 Uhr**. *(At 10.23.)*
3. If you want to know how long the journey is, you ask:
   • **Wie lange** fahren wir? *(How long will we travel for?)*
   and answer: Eine **Stunde** und 20 **Minuten**. *(One hour and 20 minutes.)*

Complete the sentences and write the missing words into the gaps.

Minuten spät Uhr um lange Stunde wie viel

1. Um _____ Uhr kommen die Kollegen?

2. Wie _____ fährst du? – Nur 15 _____.

3. Ich denke, Peter ist _____ 8 Uhr hier.

TR. 53

7

You already know the German words for some means of transport. Which means of transport do you see in the pictures? Listen and write the numbers into the gaps after the names. The first has been done for you.

1. die Straßenbahn 4, das Taxi _____,

2. die U-Bahn _____, die S-Bahn _____,

3. der Bus _____, der Zug _____

4. das Schiff _____, das Flugzeug _____

Typical questions are:
• **Nehmen wir den Bus oder die Straßenbahn?**
(Shall we take the bus or tram?)
• **Fahren wir mit dem Bus oder mit der Straßenbahn?**
  (Shall we go by bus or tram?)
Masculine and neuter nouns use **mit dem**; feminine **mit der**.

TR. 54

8

In the introductory dialogue you have the sentence:

Um wie viel Uhr **kommen** wir in Benrath **an**?

(What time do we arrive in Benrath?)

The infintive of the verb **ankommen** *(to arrive)* is written as one word. But to form a correct sentence e. g. in the present tense the prefix **an-** is separated from the main part of the verb **kommen** and placed at the end of the sentence:

Wir **kommen** um 8 Uhr **an**. *(We'll arrive at 8 o'clock.)*

Here are other examples. Note that the prefix is always stressed:
aussteigen *(to get off)*, **abfahren** *(to leave)*, **zurückkommen** *(to return)*

Fill in the gaps with the correct form of the verb.

aussteigen: Wir **(1)** _____ in Bilk **(2)** _____ .

zurückkommen: Wann **(3)** _____ du **(4)** _____ ?

abfahren: Wann **(5)** _____ der Bus **(6)** _____ ?

The separable prefixes you already know are: **ab-**, **an-**, **auf-**, **aus-**, **ein-**, **hin-**, **um-** and **zurück-**. Note that these little prefixes can change the meaning of a verb completely. Look at the word box for more examples.

9

In this unit you have worked with a lot of words which have to do with **fahren**. Do you remember verbs and nouns which contain the stem -**fahr**-? Read the words on the left. Then match the corresponding translation. To memorize the words repeat them out loud and look at the word box.

1. die Fahrt	___ A	*departure*
2. die Abfahrt	___ B	*driver*
3. zurückfahren	___ C	*journey*
4. der Fahrplan	___ D	*return ticket*
5. der Fahrkartenschalter	___ E	*single ticket*
6. die Einzelfahrkarte	___ F	*ticket machine*
7. der Fahrer	___ G	*ticket office*
8. die Hin- und Rückfahrkarte	___ H	*timetable*
9. abfahren	___ I	*to leave*
10. der Fahrkartenautomat	___ J	*to return*

 TR. 55

hinfahren – *to go there (by means of transport)*

zurückfahren – *to go back*

hingehen – *to go there (on foot)*

zurückgehen – *to go back*

einsteigen – *to get on*

umsteigen – *to change (train, bus or tram)*

Gut zu wissen:
Abfahren and **zurückfahren** have a separable prefix:
Der Zug fährt um 10 Uhr ab.
Ich komme um 18 Uhr zurück.

TR. 56

KÖNNEN

kann	können
kannst	könnt
kann	können

MÜSSEN

muss	müssen
musst	müsst
muss	müssen

WOLLEN

will	wollen
willst	wollt
will	wollen

10

Read and listen to these sentences with modal auxiliaries:

Was **kann** ich für Sie **tun**? *(What can I do for you?)*
Ich **muss** hier **aussteigen**. *(I have to get off here.)*
Wir **wollen** nach Benrath **fahren**. *(We want to go to Benrath.)*

> Some rules:
> 1. The modals **können** *(to be able to, can)*, **müssen** *(to have to, must)* and **wollen** *(to want to)* are conjugated and they always go with another verb, which is always an infinitive.
> 2. Word order: The modal is in the usual verb position: The infinitve form of the second verb is at the very end.

Complete the sentences by writing the words into the gaps.
Look at the word box if you aren't sure about the forms.

> **kann   müssen   wollt   kaufen   umsteigen**

Wohin (1) _____wollt_____ ihr fahren?

Wir (2) _____müssen_____ in Köln (3) _____umsteigen____.

Wo (4)_____kann_____ ich Fahrkarten (5) ____kaufen___?

> The most important meanings are:
> **können:**   *possibility, ability or polite request.*
> **müssen:**   *necessity (obligation) or strong request.*
> **wollen:**   *willingness or intention.*

11

Here you can practise the modals **können**, **müssen** and **wollen**. Rewrite the sentences by using the modal verb in brackets.
Think of the correct form of the modal and the word order. In sentences with modal auxiliaries, the verb in the infinitive form is at the very end.

1. Ich komme nicht. *(können)*
2. Peter nimmt den Bus. *(wollen)*
3. Sie fahren mit dem IC um 11 Uhr. *(können)*
4. Ich steige hier aus. *(müssen)*
5. Wohin fährst du? *(wollen)*

12

There are various ways of expressing that you want to buy a railway ticket at the ticket office. And, of course, there are different tickets, too.
Listen to the sentences and write the missing words into the gaps. Look at the word box if you need help with vocabulary.

 TR. 57

eine Hin- und Rück-
fahrkarte –
a return ticket

eine Fahrkarte
2. Klasse (zweiter
Klasse) –
second-class ticket

eine Fahrkarte
1. Klasse (erster
Klasse) -
first-class ticket

hin und zurück –
return (ticket/s)

eine einfache Fahrt –
one way/(single) trip

der IC-Zuschlag –
*additional charge for
Intercity trains*

zwei Erwachsene –
two adults

das Kind – *child*

1. Ich möchte eine Hin- und **(1)** _____ nach München.

2. Zwei Fahrkarten 2. **(2)** _____ nach Bonn, hin und

   (3) _____.

3. Eine **(4)** _____ Fahrt nach Köln und einen

   IC-**(5)** _____.

4. Drei Fahrkarten, bitte. Zwei **(6)** _____ und ein Kind.

> einfache   Erwachsene   Klasse   Rückfahrkarte   zurück   Zuschlag

When you are travelling by public transport (bus, tram, underground or S-Bahn) you can buy **eine Einzelfahrkarte** (*single journey ticket*) or **eine Mehrfahrtenkarte** (*multiple journey ticket*).

And finally: There are three different places where you can buy tickets: **am Fahrkartenschalter** (*at the ticket office*), **am Fahrkartenautomaten** (*at the ticket machine*), **beim Fahrer** (*from the driver*).

13

In these rows of letters, there are hidden sentences that you can use when buying tickets. Split the chains of letters so that the sentences are correct. After doing that repeat the sentences out loud.

1. Zwei|Fahrkarten|hin|und|zurück|nach|Köln.

2. Wo|kann|ich|Fahrkarten|für|die|S-Bahn|kaufen?

3. Ich|möchte|eine|Einzelfahrkarte.

4. Muss|ich|die|Fahrkarte|entwerten?

5. Ich|brauche|einen|Zuschlag|für|den|ICE.

6. Eine|einfache|Fahrt|zweiter|Klasse|nach|Bonn.

TR. 58

Gut zu wissen:
The word **das Gleis** indicates the platform and also the rail track. Another very common word for *platform* is **der Bahnsteig**.

 TR. 59

14

Here are some useful questions you can ask when you are travelling by public transport:

1. Wo muss ich aussteigen? *(Where do I have to get off?)*
2. Ist die nächste Haltestelle „Benrath"? *(Is the next stop "Benrath?")*
3. Hält der Zug auch in Bilk? *(Does the train stop in Bilk?)*
4. Muss ich umsteigen? *(Do I have to change trains?)*
5. Auf welchem Gleis fährt der Zug nach Köln ab? *(Which platform does the train to Cologne leave from?)*
6. Brauche ich einen Zuschlag? *(Do I need to pay extra for this train?)*

Listen to three answers and write the number of the question which fits each answer.

answer **(a)**   question ____

answer **(b)**   question ____

answer **(c)**   question ____

15

Choose the correct word in each sentence.

1. Entschuldigung, ich *brauche / kann / muss* nicht kommen.
2. Wann fährt die S-Bahn nach Benrath *ab / an / hin*?
3. Eine Fahrkarte nach München, *einfach / Hinfahrt / hin* und zurück.
4. Wir müssen am Fahrkartenschalter *kaufen / fragen / entwerten*.
5. Der Intercity *geht / fährt / hält* nicht in Benrath.
6. Die Fahrt mit der U-Bahn dauert nur 12 *Minuten / Euro / Uhr*.

16

These sentences are mixed up. Put the words in the correct order. Then repeat the sentences aloud.

1. ab. | 16 | ICE nach München | Gleis | auf | Der | fährt
2. Peter | Uhr | Um | an. | kommt | wie | viel
3. zurück? | Fährst | 10 Uhr | du | um
4. nicht | Ich | fahren. | will | mit der Straßenbahn
5. Fahrkarten | kaufen? | können | Wo | wir
6. umsteigen? | Köln | Muss | in | ich

1

TR. 60

What can you do in your leisure time? Look at the pictures and listen to what the activities are called in German. Then read them aloud.

1. schwim-men	2. Musik hö-ren	3. spazieren gehen	4. fernsehen	5. in den Zir-kus gehen

6. schlafen	7. ins Kino gehen	8. Deutsch lernen	9. joggen	10. Tennis spielen

2

TR. 61

Which situations do the pictures portray? Listen to the expressions and then match them to the corresponding picture.
You have probably noticed that the differences between the sentences depend on the modal verb used.
Translations of the sentences are in the word box.

____ A Er will nicht schwimmen.

____ B Er kann nicht schwimmen.

____ C Er soll nicht schwimmen.

____ D Er darf nicht schwimmen.

____ E Er mag nicht schwimmen.

Er will nicht schwimmen. – *He doesn't want to swim.*

Er kann nicht schwimmen – *He can't swim.*

Er soll nicht schwimmen. – *He shouldn't swim.*

Er darf nicht schwimmen. – *He isn't allowed to swim.*

Er mag nicht schwimmen. – *He doesn't like swimming.*

TR. 62

3

You already know that today Sylvia is going to Benrath with Aynur and Thomas to look for the crocodile. Today is Tuesday. Let's have a look at Sylvia's further plans for today and the next few days.
Listen to what Sylvia's doing today and during the rest of the week.

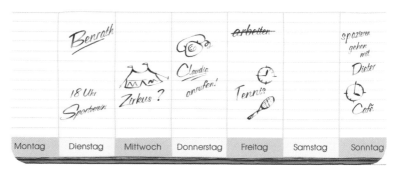

| Montag | Dienstag | Mittwoch | Donnerstag | Freitag | Samstag | Sonntag |

Did you understand all the sentences?

Here they are, together with some help with the vocabulary:

Heute fährt Sylvia nach Benrath. *(today)*

Heute Abend geht sie in den Sportverein. *(evening – sports club)*

Am Mittwoch geht sie vielleicht in den Zirkus.

Am Donnerstag muss sie Claudia anrufen. *(to call)*

Am Freitag muss sie nicht arbeiten. *(to work)*

Um Viertel vor eins spielt sie Tennis *(a quarter to 1 p.m.)*

Am Sonntag geht sie mit Dieter spazieren. *(to go for a walk)*

Am Nachmittag geht sie ins Café. *(afternoon)*

4

 TR. 63

For more than two hours the team has been searching for the crocodile on the banks of the Rhine in Benrath. Now they are bored and are looking for Sylvia who wandered off to take some pictures. They are making suggestions about what to do next in order to keep up the newspaper story. Listen to the dialogue and look at the pictures. They will help you to understand the gist.

5

 TR. 63

In the introductory dialogue, Thomas, Sylvia and Aynur made various suggestions about what to do next and where to go.
Let's look a little more closely at the expressions which introduce suggestions and how to react to them. Listen to the dialogue again. Write the expressions below into the right part of the table. Can you guess the meaning of the expressions?

1. Making suggestions	2. Reacting to suggestions
_____	_____
_____	_____
_____	_____
_____	_____

A Ich habe eine Idee.   1
B Einverstanden!
C Was haltet ihr davon?
D Kommst du mit?   2

E Gute Idee!   1
F Ich habe keine Zeit.   2
G Was meinst du?
H Ja, gerne.

TR. 64

6

If you want to know what someone is doing, you can ask:
- **Was machst du jetzt / heute / am** Sonntag / **am Wochenende / um** 15 **Uhr**? (*What are you doing now / today / on Sunday / at the weekend / at 3 p.m.?*)

... and answer:
- **Ich spiele** Tennis. (*I'm playing tennis.*) / **Ich sehe fern.** (*I'm watching TV.*) / **Ich gehe spazieren.** (*I'm going for a walk.*) / **Ich gehe in** den Sportverein. (*I'm going to the sports club.*) / **Ich lerne** Deutsch. (*I'm learning German.*) / **Ich höre Musik.** (*I'm listening to music.*)

To answer the question **wohin?** (*where to?*) you use **in** + accusative:
- in den Sportverein, in den Zirkus
- in die Disco, in die Stadt
- ins Kino, ins Museum, ins Café (**in + das** becomes **ins**).

TR. 65

Listen to a short conversation.
Who is doing what?
Write the right words
into the gaps.

Karin geht in die **(1)** _____ .

Marco geht vielleicht ins **(2)** _____

und Doris geht in den **(3)** _____ .

7

Fill in the gaps with **in die**, **in den** or **ins**. The picture will help you to remember the rules about how to use the preposition **in**.

Gut zu wissen:

Wohin?	
der Zirkus	in den Zirkus
die Disco	in die Disco
das Kino	ins Kino

1. Fahren wir zurück **(1)**_____ Büro?

2. Fährst du **(2)**_____ Bäckerstraße?

3. Gehen wir **(3)**_____ Museum oder **(4)**_____ Park?

4. Ich gehe heute nicht **(5)**_____ Schule.

5. Kommt Peter auch **(6)**_____ Café?

6. Ich fahre jetzt **(7)**_____ Hotel zurück.

8

 TR. 66

In these sentences personal pronouns with the accusative are used:
• Siehst du Peter? – Nein, ich sehe **ihn** nicht.
  (Can you see Peter? – No, I can't see him.)
• Ist der Kuchen für **dich**? – Ja, er ist für **mich**.
  (Is the cake for you? – Yes, it's for me.)

Look at the forms in bold script. They are new to you. The others are the same as the nominative personal pronouns.

	singular	plural
1st person	mich *(me)*	uns *(us)*
2nd person	dich *(you) (familiar form)*	euch *(you) (familiar form)*
	Sie *(polite form)*	Sie *(polite form)*
3rd person	ihn, sie, es *(him, her, it)*	sie *(them)*

Choose the right pronoun and write it into the gap.

> sie   dich   euch   uns   mich   es

1. Anna, hier ist ein Anruf für _____!

2. Das Bier ist bitter. Ich trinke _____ nicht.

3. Sind die Karten für euch? – Ja, sie sind für _____.

9

The personal pronoun is missing in all sentences. Choose the correct one and write it into the gap.

> dich   mich   sie   ihn   uns   Sie   euch   es

1. Wo ist Anna? – Ich sehe _____ nicht.

2. Ist die Zeitung für dich? – Ja, sie ist für _____.

3. Wen soll ich fragen? Den Redakteur? – Ja, Sie können

   _____ fragen.

4. Möchtest du _____ fotografieren? – Ja, ich

   fotografiere euch.

5. Wollen Sie das Haus kaufen? – Nein, ich kaufe

   _____ nicht.

TR. 67

10

Sometimes there are several ways of telling the time in an informal way. For 10.40 Uhr you can say **zwanzig vor elf** or **zehn nach halb elf**.

What time is it? It's … Listen and repeat.

These are the words you need to tell the time in an informal way:
- zehn **vor** zehn (*to*)
- fünf **nach** zwei (*past / after*)
- **Viertel** vor / nach zwei (*a quarter*)
- **! halb** neun (*half past eight!*)

TR. 68

Gut zu wissen:
The words **morgens**, **vormittags** etc. are often used together with the time, expressed informally. You say e.g. **neun Uhr morgens** (*9 a.m.*) and **neun Uhr abends** (*9 p.m.*) to clarify what time you exactly mean.

11

Let's have a look at how to express the time of day:
- **Am Mittag** gehen wir ins Café. (*At around noon we are going to the café.*)
- Peter kommt **am Morgen**.   (*Peter is coming in the morning.*)

To answer the question **wann?** you use the preposition **am** before the time of day. The only exception is **in der Nacht** (*in the night*).
You don't need a preposition with the adverbs **heute** (*today*), **gestern** (*yesterday*), **morgen** (*tomorrow*):
- **Heute Nacht** fahre ich nach Italien. (*Tonight I'm going to Italy.*)

Listen and fill in the gaps in order to complete the cycle of a day from the morning until night.

_____ , Vormittag, _____ , Nachmittag, _____ , Nacht

In German you can express whether an activity is done only once or regularly e.g. every morning, every noon etc. In the second case you say e.g. **morgens**, **vormittags**, **mittags** etc. So, you replace the capital letter with a lower case and add an **s** to the end of the word.

12

Read the explanation of the German word which is hidden in the row of letters. Find the word and mark it.

1. The first working day of the week:
   mkiudymontagdegij

2. German word for "Thursday":
   geldonnerstagmanthleigk

3. "Wednesday" in German:
   dopnermittwochigürsk

4. The German word for "weekend":
   stewochenendefänngylam

5. The name of this day sounds very similar to the English:
   penchöwifreitaghistulam

6. German word for "Saturday":
   kortquesamstagbäynslky

7. On this day you normally don't work:
   vürcmssonntagösengitalbont

8. "Tuesday" in German:
   daanvopedienstagüfento

After you have marked the names of the weekdays and the German word for "weekend" look at the "Gut zu wissen" box to get more information about their use.

13

The following words are mixed up. Put the words into chronological order. For example:
Monday – Tuesday – Wednesday or 10 past 10 – a quarter past 10 etc.

1. Montag | Freitag | Sonntag | Mittwoch | Donnerstag | Dienstag | Samstag
2. sieben Uhr abends | elf Uhr vormittags | acht Uhr morgens
3. Abend | Morgen | Mittag | Nachmittag | Nacht | Vormittag
4. fünf nach zwei | halb drei | zwei Uhr | drei Uhr | Viertel nach zwei
5. Viertel vor vier | Viertel nach vier | halb fünf | halb vier | vier Uhr

Gut zu wissen:
In Northern and Middle Germany, people use the word **Sonnabend** instead of **Samstag** (Saturday).

Gut zu wissen:
To answer the question **wann?** you use **am**:
Ich komme am Montag. Am Wochenende fahre ich nach Köln.
If you want to say every Monday, every Tuesday etc. you say:
montags, dienstags etc.
Montags spiele ich Tennis.
Gender: **der Montag, der Dienstag, … der Sonntag, das Wochenende**

TR. 69

DÜRFEN

darf	dürfen
darfst	dürft
darf	dürfen

MÖGEN

mag	mögen
magst	mögt
mag	mögen

SOLLEN

soll	sollen
sollst	sollt
soll	sollen

14

In German, there are six modal auxiliaries. The rules you already know for **können**, **müssen** and **wollen** (Unit 5) are also valid for **dürfen** (*to be allowed to, may*), **mögen** (*to like*) and **sollen** (*should, shall, to be supposed to*).
Read and listen to the examples:

Hier **darf** man nicht **weitergehen**. (*You're not allowed to go further here.*)
Ich **mag** nicht Fußball **spielen**. (*I don't like playing soccer.*)
Wo **sollen** wir das Krokodil **suchen**? (*Where should we look for the crocodile?*)

Look at the boxes on the left. Then write the correct form of the modals into the gaps. Use the words in the brackets.

1. Meine Mutter sagt, ich _____ keinen Alkohol trinken. (*sollen*)

2. Peter, du _____ keinen Kuchen essen! (*dürfen*)

3. Ich gehe ins Kino, aber Anna _____ nicht mitkommen. (*mögen*)

15

Gut zu wissen:
Mögen is often used alone: **Ich mag Bier.** (*I like beer.*).
Together with a second verb it is especially used in negative and interrogative sentences.

Look at the pictures and read the sentences. Mark the statement which fits the situation in the picture.

1.
 ____ A Man muss nicht schwimmen.
 _X_ B Man darf nicht schwimmen.
 ____ C Man mag nicht schwimmen.

2.
 ____ A Er kann arbeiten.
 ____ B Er will arbeiten.
 _X_ C Er mag nicht arbeiten.

3.
 _X_ A Birgit, du sollst kein Bier trinken.
 ____ B Birgit, du magst kein Bier trinken.
 ____ C Birgit, du kannst Bier trinken.

4.
 ____ A Ich muss einen Kuchen haben, und du?
 _X_ B Ich will einen Kuchen haben, und du?
 ____ C Ich soll einen Kuchen haben, und du?

The most important meanings of the modals are:
dürfen – permission
nicht dürfen – ban, prohibition
können – possibility, ability, polite request
mögen – like
nicht mögen – dislike
müssen – necessity, request
sollen – disposition, supposition
wollen – will, intention

1

Talking about hobbies and leisure-time activities is a good ice-breaker for people who don't know each other very well. Let's look at five small scenes. Listen and read to what people are asking and answering. Just listen to understand the general meaning. By focusing on the pictures it will be easy to guess what the hobby (**das Hobby**) is or what people are doing in their leisure time (**in der Freizeit**).

TR. 70

Gut zu wissen:
Die Fantastischen Vier is the name of a quite famous music group. The four musicians are from Stuttgart and were the first who made the German-speaking Hip Hop popular.

Was machst du in deiner Freizeit?

Hast du ein Hobby?

Ich fahre gern Fahrrad.

Ja, Computer und Internet.

Ich gehe oft ins Konzert. Und Sie?

Magst du Musik?

Gehen Sie oft ins Museum?

Ja. Ich interessiere mich sehr für Kunst.

Ich auch. Ich gehe einmal in der Woche ins Konzert.

Ja, am liebsten höre ich „Die Fantastischen Vier".

TR. 71

2

What do you celebrate? What do you give as a present? Who do you visit? Build up your vocabulary and learn some new words! Read and listen to the words given below and write them into the correct part of the table. After doing that repeat the words and try to memorize them.

1. What do you celebrate?	2. What do you give as a present?	3. Who do you visit?
_____	_____	_____
_____	_____	_____
_____	_____	_____

A Freunde – *friends*
B eine Party – *a party*
C ein Kartenspiel – *a card game*
D meinen Geburtstag - *my birthday*
E ein Fahrrad – *a bike*

F deine Tante – *your aunt*
G ein Bilderbuch – *a picture book*
H eine CD – *a CD*
I meine Tochter – *my daughter*

 TR. 72

3

Thomas, Sylvia and Aynur have finished their daily work at the office and are now ready to go home. Before leaving the office, they talk about what they are going to do that evening and about their hobbies in general.
Sylvia has already mentioned that she's planning to go to the sports club and Aynur wants to know some details.
Just listen to the dialogue to get a feeling for the situation and don't worry about any words you don't know.
If you want to read the tapescript, look at the appendix.

4

 TR. 72

Listen again to the dialogue and focus on the information about Thomas', Sylvia's and Aynur's hobbies and their activities this evening. Are the statements below true (T) or false (F)?

	true	false
1. Aynur likes cooking and listening to music.	■	■
2. Thomas' hobbies are sports like biking.	■	■
3. It's the birthday of Sylvia's aunt.	■	■
4. Thomas will have a party this evening.	■	■
5. Sylvia is going to Berlin to have some fun.	■	■
6. Aynur will meet a friend.	■	■

5

TR. 73

Let's take a closer look at some structures which are in the introductory dialogue. What can you ask if you want to know what someone is doing in their leisure time or if they have a hobby? How can you answer? Read and listen to the German questions, answers and phrases. Then match the correct translation to the corresponding sentence.

1. Was machst du in deiner Freizeit?   *B*   **A** *We go out together, we cook or we listen to music.*

2. Hast du ein Hobby?   *H*   **B** *I like to surf the internet.*

3. Gehst du regelmäßig in den Sportverein?   *3*   **C** *Do you regularly go to the sports club?*

4. Ich surfe gern im Internet.   *A*   **D** *I wish you a lot of fun!*

5. Ich interessiere mich für Kunst und Kultur.   *G*   **E** *My wife and I often go to exhibitions.*

6. Meine Frau und ich besuchen oft Ausstellungen.   *E*   **F** *Do you have a hobby?*

7. Am liebsten treffe ich Freunde.   *I*   **G** *I'm interested in art and culture.*

8. Wir gehen zusammen aus, wir kochen oder wir hören Musik.   *H*   **H** *What do you do in your free time?*

9. Ich wünsche euch viel Spaß!   *D*   **I** *Most of all I like meeting friends.*

Gut zu wissen:
if you want to say *enjoy yourself!* it's very common to use **viel Spaß!** instead of the long phrase **Ich wünsche dir /euch viel Spaß!**

6

The marked words are in the dative case and answer questions with **wem?** *(to whom?).*

Read the following sample sentences:

- Was schenkst du **dem Vater**?
- Ich will **einer Kollegin** die Stadt zeigen.
- Sie bringt **mir** eine neue CD mit.

Ich schenke dem Mann ein Buch.
wer?   wem?   was?

1. Dative singular:

gender	definite article	indefinite article	"kein"
masculine	**dem** Freund	ein**em** Freund	kein**em** Freund
neuter	**dem** Kind	ein**em** Kind	kein**em** Kind
feminine	**der** Tante	ein**er** Tante	kein**er** Tante

Gut zu wissen:
Be careful, the German dative case is not always reflected in the English translation.

2. Dative plural:

gender	definite article	indefinite article	"kein"
all	**den** Freund**en**	Freund**en**	kein**en** Freund**en**
	den Kind**ern**	Kind**ern**	kein**en** Kind**ern**
	den Tant**en**	Tant**en**	kein**en** Tant**en**

All nouns end in **-n** except foreign words. These end in **-s**: **den** Kino**s**.

3. Dative personal pronouns:

	singular	plural
1st person	**mir** *(to me)*	**uns** *(to us)*
2nd person	**dir** *(to you)*	**euch** *(to you)*
3rd person	**ihm** *(to him)*, **ihr** *(to her)*, **ihm** *(to it)*	**ihnen** *(to them)*
polite form	**Ihnen** *(to you)*	**Ihnen** *(to you)*

Gut zu wissen:
The prepositions **mit** *(with)* and **nach** *(after)* govern the dative case.

7

Let's practise the dative case. Read the questions and complete the answers by filling in the correct dative article. In sentences 1 to 3 you need the indefinite article, 4 and 5 use the definite article.

1. Mit wem spielt Lisa? – Mit _____ Kind.

2. Wem schenkst du das Buch? – Ich schenke es _____ Freundin.

3. Mit wem spricht Peter? – Mit _____ Freund.

4. Wem schreibst du? – Ich schreibe _____ Kolleginnen.

5. Wann kommst du? – Nach _____ Sportverein.

8

What do you do in your free time? What's your hobby? Look at the pictures and listen to the answers. In the word box you can find translations of the German expressions.

 TR. 74

1. to surf the internet
2. to visit exhibitions
3. to meet friends
4. to cook
5. to go out
6. gymnastics
7. to go to concerts
8. to ride a bike
9. to play cards
10. to dance

1. im Internet surfen
2. Ausstellungen besuchen
3. Freunde treffen
4. kochen
5. ausgehen

6. Gymnastik
7. in Konzerte gehen
8. Fahrrad fahren
9. Karten spielen
10. tanzen

Gut zu wissen:
The verb **ausgehen** (to go out) is very common: **ich gehe aus** means that you'll leave your home to have some fun e.g. at a restaurant, a bar, a disco or a concert.

Now you know possible answers if someone asks you
- **Was machst du in deiner Freizeit? / Was machen Sie in Ihrer Freizeit?** (What do you do in your free time?) or
- **Was ist dein / Ihr Hobby?** (What's your hobby?)

9

Let's talk a little bit about free time. Read and listen to the questions on the left. Which answer fits? Match it to the corresponding question.

 TR. 75

Gut zu wissen:
Instead of **Fahrrad** (bicycle) you can also use the short form **Rad** (bike), e.g. **ich fahre gern Rad.**

1. Hast du ein Hobby?	2 A Ich mag Discos nicht.
2. Ich gehe gern in die Disco. Und Sie?	5 B Ja, drei oder vier Abende in der Woche.
3. Was macht ihr in eurer Freizeit?	6 C Ja, sehr gern. Ich mag Kunst.
4. Magst du Tennis und Fußball?	1 D Ja, ich surfe regelmäßig im Internet.
5. Gehst du am Abend oft aus?	4 E Nein, ich interessiere mich nicht für Sport.
6. Besuchst du gern Ausstellungen?	3 F Wir fahren gern Fahrrad.

Gut zu wissen:

In German, it's very easy to say how many times you do something. You add **-mal** to the number: **achtmal**, **dreizehnmal**, **hundertmal**. The only exception is **einmal** (the **s** of **eins** is dropped).

10

In the introductory dialogue you have learned different ways of expressing how often someone does something. You can ask:

Wie oft gehst du ins Konzert? *(How often do you go to a concert?)*
Gehst du **regelmäßig** in den Sportverein? *(Do you regularly go to the sports club?)*

For your answer you can use one of the following adverbs:
Ich gehe **immer** *(always)*, **regelmäßig** *(regularly)*, **oft** *(often)*, **manchmal** *(sometimes)*, **selten** *(seldom)*, **nie** *(never)*, **einmal in der Woche** *(once a week)*, **zweimal am Tag** *(twice a day)* ins Café.

Let's practise the new words. Listen and fill in the missing words.

1. Ich gehe **(1)**_____ in der Woche ins Kino.

2. Samstags gehen wir **(2)**_____ in die Disco und

   (3)_____ in ein Restaurant.

> Focus on the word order in the sentences of the exercise:
> In sentence 1 (normal word order) the adverb comes after the verb, in sentence 2 (inverted word order) it comes after the personal pronoun.

Gut zu wissen:

If you want to say that you like drinking beer don't translate it with "ich mag Bier trinken". It seems to be German, but the correct sentence is **ich trinke gern Bier**.

11

There are various ways of expressing likes or dislikes. You can use
• the expression **ich interessiere mich für** *(I'm interested in)* followed by an accusative,
• the word **gern** (translated by *I like* + verb) together with the verb that indicates an activity,
• **ich mag** *(I like)* followed by a noun.

For example, if you like – or don't like – music, you can say:

Ich interessiere mich für Musik. – Ich interessiere mich nicht für Musik.
Ich höre gern Musik. – Ich höre nicht gern Musik.
Ich mag Musik. – Ich mag Musik nicht.

Listen to three very short pieces about the activities below. Choose the tick if the person likes doing the activity, or a cross if they don't.

	✓	✗
1. Freunde treffen	▪	▪
2. Kunst	▪	▪
3. Kuchen essen	▪	▪

TR. 79

12

It's time to practise pronunciation. We'll focus on the letter **s** and how it changes its sound depending on the letters next to it.
Listen to how the letter **s** sounds in combination with other letters.

1. **sch**enken, Ge**sch**enk, wün**sch**en
2. **St**unde, Aus**st**ellung
3. **Sp**aß, **sp**ielen, Karten**sp**iel
4. **St**unde – Kun**st**
5. **Sp**iel – E**sp**resso
6. Das **Sp**iel ist fanta**st**isch!

> **s + t and s + p:**
> **s** in front of **t** or **p** sounds like **sch**, but only at the beginning of the word or at the beginning of a syllable: **Sp**iel, Aus**st**ellung.
>
> In all other cases this letter combination sounds like **st** and **sp**: Kun**st**

13

TR. 80

Every time you talk about belongings, you need possessive pronouns like *my, your, his*. First of all let's have a look at all possessive pronouns without their endings:

1st person	**mein** *(my)*	**unser** *(our)*	
2nd person	**dein** *(your – familiar form)*	**euer** *(your -familiar form)*	
	Ihr *(your – polite form)*	**Ihr** *(your – polite form)*	
3rd person	**sein, ihr, sein** *(his, her, its)*	**ihr** *(their)*	

Gut zu wissen:
There is only one little irregularity: the second e of **euer** *(your)* is dropped before adding an ending, e.g. **eure Mutter**, mit **euren Freunden**.

To add the correct ending you have to look at the gender, the case and the number of the noun. Don't panic, you already know the endings! They are the same as those of **ein** and **kein**. So you have e.g. **das ist meine Tante** *(this is my aunt)* or **ich besuche seinen Vater** *(I visit his father)*.

Listen to and write in the missing endings for the nominative (N), accusative (A) and dative (D) case.

N: mein Mann – mein ____(1) Tante – mein Kind

A: sein ____(2) Bruder – mein ____(3) Mutter – ihr Haus

D: dein ____(4) Freund – ihr ____(5) Tante – unser ____(6) Kind

The plural is easy: N + A: mein**e** Eltern, D: mein**en** Eltern.

TR. 81

Gut zu wissen:
Note that the words
die Eltern *(the parents)*, **die Großeltern** *(the grandparents)* and **die Geschwister** *(brothers and sisters)* are always used in the plural form.

14

If you want to talk about the family you can start with the following questions: **Hast du Geschwister?** *(Do you have any brothers and sisters?)*, **Wo leben deine Eltern?** *(Where do your parents live?)* or **Wo lebt deine Familie?** *(Where does your family live?)*.

Listen to these German words to do with the family.

1. **die Großeltern** – *grandparents*
2. **die Großmutter** – *grandmother*
3. **der Großvater** – *grandfather*
4. **die Eltern** – *parents*
5. **die Mutter** – *mother*
6. **der Vater** – *father*
7. **die Tochter** – *daughter*
8. **der Sohn** – *son*
9. **die Geschwister** – *brothers and sisters*
10. **die Schwester** – *sister*
11. **der Bruder** – *brother*
12. **die Tante** – *aunt*
13. **der Onkel** – *uncle*

15

Read the questions. Which of the four reactions fits? Mark the right answers. Note that 2, 3 or even 4 answers could be correct.

1. Was machen Sie in Ihrer Freizeit?
   A ☑ Ich lese gern.
   B ☐ Nein, ich habe kein Hobby.
   C ☑ Ich gehe regelmäßig schwimmen.
   D ☑ Freunde treffen, Konzerte besuchen und Musik hören.

2. Tanzen Sie gern?
   A ☑ Nein, ich tanze nicht gern.
   B ☑ Oh ja, ich tanze sehr gern.
   C ☐ Ja, ich mag Familienfeste.
   D ☑ Ja, ich gehe sehr oft in Discos.

3. Wie oft macht ihr Sport?
   A ☐ Wir gehen oft in Ausstellungen.
   B ☑ Zweimal oder dreimal in der Woche.
   C ☐ Gymnastik mag ich nicht.
   D ☑ Nur manchmal.

4. Hast du Geschwister?
   A ☐ Ja, meine Familie lebt in Berlin.
   B ☑ Ja, zwei Brüder.
   C ☑ Nein, ich habe keine Geschwister.
   D ☐ Ja, eine Tante und einen Onkel.

TR. 82

1

It's Thomas' little daughter Lisa's birthday and she has received a card from her grandfather. Would you like to know what he has written? Listen to the single parts of the greeting card. Then write the missing words into the gaps.

1. _____ Lisa,

2. herzlichen _____ zum Geburtstag!

3. Ich wünsche dir viel Spaß _____ deiner Party

4. mit Mama und _____.

5. _____ von deinem Opa

6. PS: Es gibt eine _____ für dich!

Now repeat the sentences. Try to guess the meaning before reading the translation on the right.

Dear Lisa,

Happy birthday! I wish you a lot of fun at your party with mum and dad.

Kisses from your grandpa

PS: There will be a surprise for you!

Gut zu wissen:
The ending **-chen** creates a diminutive. You can add it to many nouns, e.g. **der Kuss** (*kiss*) **– das Küsschen**. Nouns ending in **-chen** are always neuter.

2

 TR. 83

Which activities are shown in the pictures? Read the sentences below and write the letter of the correct one into the gap under the corresponding picture.
Don't worry about any new words. It's possible to guess the meaning with the help of the pictures.

___ A Sie singen ein Lied.

___ B Er gratuliert ihr zum Geburtstag.

___ C Die Mutter liest dem Kind ein Buch vor.

___ D Sie badet mit einem Schwimmtier.

___ E Sie packt ein Geschenk aus.

TR. 84

3

At the Kowalski's family home. It's Lisa's birthday. The Kowalskis always try to celebrate family birthdays all together. That's why Lisa is very impatient and can hardly wait to unwrap her gifts. Finally Thomas gets home from the office.

Listen to the dialogue and look at the pictures. Try to understand the general sense of the dialogue. Later we'll look for some details.

TR. 85

1. congratulations
2. to wish
3. funny
4. mum
5. to laugh
6. sweetheart
7. to congratulate
8. surprise
9. grandma
10. fun

4

Listen again to the introductory dialogue. Then decide whether the words below appear in the dialogue or not. Choose the tick for "yes" or the cross for "no".

Most of the words below will be new to you. Look at the word box for the translation.

	✓	✗			✓	✗
1. Glückwunsch	◼	◼	6.	Schatz	◼	◼
2. wünschen	◼	◼	7.	gratulieren	◼	◼
3. lustig	◼	◼	8.	Überraschung	◼	◼
4. Mama	◼	◼	9.	Oma	◼	◼
5. lachen	◼	◼	10.	Spaß	◼	◼

5

 TR. 86

Let's focus on the intonation of some very common expressions from the introductory dialogue.
Listen carefully to the intonation and emphasis of the expressions given below then try it yourself.

1. Da bist du ja endlich! *(You are here at last!)*

2. Das ist aber toll! *(That's really great!)*

3. Das ist wirklich lustig! *(That's really funny!)*

4. Das gibt es doch nicht! *(That can't be true!)*

6

Perhaps you have wondered how the little words **aber**, **denn**, **ja**, **doch** and **mal** are used in the introductory dialogue. There is a dictionary translation, but it has nothing to do with their meaning in sentences like:

• Wo ist **denn** Lisa? *(Where is Lisa?)*
• Das gibt es **doch** nicht! *(That can't be true!)*

 TR. 87

These little words are used to emphazise a statement. They are called *particles* and without them a conversation sounds artificial, stiff or even harsh. Unfortunately, there isn't really a proper translation and for you it might be difficult to use them. So just be aware of these particles and only learn some easy and common phrases like the ones in the following task.

Listen and repeat. Then look at the translation.

1. Schau mal! *(Look!)*

2. Hör mal! *(Listen!)*

3. Das ist aber schön! *(That's very nice!)*

Gut zu wissen:
Another meaning of **doch**: If you want to give a positive answer to a negated question you use **doch**, e.g.
Gehst du nicht ins Kino? – Doch!

 TR. 88

TR. 89

7

For various occasions it's good to know some suitable phrases:
- **Viel Glück!** *(Good luck!)*
- **Ich wünsche dir viel Erfolg!** *(Good luck!)*
- **Ich wünsche Ihnen gute Besserung!** *(Get well soon!)*

To congratulate someone on his birthday or his wedding you can say:
- **Herzlichen Glückwunsch!** *(Congratulations!)*
- **Alles Gute zum Geburtstag! / Alles Gute zur Hochzeit!** *(Happy birthday! / Congratulations on your wedding!)*
- **Alles Liebe zu deinem Geburtstag!** *(Many happy returns!)*

Write the phrases next to the correct situations.

> **Viel Erfolg!   Herzlichen Glückwunsch!   Gute Besserung!**

1. Your friend is getting married: _____

2. Someone is ill: _____

3. A friend applies for a new job: _____

8

Listen to the phrases that are used to wish people well. Choose the correct translations and match them to the German.

1. Alles Gute zum Geburtstag!	___ A *Congratulations!*
2. Viel Glück!	___ B *Happy birthday!*
3. Ich wünsche dir alles Gute.	___ C *Get well soon!*
4. Gute Besserung!	___ D *With love from your mum.*
5. Herzlichen Glückwunsch!	___ E *Kind regards.*
6. Alles Liebe von deiner Mama.	___ F *I wish you all the best.*
7. Herzliche Grüße.	___ G *Good luck!*

9

You already know a lot of prepositions which take the dative case.
The prepositions are: **aus** (out, from), **bei** (with, near, at), **mit** (with), **nach** (after, to), **seit** (since, for), **von** (from, by, of), **zu** (to).

Bei, **von** and **zu** are usually contracted with the definite article:

bei + dem = **beim**, von + dem = **vom**
zu + dem = **zum**, zu + der = **zur**

Complete the sentences by choosing the right preposition.

1. Er fährt aus / von / mit dem Bus nach Köln.

2. Ich wohne bei / aus / nach meinen Eltern.

3. Alles Gute zu / zum / zur Geburtstag!

> Note that **in** (in, into) governs either the accusative or the dative case:
> **Wohin** gehst du? – Ich gehe **in** die Stadt, **ins** Kino. (movement)
> **Wo** bist du? – Ich bin **in** der Stadt, **im** Kino. (position)

10

Now practise the prepositions which take the dative.
Complete the sentences and write the missing words into the gaps.

> zur   von   meiner   aus   mit   der   bei   einem

1. Das ist ein Geschenk ___von___ meinem Freund.

2. Lisa badet ___mit___ ___der einem___ Krokodil.

3. Herzlichen Glückwunsch ___zur___ Hochzeit!

4. Die Familie kommt ___aus___ ___der___ Türkei.

5. Ich wohne ___bei___ ___meiner___ Mutter.

11

Let's build up your vocabulary by combining nouns and verbs.

1. eine Postkarte
2. zum Geburtstag
3. einen Brief
4. ein Geschenk
5. viel Glück
6. eine Geschichte

lachen | spielen | schreiben
gratulieren | bekommen | hören
baden | vorlesen | singen
feiern | auspacken | schreiben
wünschen | lesen | können
kommen | geben | erzählen

Gut zu wissen:
The verbs **auspacken** (to unwrap) and **vorlesen** (to read sth. to so.) have separable prefixes: **Ich packe das Geschenk aus und sie liest die Karte vor.**

12

TR. 90

Here are some useful expression if you want to write a **Postkarte** *(postcard)* or a **Brief** *(letter)* to a friend or a close person.
You can start with:
Liebe Lisa *(Dear Lisa)* or **Lieber Kollege** *(Dear colleague)* or simply **Hallo**.

At the end of a letter or a postcard you can use:
Herzliche Grüße *(Kind regards)*, **Viele Grüße** *(Best wishes)*, **Viele liebe Grüße** *(With lots of love)*, **Bis bald!** *(See you soon!)*, **Alles Liebe** *(With love)* or **Küsschen** *(Kisses)*.

Finally you add your name by writing e. g.
deine Oma, **dein Peter** *(your grandma, your Peter)* or **von (deiner) Oma**, **von (deinem) Peter** *(from (your) grandma, from (your) Peter)*.

Someone is reading you a postcard.
Listen to it.

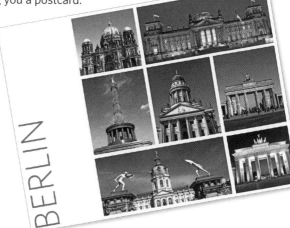

13

Complete the letter by choosing the correct words.

Liebe | Lieber | Liebes Peter, **(1)**

ich wünsche *dir* | *dich* | *dein* alles Liebe zum Geburtstag. **(2)**

Feierst du eine Party mit *einen* | *dem* | *deinen* Freunden? **(3)**

Ich kann leider nicht *komme* | *kommen* | *kommt*, aber das **(4)**

nächste Mal feiere ich *zu* | *von* | *mit* dir. **(5)**

Bis bald! *Herzliche* | *Viel* | *Alles* Grüße **(6)**

dein | *deines* | *deine* Maria **(7)**

14

With verbs like **schreiben** (*to write*), **geben** (*to give*), **erzählen** (*to tell*) and many more you can have a dative and an accusative component.

1. The dative object is placed in front of the accusative object if the accusative object is a noun:
   D – A Ich schreibe meiner Freundin einen Brief.
   (*I'm writing a letter to my friend.*)
   Ich schreibe ihr einen Brief. (*I'm writing a letter to her.*)

2. The word order changes if you replace the accusative object with a pronoun:
   A – D Ich schreibe ihn meiner Freundin. (*I'm writing it to my friend.*)
   Ich schreibe ihn ihr. (*I'm writing it to her.*)

3. If you want to add **zum Geburtstag** or another prepositional phrase, put it at the end of the sentence, e. g. **Ich schreibe ihr einen Brief zum Geburtstag.**

Write the words below into the right gap according to the word order rules. In the word box you'll find the translation.

es   dir   eine Geschichte

1. Ich schenke _____ einen Computer.

2. Sie erzählt ihrer Tochter _____.

3. Wir geben _____ ihm.

Gut zu wissen:
Negation: In a sentence with various complements, in general, **nicht** is placed behind the object and in front of a prepositional phrase, e.g. "Ich schenke ihm das Buch **nicht** zum Geburtstag."

I'll give a computer to you as a present.

She's telling a story to her daughter.

We'll give it to him.

15

Can you put the words given below into the right order and create a correct sentence? Don't forget to write a capital letter at the beginning and a full stop at the end.

1. einen Brief / ihr / ich / schreibe

   Ich schreibe ihr einen Brief

2. wünscht / ihnen / sie / viel Glück

   Sie wünscht ihnen viel Glück.

3. sie / Anna / dem Kind / schenkt

   Anna schenkt sie dem Kind.

4. wir / es / ihm / erzählen

   Wir erzählen es ihm. es ihm.

TR. 91

Gut zu wissen:
First names are often shortened by adding the suffix **-i**. So you'll hear names like **Susi** *(Susanne)*, **Tommi** *(Thomas)*, **Steffi** *(Stefanie)* or **Michi** *(Michael)*.

16

In German, of course terms of endearment are common, especially when parents and grandparents are involved.

Listen to the missing word and fill in the gaps.

1. Mutter: _____, Mami, Mutti

2. Vater: Papa, _____, Vati

3. _____: Oma, Omi

4. Großvater: _____, Opi

Couples often say **Schatz** *(sweetheart)* or **Liebling** *(darling)* to each other. Sometimes names of animals are used. The diminutives **-chen** or **-i** of the words **Hase** *(bun)*, **Maus** *(mouse)* and **Spatz** *(sparrow)*, e.g.: **Hasi, mein Mäuschen, mein Spatz, Spatzi** are very common.

Interkulturelles

Nowadays smaller families with one or perhaps two children are the norm in German-speaking countries. But there are various occasions, often with a religious background, when the generations all meet up. One of these occasions is a birthday party for a younger child (older children prefer parties with friends).

In Catholic families, not only children's birthdays, but also their **Namenstag** *(Saint's day)* are celebrated. There is often a family party when it's a grandparent's birthday, especially if it's their 60th, 70th or 80th, etc. Other typical family parties are **die Taufe** *(christening)*, **die Verlobung** *(engagement)*, which is celebrated less nowadays, and **die Hochzeit** *(wedding)*. On the eve of a wedding, there is another kind of party celebrated with relatives and friends: **der Polterabend** *(eve-of-wedding ceremony)*, at which crockery is smashed to bring good luck to the bride and groom.

1

Let's have a look at some situations and subjects you'll find in this unit. Listen to what people are asking in the situations shown in the pictures. Then write the number of the corresponding picture next to the right answer. If you would like to read the questions look at the word box.

 TR. 92

Wann hat Peter Geburtstag?

Was hast du in den letzten Tagen gemacht?

Hast du Haustiere?

Wo müssen wir aussteigen?

Wann habt ihr geheiratet?

 1
 2
 3
 4
 5

___ **A** Ja, ich habe eine Katze und einen Hamster.

___ **B** Wir müssen an der 5. Haltestelle aussteigen.

___ **C** Wir haben 1998 geheiratet.

___ **D** Ich bin nach Wien gefahren.

___ **E** Er hat am 30. 6. Geburtstag.

2

Listen to the pronunciation of some new words from this unit and write them in the corresponding space.
After doing that repeat the words of each category aloud in order to memorize them.

 TR. 93

Gut zu wissen:
The number 1000 is called **(ein)tausend**. The **ein** is optional. To continue the counting is easy: you go on with **zwei-tausend, dreitausend** etc.

1. A person	2. Time and date	3. Marital status
_____	_____	_____
_____	_____	_____
_____	_____	

A der Monat – *month*
B geschieden – *divorced*
C gestern – *yesterday*
D verheiratet – *married*
E der Tierfreund – *animal lover*
F im Jahr 2002 – *in the year of 2002*
G am ersten Juni – *on June 1st*
H der Nachbar – *neighbour*

3

How can you express activities which happened in the past? You need a new tense: the perfect tense.

Read these sentences which are written in the present tense, a tense you already know. Then look for the corresponding sentence in the perfect tense and match the two together.

At the moment it'll be enough just to see and recognize the forms of the perfect tense. Later you're going to learn the exact rules.

1. Sie liest.	*5*	A	Was haben Sie gemacht?
2. Wir suchen das Krokodil.	*1*	B	Sie hat gelesen.
3. Wir fahren nach Benrath.	*7*	C	Wir haben die Leute gefragt.
4. Ich schreibe ihm.	*2*	D	Wir haben das Krokodil gesucht.
5. Was machen Sie?	*6*	E	Was hat sie gesagt?
6. Was sagt sie?	*4*	F	Ich habe ihm geschrieben.
7. Wir fragen die Leute.	*3*	G	Wir sind nach Benrath gefahren.

TR. 94

4

It's June 4th: Thomas Kowalski is going into the office and he meets the secretary, Mrs. Schmidt, who is sitting at her desk. Because Thomas has been working a lot outside the office, the secretary is asking him what he's been doing. She's also giving him a message from a woman who read about the crocodile in the newspaper and who has got some new information. Listen to the conversation between Thomas and the secretary.

TR. 94

5

Listen again to the dialogue between Thomas and Mrs. Schmidt and look for some details.
Read the statements and decide if they are true (T) or false (F).
If you want to check your answers by reading the tapescript, look at the appendix.

	true	false
1. Thomas, Sylvia and Aynur went to Benrath on July 11th.	▨	▨
2. Mrs. Schmidt is very happy that the crocodile hasn't been found.	▨	▨
3. The day before there was a call for Thomas.	▨	▨
4. Oskar Greiner is the neighbour of Mrs. Schmidt.	▨	▨
5. Oskar Greiner has got a lot of exotic pets.	▨	▨
6. A crocodile is missing.	▨	▨
7. The secretary knows the address of Mr. Greiner by heart.	▨	▨
8. Thomas doesn't know the Neanderstraße.	▨	▨

6

 TR. 95

Read and listen to the names of the months. Focus on the pronunciation and repeat them aloud.

1. Januar
2. Februar
3. März
4. April
5. Mai
6. Juni
7. Juli
8. August
9. September
10. Oktober
11. November
12. Dezember

Gut zu wissen:
The Austrians have another word for *January*: They use the word **Jänner**.

To answer the question beginning with **wann** *(when)* you have to use the preposition **im** in front of the name of the month, e.g. **Im Januar fahren wir in die Schweiz.** *(In January we'll go to Switzerland.)*

7

The **date** starts with the day followed by the month.
Am 21. Juli (einundzwanzig**sten**) habe ich Geburtstag.
(On July 21st it's my birthday.)
Am 21.7. (einundzwanzig**sten** Sieb**ten**) habe ich Geburtstag.

To express the date you'll need the ordinal numbers. They are formed by
adding **-ten** to 1 to 19 and **-sten** to 20 and above.
Only a few numbers have got some irregularities. Look at the word box to
see a systematic list.

Listen and write the missing dates into the gaps.

Am _____ fahren wir nach Wien, am 1. 9. weiter nach

Budapest und am _____ kommen wir zurück.

The year is placed at the end of the date:
Sie sind seit dem 7.7.2001 verheiratet.
(They are married since July 7 th, 2001.)
Ich bin am 13. April 1972 geboren.
(I was born on April 13th, 197**2**.)

Note: Years beginning with "1" are spoken this way: **19hundert72.**

8

Listen and read. Which dates are people talking about? Mark the correct
answer.

1. Wann habt ihr geheiratet?
   A ▪ 19. 8.
   B ▪ Im August 1987
   C ▪ Am 19. August

2. Wann ist dein Geburtstag?
   A ▪ 1. Dezember.
   B ▪ 12. September.
   C ▪ 11. Dezember.

3. Hast du Max in der letzten
   Zeit gesehen?
   A ▪ 8. 3.
   B ▪ 3. 8.
   C ▪ 13. 8.

4. Wann bist du geboren?
   A ▪ Am 5. 11. 1790.
   B ▪ Am 11. 4. 1917.
   C ▪ Am 11. 5. 1970.

9

The demonstrative pronoun **dieser**, **diese**, **dieses** (*this or that*) is used to indicate something or someone that is close by or has just been mentioned, e.g.:

Neanderstraße… Wo ist das? Kennen Sie diese Straße?
(Neander Street… Where is that? Do you know this street?)
The demonstrative pronoun is declined and has the following endings:

	masculine	feminine	neuter	plural
nom.	dies**er** Mann	dies**e** Straße	dies**es** Haus	dies**e** Tiere
acc.	dies**en** Mann	dies**e** Straße	dies**es** Haus	dies**e** Tiere
dat.	dies**em** Mann	dies**er** Straße	dies**em** Haus	dies**en** Tieren

It's quite easy to learn these forms because the last letter is the same as the one of the corresponding definite article, e.g. de**r** – diese**r.**

Write the correct form of the demonstrative pronoun into the gap.

dies̶e̶n̶   dieser   di̶e̶s̶e̶   di̶e̶s̶e̶s̶

1. In ___dieser___ Stadt lebt meine Mutter.

2. Ich möchte ___dieses___ Buch kaufen. Was kostet es?

3. Oskar Greiner? Kennst du ___diesen___ Mann?

4. Ich mag ___diese___ Leute nicht.

10

 TR. 98

Look at the pictures and listen to what these animals are called in German. Then look at the word box for the spelling and the plural.

1. die Katze – Katzen
2. der Hund – Hunde
3. der Hamster – Hamster
4. der Vogel – Vögel
5. das Pferd – Pferde
6. die Maus – Mäuse
7. der Hase – Hasen
8. das Meerschweinchen – Meerschweinchen
9. die Schildkröte – Schildkröten
10. der Goldfisch – Goldfische

If you want to start a conversation about pets you can simply ask:
Hast du Haustiere? (*Have you got pets?*) or **Haben Sie ein Haustier?**
(*Have you got a pet?*)

11

The perfect tense is a compound tense with the following parts:

> present tense of **haben** or **sein** + **past participle** of the verb
> • sie **hat** **gesagt** (*she has said*)
> • ich **bin** **gekommen** (*I have come*)

1. **Haben** or **sein**?
   For most verbs **haben** is used to form the perfect. **Sein** is used for verbs that indicate motion: **kommen**, **gehen**, **fahren**.

2. The past participle of regular verbs has the structure:
   • **ge-** unchanged present stem **-t** (gesucht ◀ suchen)

The following verbs are regular. Write the past participle into the gaps.

Past participle of some irregular verbs:

gefahren ◀ fahren

gelesen ◀ lesen

geschrieben ◀ schreiben

gesehen ◀ sehen

gesprochen ◀ sprechen

getrunken ◀ trinken

! **gewesen** ◀ sein

1. fragen _____   3. hören _____

2. kaufen _____   4. lernen _____

3. The past partciple of irregular verbs has the structure:
   • **ge-** often a changed stem **-en** (gegangen ◀ gehen)
   That means that they have to be memorized.

12

Complete these four short dialogues by using the perfect tense of the verbs given in the box. Each verb should be used only once.
Write the forms of **haben** or **sein** and the past participle of the correct verb into the gaps.

hören   fahren   machen   spielen   kommen
lesen   sein!   lernen

Gut zu wissen:
The perfect tense of the verb **sein** is an exception of the rules above. It takes "sein" as auxiliary verb: **ich bin gewesen** (*I have been*).

1. • Was habt ihr gestern **(1)**_____?

   • Wir **(2)**_____ Musik **(3)**_____.

2. • Hast du gestern Deutsch **(4)**_____?

   • Nein, ich **(5)**_____ ein Buch **(6)**_____.

3. • Wo sind Sie am Wochenende **(7)**_____?

   • Ich **(8)**_____ nach Köln **(9)**_____.

4. • Hast du mit Peter Karten **(10)**_____?

   • Nein, er **(11)**_____ leider nicht **(12)**_____.

TR. 99

13

The perfect tense is the most important tense used to talk about the past in German. Especially in spoken language, it's used nearly all the time. Let's have a look at some typical questions:

• **Wo bist du gewesen?** *(Where have you been?)*
• **Was hast du gestern gemacht?** *(What did you do yesterday?)*

Note that the position of the past participle is at the end of the sentence.

If you want to specify the point of time in the past, you can use expressions like **gestern Morgen** *(yesterday morning)*, **vorgestern** *(the day before yesterday)*, **vor drei Tagen** *(three days ago)*, **in den letzten Tagen** *(in the last few days)*, **in letzter Zeit** *(recently)* or **(im) letzten Monat** *(last month)*.

Listen to the questions. Then write the correct answers.

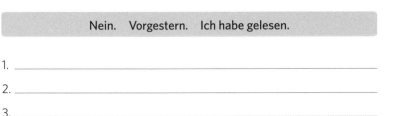

Nein.   Vorgestern.   Ich habe gelesen.

1. _____

2. _____

3. _____

 TR. 100

14

The words in each line are mixed up. Put them in chronological order. For example:

January – February – March or one year ago – last weekend – yesterday.

1. September | Mai | Juli | Juni | August

2. letztes Wochenende | gestern | vor einem Monat | vorgestern

3. verheiratet | geschieden | geboren

4. in den letzten Tagen | letzten Monat | im letzten Jahr | letzte Woche

5. am 5. März | am 3. 11. | am 11. 3. | am 9. 4. | am 15. April

Gut zu wissen:
The months **Juni** *(June)* and **Juli** *(July)* sound similar. To distinguish them better you can often hear – especially on the phone – **Juno** and **Julei** instead of **Juni** and **Juli**.

15

Do you already know the new words from this unit? Let's do an easy riddle. Read the description. Which word is being looked for? You'll find it within the chain of letters. Mark it with a text marker!
By the way, the article of the missing noun is always **der**.

1. This man lives next door to you:
   wfghenachbargryü

2. The 3rd month of the year:
   bargeliumärztönigh

3. One word to express your regret:
   vafoteschadelrtennüpo

4. An animal that has wings:
   maufechvogelindeur

5. The irregular past participle of the verb **sein**:
   ismagewesenufering

6. A piece of paper to make notes:
   geäüzettelnichds

7. The German word for *divorced*:
   seltgeschiedenhufässe

wissen *(to know)*

It is used when talking about knowledge of facts – how something works, where something is etc.

Ich weiß es nicht.
(I don't know.)

kennen *(to know)*

It is used when talking about being acquainted or familiar with something or someone.

Ich kenne Wien nicht.
(I don't know Vienna.)

können *(to know)*

In this meaning it is used when talking about an individual ability that one has learned or acquired.

Ich kann kochen.
(I know how to cook.)

16

The verbs **wissen**, **kennen** and **können** get often mixed up. That's a good reason to focus on the differences of their meaning.
First of all look at the word box and read the information about **wissen**, **kennen** and **können**.
Then complete the sentences by choosing the correct verb.

1. Peter *kann* | *weiß* | *kennt* Gitarre spielen.

2. Wo ist diese Straße? Ich *kann* | *kenne* | *weiß* es nicht.

3. Ich *weiß* | *kenne* | *kann* diesen Mann nicht.

4. Wie heißt der Fluss in München? *Kannst* | *Kennst* | *Weißt* du es?

5. Sie *kennt* | *kann* | *weiß* Deutsch, Englisch und Französisch!

6. *Wissen* | *Können* | *Kennen* Sie Bayern?

1

 TR. 101

Look at the picture. What do people say when they are asking for directions? Listen and read.

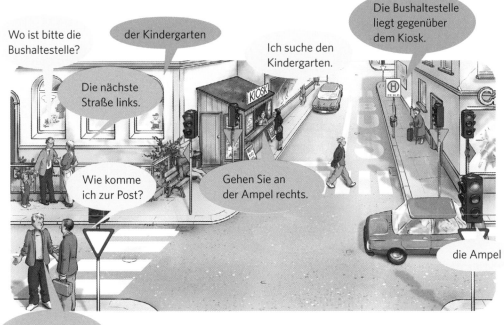

Wo ist bitte die Bushaltestelle?

der Kindergarten

Ich suche den Kindergarten.

Die Bushaltestelle liegt gegenüber dem Kiosk.

Die nächste Straße links.

Wie komme ich zur Post?

Gehen Sie an der Ampel rechts.

die Ampel

Tut mir leid. Ich bin nicht von hier.

die Bushaltestelle – *bus stop*
der Kindergarten – *kindergarten*
der Kiosk – *kiosk*
nächste / r / s – *next*

die Post – *post office*
die Ampel – *traffic light*
Tut mir leid. – *I'm sorry.*

TR. 102

Gut zu wissen:
The nine prepositions mentioned in this task take both the dative case (**Ich bin in der Stadt.**) and the accusative case (**Ich gehe in die Stadt.**).

2

If you want to specify where something is or how to get somewhere, you'll need prepositions like *behind*, *between* or *over*.
Listen to a short description of the picture and write the right preposition into the gap.

an	auf	hinter	in	neben	über	unter	vor	zwischen

 TR. 103

Gut zu wissen:
The preposition **entlang** *(along)* takes the accusative case and comes after the noun, e.g. **Ich gehe den Rhein entlang.** *(I'm going along the Rhine.)*

3

Let's have a look at some new words you'll need for getting around in town.
Read the expressions on the left and match them to the translations on the right. Then listen to the sample sentences.

1. entlang	3	A *to walk*
2. die Kreuzung	5	B *city map*
3. zu Fuß gehen		C *opposite*
4. geradeaus	1	D *along*
5. der Stadtplan		E *far*
6. weit	4	F *straight ahead*
7. gegenüber	2	G *crossroad*

4

 TR. 104

Thomas and his colleagues have heard about Mr. Greiner who is supposed to be missing one of his exotic pets – a good chance to continue the newspaper's story about the crocodile. The man lives in Neander Street, a small street without a bus stop. So, when Thomas, Sylvia and Aynur get off bus No. 834 they still have to find the right street.
Listen to the dialogue and look at the pictures.

5

 TR. 105

Listen to how to get to Neander Street and read the description of the way.
The sentences in the English translation are mixed up. Match them into the correct order.
Then repeat the German expressions line by line and compare them with the translation.

1. Gehen Sie diese Straße entlang	5 A *There turn right,*
2. immer geradeaus,	8 B *That's Neander Street.*
3. am Kindergarten und an der Schule vorbei	1 C *Go along this street*
4. bis zur Kreuzung.	4 D *until you get to a crossroad.*
5. Dort gehen Sie nach rechts,	6 E *then again straight ahead.*
6. dann wieder geradeaus.	3 F *pass the kindergarten and the school*
7. Dann die erste Straße links.	7 G *Then the first street on the left.*
8. Das ist die Neanderstraße.	2 H *always straight ahead,*

TR. 106

1. baker's
2. pharmacy
3. book shop
4. kiosk
5. supermarket
6. florist's
7. travel agency
8. butcher's
9. drugstore
10. market

6

Which shops can you find in a town? Look at the pictures and listen. Then read the words aloud. In the word list to the left you find the translations.

1. die Bäckerei   2. die Apotheke   3. die Buch-handlung   4. der Kiosk

5. der Super-markt   6. der Blumen-laden   7. das Reisebüro   8. die Metzgerei

9. die Drogerie   10. der Markt

Gut zu wissen:
To ask for a shop you can use the expression **Wo finde ich ... ?** (*Where can I find ... ?*), e. g. **Wo finde ich einen Kiosk?**

7

Complete the sentences and write the missing words into the gaps.

Bäckerei Metzgerei Kindergarten Reisebüro Apotheke Kiosk Post Blumenladen Buchhandlung Drogerie

1. In der _____ bekommt man Bücher.

2. Am _____ gibt es Zeitungen.

3. Peter bringt seine Briefe auf die _____.

4. Sie geht ins _____. Sie möchte in die Türkei fahren.

5. Schinken kauft man in der _____.

6. In der _____ gibt es Kuchen und Torten.

8

 TR. 107

There is a group of prepositions that can take either the dative or the accusative case: **an** *(at, on, to)*, **auf** *(at, in, on)*, **hinter** *(behind)*, **in** *(in, into, to)*, **neben** *(beside, next to)*, **über** *(over)*, **unter** *(under)*, **vor** *(in front of)* and **zwischen** *(between)*.

The **dative** is used to indicate the position or location:
• **Wo** ist er? – Im Park. / Unter der Brücke. / Vor dem Kiosk.
  (Where is he? – In the park. / Under the bridge. / In front of the kiosk.)

The **accusative** is used to indicate a motion, direction or destination:
• **Wohin** geht er? – In den Park. / Unter die Brücke. / Vor den Kiosk. *(Where is he going to? – Into the park. / Under the bridge. / In front of the kiosk.)*

Write the correct article (dative or accusative) into the gaps.

1. Die Post liegt zwischen _____ Bahnhof und der Bank.

2. Ich gehe über _____ Brücke.

3. Auf _____ Straße spielt ein Kind.

Note that there are contractions with the following prepositions:
• in, an + dem ▸ **im**, **am**
• in, an, auf + das ▸ **ins**, **ans**, **aufs**

Gut zu wissen:
Offices or institutions like banks, post offices or schools take the preposition auf, e.g. **ich gehe auf die Bank** *(... to the bank)* or er arbeitet **auf der Post** *(... at the post office).*

9

 TR. 108

Listen to the expressions. Do they indicate a direction and a motion (**wohin?**) or a location (**wo?**). Write the expressions into the right box.

1. Wohin?   2. Wo?

_____   _____

_____   _____

_____   _____

_____   _____

_____   _____

A am Kiosk   **E** über die Kreuzung   **I** hinter dem Bahnhof
B auf die Post   **F** in die Straße   **J** neben dem Kino
C im Park   **G** auf den Platz   **K** unter die Brücke
D an der Ampel   **H** vor dem Hotel

TR. 109

Gut zu wissen:
The word **Weg** has different meanings: 1. **der Weg zum Zentrum** *(the way to the centre)*, 2. **der Weg durch den Park** *(the (foot)path through the park)*.

10

If you want to ask for directions you can use the following expressions:
- **Wie komme ich (von hier) zum Bahnhof / zur Neanderstraße / nach Benrath?** *(How do I get (from here) to the railway station / to Neander Street / to Benrath?)*
- **Ist das der Weg zum Bahnhof?** *(Is this the way to the railway station?)*
- **Ich suche den Bahnhof. Können Sie mir helfen?** *(I'm looking for the railway station. Can you help me?)*
- **Ist es weit? / Wie weit ist es?** *(Is it far? / How far is it?)*

You can give or receive the following answers:
- **Tut mir leid. Das weiß ich nicht.** *(I'm sorry. I don't know.)*
- **Ich bin nicht von hier.** *(I'm not from here.)*
- **Es ist ganz in der Nähe.** *(It's very near here.)*
- **Sie können zu Fuß gehen.** *(You can walk.)*
- **Es sind nur 10 Minuten zu Fuß.** *(There are only 10 minutes to walk.)*

 TR. 110

Listen to two short dialogues. Then repeat them aloud.
If you want to read the tapescript look at the appendix.

 TR. 111

Gut zu wissen:
The preposition **durch** *(through)* governs the accusative case, e.g. **Er geht durch den Park.**

11

Useful expressions for giving or receiving directions:
- **Gehen Sie / Fahren Sie ...** *(Go / Drive)*
- **... geradeaus / diese Straße entlang / Richtung Zentrum** *(straight ahead / along this street / in the direction of the centre)*
- **... die erste (Straße) links** *((take) the first (street) on the left)*
- **... an der Kreuzung / an der Ampel / an der Ecke rechts** *((Turn) right at the crossroads / at the traffic lights / at the corner)*
- **... über die Brücke / über die Straße / über den Platz** *(across the bridge / across the street / across the square)*
- **... durch den Park / durch die Fußgängerzone** *(through the park / through the pedestrian area)*
- **... bis zur Kreuzung / bis zum Bahnhof** *(until you get to the crossroads / until you get to the railway station)*

Look at the picture. How do you get to the post office? Choose the right words.

1. Gehen Sie geradeaus bis zur *Post* | *Kreuzung* | *Richtung*.

2. Dort gehen Sie *links* | *geradeaus* | *rechts*.

3. dann *die erste links* | *über die Ampel* | *entlang*.

Dann sehen Sie schon die Post.

12

For giving commands or making requests the imperative form of the verb is used. The rules are easy: the verb is at the beginning of the sentence and the forms of the imperative are derived from the present tense:
• **du-form: Geh geradeaus!** *(Go straight ahead!)*
  You have to drop the ending **-st** and the personal pronoun **du.**
  Some verbs add the ending **-e** as you can see in the word box.
• **ihr-form: Geht geradeaus!** *(Go straight ahead!)*
  You just have to drop the personal pronoun **ihr.**
• **Sie-form: Gehen Sie geradeaus!** *(Go straight ahead!)*
  This form just inverts the pronoun and verb.

du nimmst   →   nimm!
ihr nehmt   →   nehmt!
Sie nehmen   →   Nehmen Sie!

Write the imperative form of the verbs in brackets into the gaps.

1. *Geben* Sie mir bitte das Buch, Frau Maier! *(geben)*

2. Peter, *komm* nicht so spät! *(kommen)*

3. Tom und Stefanie, *schaut* mal! *(schauen)*

The only irregular form of the imperative is **sein:**
• **Sei / Seid / Seien Sie pünktlich!** *(Be punctual!)*

13

Fill in the gaps with the imperative form of the verbs given in brackets.
Some of the verbs have separable prefixes or a change of the stem vowel.

1. Tina, *bring* uns bitte die Zeitung! *(bringen)*

2. Peter und Susi, *kommt* mal! *(kommen)*

3. Du suchst den Park? Also, *geh* geradeaus, dann rechts. *(gehen)*

4. Hast du das Buch? *Gib* es mir doch bitte! *(geben)*

5. Herr Manz, *Biegen* Sie hier rechts *ab*. *(abbiegen)*

6. Mama, *lies* mir bitte eine Geschichte *vor*! *(vorlesen)*

 TR. 112

Verbs ending in **-igen**, **-den** or **-ten** form the 2nd person singular of the imperative by adding an **-e:**

entschuldigen ▸ **entschuldige!** *(to excuse)*

reden ▸ **rede!** *(to talk)*

warten ▸ **warte!** *(to wait)*

Verbs with special imperative forms:

fahren ▸ **fahr!** *(to go, to drive)*

lesen ▸ **lies!** *(to read)*

haben ▸ **hab!** *(to have)*

Gut zu wissen:
There is often an exclamation mark after the imperative form in order to emphasize the command or the request.

TR. 113

14

With these few words it's possible to describe nearly any route. Also look at the "Gut zu wissen" boxes to get more information about the use of **gegenüber** and **vorbeigehen**.

1. rechts | 2. links | 3. gerade-aus | 4. gegen-über | 5. die Ampel

6. die Kreu-zung | 7. die Ecke | 8. die Fuß-gänger-zone | 9. vorbei-gehen | 10. abbiegen

 TR. 114

15

Listen to the directions to one of the buildings or shops shown on the map. Write the name of the destination (the building) into the gap.

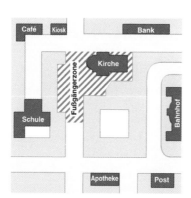

1. **Route 1:** Von der Schule zu / zur / zum

_____.

2. **Route 2:** Vom Bahnhof zu / zur / zum

_____.

Bank   Post   Bahnhof   Apotheke   Schule   Kirche
Café   Kiosk

88

1

TR. 115

What have people done today? Listen and write the sentences under the right pictures.
Then try to guess the meaning of the new words with the help of the pictures.
If you want to see the present tense of the new verbs look at the word box.

A Ich habe gefrühstückt.
B Ich bin aufgestanden.
C Ich habe eingekauft.
D Ich bin ins Bett gegangen.
E Ich habe geduscht.

Every day's acitivities:

Ich dusche. –
I take a shower.

Ich frühstücke. –
I have breakfast.

Ich gehe ins Bett. –
I go to bed.

Ich kaufe ein. –
I do the shopping.

Ich stehe auf. –
I get up.

2

In this exercise you'll learn some new words that will be part of the intro-
ductory dialogue on page 108.
Read the expressions below. Write them into the right box. Repeat the
words aloud.

1. Eating   2. Living   3. Colours

_____   _____   _____

_____   _____   _____

_____   _____   _____

_____   _____   _____

A bunt (*colourful*)
B in der Altstadt (*in the old town centre*)
C ruhig gelegen (*quietly situated*)
D das Frühstück (*breakfast*)
E grün (*green*)
F ein kleines Lokal (*a small pub*)

G zentral (*central*)
H zum Abendessen einladen (*to invite for dinner*)
I blau (*blue*)
J ich habe Hunger (*I'm hungry*)
K zu Hause (*at home*)

Gut zu wissen:
The German word
das Lokal is used in a
general sense to
indicate a place where
you can eat and drink
without specifying
whether it is a pub, a
bar or a restaurant.

TR. 116

3

At noon Thomas, Sylvia and Aynur arrive in Neander Street where they want to meet Mr. Greiner whose crocodile is supposed to have disappeared. Mr. Greiner hasn't arrived yet and Thomas and his colleagues are filling time by talking about the houses in the street, about what they have done today and other interesting things.

Listen to the dialogue and look at the pictures. They'll help you to understand the general sense.

 TR. 116

4

In the introductory dialogue you heard Thomas, Sylvia and Aynur talking about various topics. Now we are going to look for more details.

Read the questions below. What would Aynur, Sylvia and Thomas answer? Yes or no?

Listen to the dialogue again and answer the questions for each person by marking the tick for "yes" and the cross for "no".

Check your answers by reading the tapescript in the appendix

	1. Aynur		2. Sylvia		3. Thomas	
	✓	✗	✓	✗	✓	✗
1. Who likes the house of Mr. Greiner?	☐	☐	☐	☐	☐	☐
2. Who has been in the old part of Düsseldorf today?	☐	☐	☐	☐	☐	☐
3. Who is invited to a dinner?	☐	☐	☐	☐	☐	☐
4. Who is quite impatient because he/she is hungry?	☐	☐	☐	☐	☐	☐
5. Who is going to have lunch at a greek restaurant?	☐	☐	☐	☐	☐	☐

5

Listen to what the activities shown in the pictures are called.

Which of the activities do you normally do first? What do you do next? Here is an example for the course of a day. In the word box you find the translation.

Ich stehe auf, ich dusche, ich frühstücke. Dann bringe ich die Kinder zur Schule und gehe zur Arbeit. Ich esse zu Mittag, ich kaufe ein, ich komme nach Hause und esse zu Abend. Dann gehe ich ins Bett.

6

Here are some useful expressions to describe the location of a house or flat:
- **Das Haus / Die Wohnung / Die Straße ist ruhig ◀▶ laut gelegen.**
  (The house / The flat / The street is a quiet ◀▶ noisy area.)
- **Die Wohnung liegt nah am Zentrum ◀▶ weit vom Zentrum.**
  (The flat is near the centre ◀▶ far from the centre.)
- **Ich wohne zentral ◀▶ außerhalb.**
  (I live in the town centre ◀▶ out of town.)
- **Ich wohne im Erdgeschoss ◀▶ im ersten Stock.**
  (I live on the ground floor ◀▶ on the first floor.)
- **Ich wohne in einem Haus mit ◀▶ ohne Garten / Balkon / Terrasse.**
  (I live in a house with ◀▶ without garden / balcony / terrace.)
- **Ich lebe in der Stadt ◀▶ auf dem Land.**
  (I live in town ◀▶ in the country.)

Listen to how and where people live. Mark the tick if the word describes the living condition correctly and the cross if it doesn't.

	✓	✗
1. auf dem Land	▪	▪
2. zentral	▪	▪
3. laut	▪	▪

 **TR. 117**

Gut zu wissen: The word **zu** in **zu Mittag / zu Abend essen** can be dropped: **Ich esse Mittag.** *(I have lunch.)*, **Hast du schon Abend gegessen?** *(Have you already had dinner?).*

I get up, I have a shower, I have breakfast. Then I take the children to school and I go to work. I have lunch, I do the shopping, I come home and I have dinner. Then I go to bed.

 TR. 118

TR. 119

Gut zu wissen:
The verb **gefallen** (*to like*) governs the dative case: **Das Haus gefällt mir / dem Mann.** Often, you'll find the dative object in the 1st position: **Mir / Dem Mann gefällt das Haus.**

7

The following structures are used to express likes or dislikes.
- Ich **finde** das Haus von Herrn Greiner **(nicht) schön.**
  (*I (don't) think Mr. Greiner's house is beautiful.*)
- Ich **finde** es **zu klein** und **zu bunt**. (*I think it's too small and too colourful.*)
- Das Haus von Herrn Greiner **gefällt** mir (nicht).
  (*I (don't) like Mr. Greiner's house.*)
- Bunte Häuser **gefallen** uns (nicht). (*We (don't) like colourful houses.*)

The corresponding questions are:
- **Wie findest du** das Haus? **Wie finden Sie** das Haus?
  (*How do you like the house?*)
- **Gefällt dir / Ihnen** das Haus? **Gefallen dir / Ihnen** diese Häuser?
  (*Do you like the house / these houses?*)
- **Wie gefällt dir / Ihnen** das Haus? (*How do you like this house?*)
- **Welches Haus gefällt dir / Ihnen?** (*Which house do you like?*)

Gut zu wissen:
The declination of **welch-** is the same as **dies-** (unit 9)

Nominative:
welcher Mann?
welche Frau?
welches Haus?
welche Männer / Frauen / Häuser?

Accusative:
welchen Mann?
welche Frau?
welches Haus?
welche Männer / Frauen / Häuser?

Dative:
welchem Mann?
welcher Frau?
welchem Haus?
welchen Männern / Frauen / Häusern?

8

Listen to the questions. What could people answer? Choose the right answer and match it to the corresponding question.

1. Hat deine Wohnung einen Balkon?	___ A Du hast Recht! Sie ist wirklich laut!
2. Gefällt dir das Haus von Familie Kramer?	___ B Ja, sie liegt ganz in der Nähe vom Zentrum.
3. Ich finde die Musik zu laut. Und du?	___ C Nein, aber eine Terrasse und einen Garten.
4. Ist Ihre Wohnung zentral gelegen?	___ D Ich wohne im zweiten Stock.
5. Wie finden Sie dieses Lokal?	___ E Mir gefallen Grün und Blau.
6. Welche Farben gefallen dir?	___ F Es gefällt mir nicht. Es ist zu klein und es liegt nicht zentral.
7. In welchem Stock wohnst du?	___ G Ich finde es gut. Man kann hier sehr gut essen.

9

As you already know the perfect tense is formed with the present tense of **haben** or **sein** and the past participle of the verb beginning with **ge-** and ending with **-t / -en**. And what about the following examples?

- Ich **bin** auf**ge**stand**en**. *(I have gotten up.)*
- Ich **habe** es vergess**en**. *(I have forgotten it.)*
- Ich **habe** heute viel fotografier**t**. *(I have taken a lot of pictures today.)*

Here are the rules:

1. The past participle of regular and irregular **verbs with separable prefixes** is formed like this:
   - Prefix + **ge-** + unchanged present stem + **-t**
     (aus**ge**pack**t** ◀ aus|packen)
   - Prefix + **ge-**+ changed stem + (often) **-en**
     (auf**ge**stand**en** ◀ auf|stehen)

2. The past participle of **verbs beginning with be-, ent-, er-, ver-** doesn't have a **ge-** at the beginning:
   - unchanged present stem + **-t** (erzähl**t** ◀ erzählen)
   - changed stem + (often) **-en** (verstehen ◀ verstanden)

3. The past participle of verbs which end in **-ieren** always has the structure:
   - unchanged present stem + **-t** (fotografier**t** ◀ fotografieren)

Gut zu wissen:
Remember that verbs that indicate a motion or a change of condition take **sein** as an auxiliary verb, e.g. **ich bin ausgestiegen** *(I got off)*, **ich bin losgegangen** *(I have set off)*.

10

 TR. 122

Read and listen to the sentences. Which verbs are used? Write the infinitive form of each verb into the gap, e.g. **Ich habe Fotos gemacht.** ▶ **machen**.

1. Ich habe einen Kaffee **bestellt**. _____

2. An welcher Universität haben Sie **studiert**? _____

3. Hast du schon die Geschenke **ausgepackt**? _____

4. Wir sind in Köln **umgestiegen**. _____

5. Gestern Abend bin ich mit Christiane **ausgegangen**.

   _____

6. Mein Freund hat mich zum Mittagessen **eingeladen**.

   _____

7. Peter ist heute schon um 5 Uhr **aufgestanden**. _____

TR. 123

11

Listen to the names of the colours and repeat them aloud. Then read the English sentences and match them with their German translations.

1. Das ist ein schwarzer Mantel.		___ A Some buses are yellow.
2. Die Ampel ist rot.		___ B Here is an orange dress.
3. Dieses Straßenschild ist blau.		___ C This is a green sweater.
4. Hier ist ein orangefarbenes Kleid.		___ D The zebra crossing is white.
5. Das ist ein grüner Pullover.		___ E The traffic light is red.
6. Manche Busse sind gelb.		___ F That is a black coat.
7. Der Zebrastreifen ist weiß.		___ G This street sign is blue.

You'll get more **Farben** (colours) by adding the words **hell** (light) or **dunkel** (dark), e. g. **hellblau** (light blue). Also remember the word **bunt** (colourful).

When colours are used as nouns, they are always neuter: **das Gelb** (the yellow colour). The article is often dropped, e.g. **Ich mag Rot.** (I like red.).

 TR. 124

der lange Weg –
the long way

die gute Idee –
the good idea

das blaue Haus –
the blue house

die ruhigen Straßen –
the quiet streets

12

Focus on the adjective **grün** in the following sentences:
Die Tür ist grün. (The door is green.)
Das ist eine grüne Tür. (That's a green door.)
a) If the adjective is part of the predicate (**sein** + adjective) it is used without an ending.
b) If the adjective describes or modifies a noun it has an ending.
These are the endings for the nominative case:

1. Definite article + adjective + noun:

singular	definite article	adjective	noun
masculine	der	lang**e**	Weg
feminine	die	gut**e**	Idee
neuter	das	blau**e**	Haus
plural	die	ruhig**en**	Straßen

2. Indefinite article + adjective + noun:

singular	indefinite article	adjective	noun
masculine	ein	lang**er**	Weg
feminine	eine	gut**e**	Idee
neuter	ein	blau**es**	Haus
plural		ruhig**e**	Straßen

Write the correct form of the adjective in brackets into the gap.

1. Die ___*kleinen*___ Straße heißt Neanderstraße. *(klein)*

2. An der Ecke liegt ein ___*italienischer*___ Café. *(italienisch)*

3. Mir gefallen ___*helle*___ Farben. *(hell)*

4. Das ist aber ein ___*bitterer*___ Tee! *(bitter)*

13

Complete the sentences by choosing the correct word.
Make sure that the endings of the missing word fit the gender and the numerus of the noun or that the missing word is in the right case.

1. Welche Farben *gefallen* | *gefällst* | *(gefällt)* Ihnen?

2. Das ist aber ein *schön* | *(schöner)* | *schönes* Geschenk!

3. Die *großes* | *(große)* | *groß* Wohnung von Peter finde ich toll.

4. *Welchen* | *(Welches)* | *Welche* Buch liest du?

5. *(Mir)* | *Ich* | *Mich* gefällt die Arbeit im Büro.

6. Das ist eine wirklich *lustig* | *(lustige)* | *lustiger* Geschichte!

14

Match the opposites, e.g. *old – new, not yet – already.*
Then repeat each pair of words aloud.

1. schwarz	**2**	**A** auf dem Land
2. in der Stadt	**4**	**B** dunkel
3. nah am Zentrum	**9**	**C** ins Bett gehen
4. hell	**7**	**D** nach Hause kommen
5. aufstehen	**8**	**E** ruhig
6. spät	**5**	**F** schon
7. zur Arbeit gehen	**1**	**G** weiß
8. laut	**3**	**H** weit vom Zentrum
9. noch nicht	**6**	**I** früh

TR. 125

15

Listen to some important expressions to do with meal times.

Interkulturelles

Das Frühstück *(breakfast)*, **das Mittagessen** *(lunch)* and **das Abendessen** *(dinner)* are the main meals in the German-speaking countries. By the way, in Switzerland they use the word **Zmorge** *(breakfast)* instead of **Frühstück**. It is normal to eat one warm meal a day. Lunch is traditionally the warm meal. A typical **Essen** *(meal)* will consist of a single main course: meat, vegetables or salad, usually with rice, pasta or potatoes.

And dinner? You'll often have just bread, e.g. dark bread with sliced meat or cheese. But if you're invited to a dinner in a German family, you won't only have sandwiches, but a warm meal, too!
Between the main meal times there are other opportunities to eat and drink, for example the coffee and cake tradition in the afternoon. As a second breakfast or a snack in the afternoon there is another meal called **die Brotzeit** *(snack)* in Germany and **die Jause** *(snack)* in Austria. There you normally eat a sandwich and maybe drink a beer.

1

 TR. 126

What an untidy room! Look at the picture and listen to what people are looking for or where they want to put things.
Can you guess the meaning of the pieces of furniture people are talking about?

Wohin hängst du die Jacken?

Ich hänge sie an die Garderobe.

Wohin stelle ich die Lampe?

Stell sie auf den Tisch!

Wo sind die Bücher?

Sie liegen auf der Heizung.

Wohin legen wir die Fotos?

Wir legen sie ins Regal.

Have you noticed that the German language uses different words for "to put"? Look at the word box for more information.

stellen – *to put something in a vertical position*
legen – *to put something in a horizontal position*

hängen – *to put something in a hanging position, to hang sth. up*

TR. 127

Gut zu wissen:
Instead of das
Badezimmer (bath-
room) you can also
use the short version
das Bad (bathroom).

2

Let's have a look at the inside of a house. Which rooms and what furniture can you find there?
Listen to what the names of rooms (**Zimmer**) and the pieces of furniture (**Möbel**) are called in German. Write the words into the right spaces. Then repeat the words aloud and try to learn their meaning.

1. Zimmer

2. Möbel

_____   _____

_____   _____

_____   _____

_____   _____

A die Küche – *kitchen*	**F** das Regal – *shelf*
B das Badezimmer – *bathroom*	**G** der Flur – *corridor*
C der Schrank – *cupboard*	**H** der Stuhl – *chair*
D das Wohnzimmer – *living-room*	**I** das Arbeitszimmer – *study*
E die Couch – *sofa*	**J** der Teppich – *carpet*

3

a. In Australia, there are parrots.

b. Snakes are sometimes poisonous.

c. The terrarium with the snakes is above the radiator.

d. He's stroking the turtle.

e. The parrot is sitting in a cage.

Look at the pictures. Then read the sentences and match them to the corresponding pictures.
This exercise will be easier if you just focus on the words you already know or guess their meaning with the help of the picture. In the word box you will find the exact meaning of the sentences.

1. ____ **A** In Australien gibt es Papageien.

2. ____ **B** Schlangen sind manchmal giftig.

3. ____ **C** Das Terrarium mit den Schlangen steht über der Heizung.

4. ____ **D** Er streichelt die Schildkröte.

5. ____ **E** Der Papagei sitzt in einem Käfig.

4

 TR. 128

In Mr. Greiner's flat: Thomas, Sylvia and Aynur have already introduced themselves and now they want to know more about the pets in the flat. Oskar Greiner is an expert in exotic animals and pleased that someone is interested in his hobby and so he is immediately willing to show the rooms where the pets are.

Listen to the dialogue and look at the pictures.

5

 TR. 128

Let's look at the introductory dialogue in more detail.
Listen again to the dialogue. Then read the statements below and decide whether they are true (T) or false (F).

	true	false
1. Die Garderobe ist im Wohnzimmer.	■	■
2. Die Terrarien sind im Wohnzimmer.	■	■
3. Die Schildkröten stehen über der Heizung.	■	■
4. Die Schlangen sind nicht gefährlich.	■	■
5. Aynur möchte die Schlangen nicht streicheln.	■	■
6. Die Papageien sind im Wohnzimmer.	■	■
7. Die Fotos von Australien hängen in der Küche.	■	■
8. Das Krokodil ist im Badezimmer.	■	■

Do you still have any doubts about any of the contents of the dialogue? In the appendix you can find the translation.

TR. 129

TR. 130

TR. 131

Singular and plural:

1. der Stuhl, Stühle
2. das Sofa, Sofas die Couch, Couchs
3. der Sessel, Sessel
4. der Tisch, Tische
5. der Schrank, Schränke
6. das Regal, Regale
7. das Bett, Betten
8. der Teppich, Teppiche die Lampe, Lampen
9. die Garderobe, Garderoben der Spiegel, Spiegel
10. die Kommode, Kommoden

6

Let's have a look at the names of rooms.

The first group is easy to learn because all words are neuter and composed of **Zimmer** *(room)*:

das **Arbeitszimmer** *(study)*, das **Badezimmer** *(bathroom)*, das **Esszimmer** *(dining-room)*, das **Kinderzimmer** *(children's room)*, das **Schlafzimmer** *(bedroom)*, das **Wohnzimmer** *(living-room)*.

The other rooms are called:

die **Küche** *(kitchen)*, der **Flur** *(corridor)*, der **Keller** *(cellar)*, die **Toilette** *(toilet)*, das **Bad** *(bathroom)* as a short form of **Badezimmer**.

Listen to the description of the rooms and enter their names into the gaps.

1. _____   3. _____

2. _____   4. _____

7

The word for *furniture* is mostly used in the plural: **die Möbel** *(furniture)*. A single piece of furniture is **das Möbelstück** *(piece of furniture)* rather than **das Möbel**.

Look at the pictures and listen to the names of the furniture. The names and their plural forms are in the word box.

8

 TR. 132

Compare the following sentences:

Wo? (Location, position)	**Wohin?** (Movement, direction)
Die Lampe **steht** im Regal. *(The lamp is (standing) on the shelf.)*	Er **stellt** die Lampe ins Regal. *(He puts the lamp onto the shelf.)*
Das Buch **liegt** auf dem Sofa. *(The book is (lying) on the sofa.)*	Er **legt** das Buch aufs Sofa. *(He puts the book on the sofa.)*
Das Kind **sitzt** auf dem Stuhl. *(The child is (sitting) on the chair.)*	Er **setzt** das Kind auf den Stuhl. *(He sits the child on the chair.)*
Das Foto **hängt** an der Wand. *(The picture is (hanging) on the wall.)*	Er **hängt** das Foto an die Wand. *(He hangs the picture on the wall.)*

All these verbs are used with the prepositions you have learnt in unit 10:
an, **auf**, **hinter**, **in**, **neben**, **über**, **unter**, **vor** and **zwischen**.

> You have to use the **dative** case if the verb indicates a fixed position and the **accusative** case if the verb indicates movement.

Write the correct word into the gaps.

sitzt   setzt   legt   liegt   stellt

1. Er _____ die Jacke über den Stuhl.

2. Der Papagei _____ im Käfig.

3. Die Zeitung _____ zwischen den Büchern.

The perfect tense of the verbs:
The verbs that indicate movement have a regular past participle:
er hat **gestellt** ◀ stellen *(to put into a vertical position)*
er hat **gelegt** ◀ legen *(to put into a horizontal position)*
er hat **gesetzt** ◀ setzen *(to sit down)*
er hat **gehängt** ◀ hängen *(to put into a hanging position)*

The verbs that indicate a fixed position have an irregular past participle:
er hat | ist **gestanden** ◀ stehen *(to stand)*
er hat | ist **gelegen** ◀ liegen *(to lie)*
er hat | ist **gesessen** ◀ sitzen *(to sit)*
er hat | ist **gehangen** ◀ hängen *(to hang)*

Haben is used in Northern Germany, **sein** in Southern Germany and in Austria.

9

Gut zu wissen:
Don't mix up **in der Ecke** (*in the corner*) and **an der Ecke** (*at the corner*).

What is where? Look at the picture. Complete the sentences and write the missing prepositions into the gaps.

unter dem	im	an der	am	hinter dem	über der
in der	neben der	auf der	auf dem	vor der	

1. Das Sofa steht _____ Wand.

2. Der Spiegel hängt _____ Kommode.

3. Die Heizung ist _____ Tür.

4. Die Zeitungen liegen _____ Tisch.

5. Der Teppich liegt _____ Tisch.

6. Peter sitzt _____ Sessel und liest.

7. Die Lampe steht _____ Ecke,

8. _____ Sessel.

TR. 133

10

Listen to the questions. Answer the questions with the help of the information from the picture.
Write complete sentences , e. g. **Ich setze das Kind auf den Stuhl.** or **Ich setze es auf den Stuhl.** Don't forget the capital letter at the beginning of the sentence and the full stop at the end.

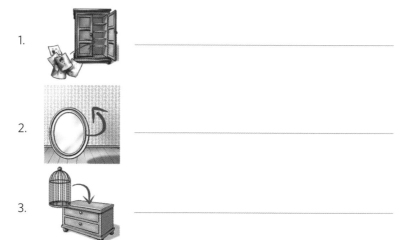

1. _____

2. _____

3. _____

11

To describe the position of a piece of furniture you can use the expressions:

Es ist | steht | liegt | hängt ... (*It is | stands | lies | hangs ...*)
... auf dem Fußboden (*on the floor*), **an der Decke** (*from the ceiling*), **an der Wand** (*on the wall*), **in der Mitte** (*in the middle*), **in der Ecke** (*in the corner*), **oben ◀▶ unten** (*at the top ◀▶ at the bottom*), **vorne ◀▶ hinten** (*in the front ◀▶ at the back*).

Look at the picture on the right and complete the description by filling in the missing words.

Das Bett steht rechts an der **(1)**_____. In der

(2)_____ liegt ein Teppich. Das Zimmer hat ein Fenster. Es ist

(3)_____ .

Gut zu wissen:
Note that **liegen** can have the meaning *to lie* and *to be situated*, e.g. **Birk liegt im Süden.**

If you move house, furnish your flat or tidy up your room you can ask and answer:
Wohin stellen | legen | hängen wir ... ? (*Where do we put ... ?*)
... auf den Fußboden (*on the floor*), **an die Wand** (*on the wall*), **in die Mitte** (*in the middle*), **neben das Sofa** (*next to the sofa*), **auf den Tisch** (*on the table*) etc.

12

 TR. 134

Here are some useful expressions to talk about living conditions:
• **Wir besitzen eine Eigentumswohnung.**
  (*We own a flat.*)
• **Wir wohnen in einem Einfamilienhaus | in einer 3-Zimmer-Wohnung.**
  (*We live in a detached house | in a flat with three rooms.*)
• **Wie viele Räume | Quadratmeter hat die Wohnung?**
  (*How many rooms | square meters does the flat have?*)
• **Ich lebe in einer Wohngemeinschaft | in einer WG.**
  (*I live in a shared flat | house.*)
• **Ich habe ein möbliertes Zimmer im Studentenwohnheim.**
  (*I have a furnished room in a student accomodation.*)
• **Ich wohne zur Miete | in einer Mietwohnung.**
  (*I'm renting a flat | living in a rented flat.*)
• **Wie hoch ist die Miete | die Kaltmiete | die Warmmiete?**
  (*How much is the rent | the rent without additional costs | the rent including additional costs?*)
• **Die Miete ist 400 Euro ohne Nebenkosten.**
  (*The rent is 400 Euros without additional costs.*)

Gut zu wissen:
Instead of **300 Euro Kaltmiete / Warm-miete** (*300 Euros rent without /including additional costs*) you can also say **300 Euro kalt /warm**. By the way, the literal meaning of *warm* is **warm**.

TR. 135

Gut zu wissen:

Singular m., f., n.

Nominative:
der, die das

Accusative:
den, die, das

Dative: dem, der, dem

Plural

Nominative: die

Accusative: die

Dative: denen

13

Der, **die**, **das** etc are forms of the definite article.
But what do they mean in the following sentences?
Wo ist der Papagei? – **Der** ist in seinem Käfig.
(Where is the parrot? – It is in his cage.)

Wo ist der Papagei?

– Der ist dort.

Kennst du seine Freundin? – Nein, **die** kenne ich nicht.
(Do you know his girlfriend? – No, I don't know her.)
Wie findest du den Schrank? – **Den** finde ich hässlich.
(Do you like the cupboard? – I think it's ugly.)

> The marked words are demonstrative pronouns that refer to something mentioned before. They are used to avoid the repitition of the noun. The demonstrative pronoun comes before the verb and is emphasized.

Listen to the intonation of the sentences above. Then try it yourself and read the sentences aloud.
Look at the word box to see the forms of the demonstrative pronoun.

14

Let's have a look at some new words from this unit. It's worth learning them because they are very common.
Read the description and mark the missing word within the word snake.

1. The opposite of **unten** (at the bottom):
   V O S R T E N O B E N U N G H E L

2. Another word for **Zimmer**: W O H A S D E R A U M Y C H

3. **Rent** in German: C A R M O M M I E T E L O T R E R

4. The opposite of **hinten** (behind): T I R E C K W V O R N E S C H L Ä M M

5. **To stroke** in German: K I N R E G K L E S T R E I C H E L N L A G

6. A flat, which belongs to someone:
   W E R H B E I G E N T U M S W O H N U N G T I G

7. Mr. Greiner's profession: F O L E H R E R T O M I N

8. What do you have to pay apart from the rent?
   Q U E T N E B E N K O S T E N I E N E N

TR. 136

1

What's the weather like? That's a very common topic and now you are going to learn a few new words you can use to talk about the weather. Listen, then write the names of the seasons and the short descriptions into the gaps. Repeat the phrases aloud.

> A Frühling   B Sommer   C Herbst   D Winter   E Die Sonne scheint.
> F Es schneit.   G Es regnet.   H Das Wetter ändert sich.

1. _____

2. _____

3. _____

4. _____

The gender of the four seasons is masculine: **der Frühling** *(spring)*, **der Sommer** *(summer)* etc. The seasons are often used with the preposition **im: im Winter** *(in winter)*.

TR. 137

Gut zu wissen:

Wenn introduces a subordinate clause and has the meanings *if* and *when*.

Ich komme mit dem Auto, wenn es nicht schneit. (*I'm coming by car if it isn't snowing.*)

Er liest immer die Zeitung, wenn er Kaffee trinkt. (*He always reads the newspaper, when he is drinking coffee.*)

2

Listen and then match the two halves of the sentences.
You have probably noticed the word **wenn** in each sentence.
Can you guess the meaning of this short but important word? Look at the word box for some information.

1. Wir machen ein Picknick,	___ A wenn sie Zeit hat.
2. Sie besucht ihre Eltern am Wochenende,	___ B wenn er nicht arbeiten muss.
3. Ich bringe einen Kuchen mit,	___ C wenn ihr sie sehen wollt.
4. Wir gehen nicht spazieren,	___ D wenn das Wetter schön ist.
5. Er freut sich,	___ E wenn wir uns am Samstag treffen.
6. Ich zeige euch meine Fotos,	___ F wenn es regnet.

3

 TR. 138

abholen –
to pick up

bleiben –
*to remain,
to stay*

passen – *to suit*

passt es euch? –
does it suit you?

der Sekt –
sparkling wine

Oberkassel – *This is
the name of a district
of Düsseldorf. There
are beautiful large
meadows at the Rhine.*

Imagine a couple of friends planning to have a picnic on the meadows next to the Rhine. You are now going to have a look at various ideas of what has to be planned or thought of.
Read the sentences below and match them to the right picture. Don't worry about the new words. The pictures will help you to guess their meaning. There is more information in the word box.

___ **A** Ich bringe eine Flasche Sekt mit.

___ **B** Ich hole Peter ab.

___ **C** Passt es euch um 3 Uhr?

___ **D** Hoffentlich bleibt das Wetter schön!

___ **E** Wir treffen uns an der Brücke nach Oberkassel.

4

 TR. 139

Thomas' wife Susanne is calling the office. She wants to arrange an invitation because she would like to meet Thomas' colleagues Sylvia and Aynur. She and Thomas are making plans when and where they should meet. After the conversation Thomas suggests the picnic to his colleagues. Listen to the dialogue and look at the picture.

5

 TR. 139

Let's have a look at some details from the introductory dialogue. Listen again to the dialogue. Read the questions and decide which of the answers is correct. Look at the word box for the translation of the questions.

1. Warum will Susanne ein Picknick machen?
   A ▪ Sie isst gerne Kuchen.
   B ▪ Sie kennt Sylvia und Aynur noch nicht.
   C ▪ Sie will mit ihrer Familie feiern.

2. Was macht Lisa? Kommt sie mit?
   A ▪ Sie bleibt zu Hause.
   B ▪ Sie kommt mit.
   C ▪ Sie kann nicht mit-kommen.

3. Wann ist das Picknick?
   A ▪ Am Nachmittag.
   B ▪ Am Abend.
   C ▪ Am Sonntag.

4. Was sagt das Radio?
   A ▪ Es regnet.
   B ▪ Es schneit.
   C ▪ Die Sonne scheint.

5. Wo treffen sie sich?
   A ▪ Im Biergarten.
   B ▪ In der Wohnung von Thomas.
   C ▪ An einer Brücke.

6. Wer bereitet das Picknick vor?
   A ▪ Susanne.
   B ▪ Sylvia und Aynur.
   C ▪ Thomas und Lisa.

1. Why does Susanne want to have a picnic?
2. What does Lisa do? Is she coming along, too?
3. When is the picnic?
4. What does the radio say?
5. Where do they meet?
6. Who is preparing the picnic?

TR. 140

6

Read and listen to the words describing the weather.

1. die Tempera-   2. der Nebel   3. die Wolke   4. der Himmel
   tur

5. die Sonne   6. der Regen   7. der Wind   8. der Schnee

TR. 141

The weather report often uses very short sentences by adding directions, e.g.: Das Wetter in Deutschland: Im Süden und Osten blauer Himmel und Sonne, im Norden Wind, im Westen Regen. (*The weather in Germany: In the South and East blue sky and sun, in the North wind, in the West rain.*)

TR. 142

Gut zu wissen:
When talking about the temperature the word **Grad** (*degree*) is always used in the singular. That's why you can also say: **Es ist 20 Grad.** (*It's 20 degrees.*)

7

Wie ist das Wetter? (*What is the weather like?*) is the main question if you want to talk about the weather. Let's have a look at possible answers:
- **Es regnet.** (*It's raining.*) **Es schneit.** (*It's snowing.*) **Die Sonne scheint.** (*The sun is shining.*)
- **Das Wetter ändert sich.** (*The weather is changing.*)
- **Das Wetter bleibt schön / schlecht.** (*The weather is going to stay fine / bad.*)
- **Es ist sonnig / windig / neblig / kalt / heiß.** (*It's sunny / windy / foggy / cold / hot.*)
- **Es ist regnerisch / bewölkt / wechselhaft.** (*It's rainy / cloudy / changeable.*)
- **Herrliches Wetter heute!** (*Wonderful weather today!*) ◀▶ **Furchtbares Wetter heute!** (*Terrible weather today!*)

If you want to know the temperature you can ask and answer:
- **Wie hoch ist die Temperatur?** (*What's the temperature?*)
- **Es sind 25 Grad.** (*It's 25 degrees.*) **Es sind minus 3 Grad.** (*It's 3 degrees below freezing.*)

TR. 143

8

The conjunction **wenn** (**1.** *if, in case,* **2.** *when*) introduces a subordinate clause with a conditional or a temporal meaning:
• Wir bleiben zu Hause, **wenn** es am Wochenende regnet.
  (We'll stay at home, if it rains at the weekend.)
• Er liest die Zeitung, **wenn** er frühstückt.
  (He always reads the newspaper, when he has his breakfast.)

You have probably noticed the new word order: The conjugated verb is always at the end of the subordinate clause. This rule is also valid if the verb has two parts, e. g.:
• Wir gehen spazieren, wenn das Wetter **schön ist**.
  (We'll go for a walk if the weather is fine.)
• Ich frühstücke, wenn ich **geduscht habe**.
  (I have breakfast when I've had a shower.)
• Er freut sich, wenn er nicht **arbeiten muss**.
  (He's glad when he doesn't have to work.)

Put the **wenn**-sentences into the right order. After doing that repeat the sentences aloud.

1. Wir machen ein Picknick, | scheint. | die Sonne | wenn

_____

2. Ich gehe aus, | ich | habe. | gegessen | wenn

_____

3. Er kommt um 12 Uhr an, | ist. | pünktlich | wenn | der Zug

_____

9

Connect the two sentences by using the conjunction **wenn**. In the word box are two sample sentences.
Watch out for the word order and don't forget to put a comma in front of the clause starting with **wenn**.

1. Er freut sich. Er bekommt Geschenke.
2. Ich komme gern. Ich habe Zeit.
3. Bring ihm das Buch mit. Du siehst ihn morgen.
4. Wir gehen spazieren. Das Wetter bleibt schön.
5. Sie geht in die Disco. Sie will ihre Freunde treffen.

Er freut sich nicht. Er muss arbeiten.

▶ Er freut sich nicht, wenn er arbeiten muss.

Wir gehen in den Biergarten. Es regnet am Abend nicht.

▶ Wir gehen in den Biergarten, wenn es am Abend nicht regnet.

109

TR. 144

Gut zu wissen:
The expression **es geht (nicht)** *(that is / isn't all right)* or the emphazised version **das geht (nicht)** also have another meaning. You can use it to express that something functions or not *it works / it doesn't work.*

TR. 145

10

To arrange the place and time of an official meeting or a private date you can use the following phrases:
- **Haben Sie am Samstag (schon) etwas vor?**
  (Do you have anything (already) planned for Saturday?)
- **Was hast du heute Abend vor?** *(What have you planned for this evening?)*
- **Wann und wo treffen wir uns (mit Frau Müller)?**
  (When and where do we meet (Mrs. Müller)?)
- **Wann passt es Ihnen | dir?** *(What time would suit you?)*
- **Passt es Ihnen | dir um 3 Uhr?** *(Would it suit you at 3 o'clock?)*
- **Können Sie | Kannst du am 11. März?** *(Can you do it on March 11ᵗʰ?)*
- **Geht es morgen?** *(Is tomorrow all right?)*

To express that you already have other plans you can use the same structures as in the exercise below.

Listen to the answers and fill in the gaps.

1. Das _____ mir leider nicht.

2. Nein, es _____ leider nicht.

3. Tut mir leid, ich _____ nicht.

TR. 146

11

What can you say if you want to invite someone out or if you are invited out?
- **Ich möchte dich zu einem Picknick | zum Abendessen einladen.**
  (I'd like to invite you to a picnic | to dinner.)
- **Ich bedanke mich herzlich für die Einladung.**
  (Thank you very much for the invitation.)

What do you have to think of? Here are a few common questions and answers:
- **Holst du mich ab?** *(Will you pick me up?)*
  Können Sie mich abholen? *(Can you pick me up?)*
- **Ja, ich kann dich um 7 am Bahnhof abholen.**
  (I can pick you up at the railway station at 7 p.m.)
- **Soll ich etwas mitbringen?** *(Shall I bring something along?)*
- **Nein, das ist nicht nötig.** *(No, that's not necessary.)*

By the way, like in many other countries, it is common to bring a small gift for the host. Typical gifts are:
eine Flasche Sekt *(a bottle of sparkling wine)*, **Blumen** *(flowers)*, **Schokolade** *(chocolate)*, **Pralinen** *(pralinee)*

12

Compare the following two sentences:
- **Ich ändere mich.** (*I'll change myself.*) – Infinitive: sich ändern
- **Ich ändere etwas.** (*I'll change something.*) – Infinitive: ändern

The first sentence has a reflexive verb, the second hasn't.

The sign for the infinitive of a reflexive verb is the pronoun **sich** (*oneself*). The reflexive pronoun refers back to the subject and is identical with it. The forms are:

Singular:	ich ändere mich, du änderst dich, er /sie /es ändert sich
Plural:	wir ändern uns, ihr ändert euch, sie ändern sich
Polite form:	Sie ändern sich

Write reflexive pronouns into the gaps.

1. Interessierst du _____ für Kunst?

2. Wir freuen _____ auf euren Besuch.

3. Treffen Sie _____ heute mit Frau Müller?

> The **perfect tense** of reflexive verbs is always formed by using the auxiliary verb haben: **ich habe mich geändert**, **du hast dich geändert** etc.

13

Fill the gaps. Write reflexive pronouns and the present tense of the verbs given in brackets.

1. Ich **(1)**_____ **(2)**_____ sehr über das Geschenk.
   (sich freuen)

2. Sylvia und Aynur **(3)**_____ **(4)**_____ für die Einladung. *(sich bedanken)*

3. Wir **(5)**_____ **(6)**_____ heute mit den Kollegen.
   (sich treffen)

4. Das Wetter **(7)**_____ **(8)**_____ . Schade! *(sich ändern)*

5. **(9)**_____ du **(10)**_____ schon auf die Party?
   (sich freuen)

 TR. 147

Watch out if the German verb takes a preposition or not:

sich freuen –
to be pleased /glad

sich freuen über –
to be pleased about

sich freuen auf –
to look forward to

sich treffen mit –
to meet

treffen (not reflexive!)
– *to meet*

Gut zu wissen:
The forms of the 1st and 2nd person are identical with the accusative pronoun. Only the polite form and the 3rd person have the **sich**. It's easy, isn't it?

14

Let's have a look at the new words from this unit. What is shown in the pictures? Mark the right word.

1.
   A ■ Blumen
   B ■ Pralinen
   C ■ Sekt

2. A ■ der Norden
   B ■ die Schokolade
   C ■ die Temperatur

3. A ■ das Grad
   B ■ der Schnee
   C ■ der Herbst

4. A ■ der Osten
   B ■ der Frühling
   C ■ der Besuch

15

Scrambled sentences! Put the words into the right position in order to get correct statements, questions and subordinate clauses.
Then repeat each sentence and focus on the position of the conjugated verb.

1. über deinen Besuch | habe | gefreut. | mich | Ich
2. am Wochenende, | Was | wir | machen | es regnet? | wenn
3. dir | das Buch, | Ich | gebe | wenn | ich | habe. | es | gelesen
4. interessiert. | für Kunst | Er | hat | nie | sich
5. im Norden? | es | bei euch | Schneit
6. gelernt. | seine Freunde | hat | kennen | Sie | endlich
7. mir | Es | passt | gut, | wenn | am Freitag | treffen. | wir | uns

Remember the word order.

Main clauses:
Subject – **conjugated verb** – complements.
Interrogative pronoun – **conjugated verb** – subject – complements?
Conjugated verb – subject – complements?
Subordinate clauses:
..., conjunction – subject – complements – **conjugated verb**

1

 TR. 148

Look at the picture. What can you buy in a supermarket? What do people talk about? Listen and read.
In the word box below you can also read the translations of the sentences.

2. Was darf es sein?

3. 200 Gramm Käse am Stück, bitte.

8. Die Tomaten sind aber billig!

9. Aber ich mag lieber Gurken.

7. die Tasche

1. die Verkäuferin

6. Oh ja! Der ist lecker!

4. der Einkaufskorb

5. Schmeckt der Käse?

2. *What can I get you?*
3. *200 grams of cheese in one piece, please.*
5. *Do you like the taste of this cheese?*

6. *Oh yes! It's delicious!*
8. *The tomatoes are really cheap!*
9. *But I prefer cucumbers.*

TR. 149

Gut zu wissen:
Adjectives from the exercise and their forms are used to compare something:

billig – billig**er** (*cheaper*)

groß – größ**er** (*bigger*)

klein – klein**er** (*smaller*)

warm – am wärm**sten** (*warmest*)

gefährlich – **am** gefährlich**sten** (*most dangerous*)

2

Look at the pictures. Read and listen to the questions. Write the correct answers into the gaps. It's not very difficult to guess the meaning of the sentences. On the left there is more information about the new structures.

1. Was ist billiger?

_____

2. Welches Haus ist größer?

Das gelbe oder das hellblaue?

_____

3. Wer ist kleiner?

Hans oder Martin?

_____

4. Wo ist es am wärmsten?

_____

5. Welches Tier ist am gefährlichsten?

_____

A Hans ist kleiner.

B Das Krokodil ist am gefährlichsten.

C Das Mineralwasser ist billiger.

D In Köln ist es am wärmsten.

E Das gelbe Haus ist größer.

3

Read the names of the food and their translation in the word box.
Read and listen to the names of the food below. Where can you buy
them? Write the words into the right box.
After doing that repeat the words aloud.

1. Bäckerei   2. Markt   3. Metzgerei

_____   _____   _____

_____   _____   _____

_____   _____   _____

> die Salami   frisches Obst   vier Brötchen   der Salat
> drei Scheiben Schinken   das Gemüse   die Bratwurst   das Brot

4

It's Friday and Susanne Kowalski is planning the picnic. She has already
decided what to prepare and now she's going to do the shopping. Her
husband Thomas wants to know what they are going to have for the pic-
nic and whether Susanne needs some help.
Listen to the dialogue and look at the picture. Then read the tapescript in
the appendix and listen again to the dialogue.

 TR. 150

die Salami – *salami*

frisches Obst –
fresh fruit

vier Brötchen –
four rolls

der Salat – *lettuce*

**drei Scheiben
Schinken** – *three slices
of ham*

das Gemüse –
vegetables

die Bratwurst –
frying sausage

das Brot – *bread*

 TR. 151

Gut zu wissen:
Der Salat has two
meanings: *lettuce* and
salad as in **Obstsalat**
(fruit salad). To avoid
misunderstandings
you can use the word
Kopfsalat *(lettuce)*.

115

TR. 151

5

Let's have a look at some details from the introductory dialogue.
Answer the questions below. Note that two, three or even four answers
are possible.
Then check your understanding by reading the translation of the whole
dialogue in the appendix.

1. Was macht Susanne morgen?
   - A ■ Sie kauft Getränke.
   - B ■ Sie geht in die Bäckerei.
   - C ■ Sie kauft Brötchen.
   - D ■ Sie geht in den Supermarkt.

2. Was macht oder sagt Thomas?
   - A ■ Er geht mit Lisa einkaufen.
   - B ■ Er möchte Susanne helfen.
   - C ■ Er kauft die Getränke.
   - D ■ Er möchte Brötchen zum Picknick.

3. Was kauft Susanne in der Metzgerei?
   - A ■ Sie kauft 400 Gramm Salami.
   - B ■ Sie kauft die Salami am Stück.
   - C ■ Sie kauft zehn Bratwürste.
   - D ■ Sie kauft auch Schinken.

 TR. 152

die Kartoffel
die Apfelsine
die Nudel
das Ei
die Zwiebel
die Banane
die Birne
der Apfel
die Karotte
die Bohne

6

Read and listen to the names of the food. On the left you can also see the
article and the singular form.

1. Kartoffeln   2. Apfelsinen   3. Nudeln   4. Eier   5. Zwiebeln

6. Bananen   7. Birnen   8. Äpfel   9. Karotten   10. Bohnen

Note that the following **Lebensmittel** (*food*) are only used in the singular: **der Reis** (*rice*), **das Fleisch** (*meat*), **das Obst** (*fruit*), **das Gemüse** (*vegetables*).

7

If you want to buy food it's good to know some measures and weights. Here are the most common ones:
der Liter *(liter)*, **der halbe Liter** *(half liter)*,
das Gramm *(gram)*, **das Pfund** *(pound)*, **das Kilo / Kilogramm** *(kilogram)*,
das Stück *(piece)*; don't mix it up with **am Stück** *(in one piece)*.

These words are used in the singular even if you buy more than one piece or more than one liter. In the word box are also the most important abbreviations.

What do the following abbreviations stand for? Listen and complete the gaps with the missing words.

1. 5 kg Kartoffeln = fünf _____ Kartoffeln.

2. 2 St. Gurken = zwei _____ Gurken.

3. ½ l Milch = ein halber _____ Milch.

You could also buy:
drei Scheiben Käse *(three slices of cheese)*, **zwei Flaschen Bier** *(two bottles of beer)*, **vier Dosen Cola (four tins of coke)**, **zwei Tüten Chips** *(two bags of crisps)*, **zwei Packungen Reis** *(two packets of rice)*.

 TR. 153

The following abbreviations are often used on price-tags:

l = Liter
Ltr. = Liter
g = Gramm
kg = Kilo / Kilo-gramm
St. = Stück
Fl. = Flasche
Pckg. = Packung

Gut zu wissen:
In Austria a further weight is used: **das Deka** or das **Deka-gramm** *(10 grams)*.

8

Look at Mrs. Müller's shopping list. What's she going to buy? Complete the text by writing the missing words into the gaps.
Remember that the weights are used in the singular form.

Zuerst geht Frau Müller in den Supermarkt. Dort kauft sie einen

(1)_____ Milch, 5 (2)_____ Kartoffeln und

300 (3)_____ Käse. Sie besorgt auch zwei Packun-

gen (4)_____ und eine (5)_____ Chips. Dann

geht sie zum (6)_____ und kauft zwei

(7)_____ Kuchen und ein (8)_____ Brot.

Supermarkt
1 l Milch
5 kg Kartoffeln
300 g Käse
2 x Nudeln
1 x Chips

Bäcker
2 St. Kuchen
1 kg dunkles Brot

TR. 154

9

Let's have a look at some typical questions you could be asked in a super-market and their possible answers:

- **Was darf es sein?** *(What can I get you?)*
- **Ich hätte gern 400 Gramm Salami / 1 Pfund Käse.**
  (I'd like 400 grams of Salami / one pound of cheese.)
- **Am Stück oder geschnitten?** *(In one piece or sliced?)*
- **Geschnitten. Ganz dünne Scheiben, bitte.** *(Sliced. Very thin slices, please.)*
- **Darf es auch etwas mehr ◀▶ weniger sein?**
  (Would a little bit more ◀▶ less be OK?)
- **Ja, gerne. / Nein, ich brauche genau 400 Gramm.**
  (Yes, please. / No, I need exactly 400 grams.)
- **Darf es sonst noch etwas sein?** *(Would you like anything else?)*
- **Danke, das ist alles.** *(Thank you, that's all.)*

 TR. 155

Listen to the questions and write the answers.

1. _____

2. _____

3. _____

4 Bratwürste.   Ja.   Am Stück.

 TR. 156

10

Gut zu wissen:
Talking about **weich** *(soft)* and **hart** *(hard)*, do you like eggs? You can eat **ein weiches Ei** *(a soft-boiled egg)* or **ein hartes Ei** *(a hard-boiled egg)*.

If you want to talk about the quality or the price of food you can use the following expressions:

- **Ist das Brot frisch?** *(Is the bread fresh?)*
  Ist das Brot von heute? *(Is the bread from today?)*
- **Das Toastbrot ist hart.** *(The toast is hard.)*
- **Frisches Obst ist gesund.** *(Fresh fruit is healthy.)*
- **Schneiden Sie die Salami bitte ganz dünn.**
  (Slice the salami very thin, please.)
- **Die Tomaten sind im Angebot.** *(The tomatoes are on offer.)*
  Sie sind sehr billig! *(They are very cheap!)*
- **Was kostet ein Kilo Bohnen?** *(How much is one kilogram of beans?)*
  Wie viel kosten die Bohnen? *(How much are the beans?)*
- **Die Bohnen kosten 2 Euro das Kilo / pro Kilo.**
  (The beans cost 2 Euros per kilogram.)

11

Comparison of adjectives and adverbs
1. Regular forms:

klein	klein**er**	**am** klein**sten**
laut	laut**er**	**am** laut**esten**
alt	**ä**l**ter**	**am** **ä**lt**esten**

- The comparative is formed by adding the ending **-er**.
- The superlative is formed with **am** and the ending **-sten** or **-esten** for adjectives ending in **-d**, **-t**, **-s**, **-ß**, **-sch** and **-z**.
- One-syllable adjectives often change the vowel into an 'Umlaut'.

2. Some forms are irregular and have to be learned by heart:

gut	**besser**	**am besten**
viel	**mehr**	**am meisten**

Look at the word box for more examples.

Complete the series and write the missing forms into the gaps.

1. hell – heller – _____

2. jung – _____ – am jüngsten

3. kalt – _____ – am kältesten

12

If you want to compare two unequal qualities you have to use the comparative form and **als** (than):
- Ich bin **älter als** meine Schwester. (I'm older than my sister.)
- Brötchen schmecken **besser als** Brot. (Rolls taste better than bread.)
- Frisches Gemüse ist **gesünder als** Gemüse aus der Dose.
  (Fresh vegetables are healthier than vegetables from a tin.)
- Im Garten ist es **schöner als** auf dem Balkon.
  (It's nicer in the garden than on the balcony.)

Complete the sentences by filling in the comparative form and **als**.

1. Bier ist _____ Wein.

2. In Köln ist es _____ in Berlin.

3. Ich trinke Kaffee _____ Tee.

---

1. Regular forms with umlauts

warm (warm) – wärmer – am wärmsten

lang (long) – länger – am längsten

kurz (short) – kürzer – am kürzesten

Adjectives in **-el** or **-er** drop the **e** in the comparative form.

dunkel (dark) – dunk**l**er – am dunkelsten

teuer (expensive) – teu**r**er – am teuersten

2. Irregular forms

groß (big) – größer – am größten

hoch (high) – höher – am höchsten

nah (near) – näher – am nächsten

! gern (to like) – **lieber** (to prefer) – am **liebsten** (to like best of all)

 TR. 157

Gut zu wissen:
Be careful when comparing **gern**: ich **trinke gern Wein** (I like drinking wine), **er trinkt lieber Cola** (he prefers coke), **sie trinkt am liebsten Bier** (she likes beer best of all).

 TR. 158

Gut zu wissen:
In a supermarket it is normal to bring along a shopping bag. If you don't have one you can ask for a bag at the check out: **Kann ich bitte eine Tüte haben?**

13

Read the description and mark the missing word.

1. The opposite of **billig**: V R T G E R T E U E R M U R C K S

2. Which word means "the same to you"?
   I N T Ä G T G L E I C H F A L L S B E G R T Z

3. If you go shopping you can use a shopping bag or a ...
   B E N Z E I N K A U F S K O R B L Ö G E R

4. The German word for "healthy": G E N Ü S S G E S U N D S I N G D

5. The infinitive form of the past participle **geschnitten** (sliced):
   F O R S C H N E I D E N G R Ü S D U

14

Complete the sentences by choosing the right expression.

1. Ich finde, Orangen schmecken _____ als Äpfel.
   A ▪ nicht   B ▪ schlecht   C ▪ besser

2. Ich esse _____ Käse zum Frühstück.
   A ▪ am liebsten   B ▪ lieber als   C ▪ gut

3. Wir kaufen immer im Supermarkt ein. Dort ist es _____.
   A ▪ weniger   B ▪ am billigsten   C ▪ sehr teuer

Interkulturelles

The names for food in the German-speaking countries vary a lot. Let's have a look at some examples. "Carrots" have a lot of different names e. g. **Karotten**, which is used in some German regions and in Austria. Other names for "carrots" are for example: **Möhren** in Middle Germany or **Gelberüben** in Southern Germany.
Also "potatoes", "oranges" and "rolls" have different names:
Kartoffeln (potatoes) and **Brötchen** (rolls) are used in in the North and in the Middle of Germany. **Erdäpfel** (potatoes) and **Semmeln** (rolls) are used in Southern Germany and in Austria. The other very common word for **Orangen** is **Apfelsinen** (oranges).
And what about Switzerland? There, people say **Erdäpfel**, **Weggli** and **Orangen** (potatoes, rolls, oranges).
Then there are words which are only used in Austria. If you'd like to buy "ein Kilo Tomaten und einen Blumenkohl" (a kilogram of tomatoes and a cauliflower) you would say: **Ich möchte ein Kilo Paradeiser und einen Karfiol.**

1

 TR. 159

Look at the picture. How have people changed? Read and listen to what the situation was 8 years ago compared to now.
Can you guess the meaning of the sentences with the help of the pictures? In the word box you get more information about a new tense.

Gut zu wissen:
The following forms of **sein** and **haben** are forms of the past tense:
er **war** – he was
wir **waren** – we were
sie **hatte** – she had
ich **hatte** – I had

vor 8 Jahren

1. Er war Student.

3. Wir waren gute Schüler.

7. Ich hatte noch keinen Computer.

5. Sie hatte viele Freunde.

jetzt

2. Jetzt ist er Arzt.

4. Jetzt sind wir Geschäftsleute.

8. Jetzt habe ich einen Computerladen.

6. Jetzt hat sie keine Freunde.

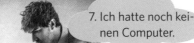

TR. 160

holen - *to get, to fetch*

malen - *to paint*

probieren - *to try*

anbieten (ich biete an) - *to offer*

wegwerfen (ich werfe weg) - *to throw away*

2

What are the people in the pictures doing? Write the sentences below to the corresponding picture.
Repeat the sentences and focus on the verbs. What is the exact meaning? Look at the word box for help.

1. _____ 2. _____ 3. _____

4. _____ 5. _____

A Er bietet Kuchen an.
B Der Künstler malt ein Bild.
C Die Männer holen den Abfall.
D Sie probiert den Wein.
E Er wirft die Flasche weg.

TR. 161

3

Which questions would you ask a child? Listen to some typical questions and match the correct translation to the corresponding question. Repeat the questions aloud and focus on the intonation.

1. Was ist dein Traumberuf?	___ A *In which year at school are you?*
2. Was möchtest du einmal werden?	___ B *Do you like ice-cream for dessert?*
3. Sind deine Eltern sehr streng?	___ C *What's your dream job?*
4. Macht dir die Schule Spaß?	___ D *Do you enjoy school?*
5. In welche Klasse gehst du?	___ E *Are your parents very strict?*
6. Möchtest du Eis zum Nachtisch?	___ F *What would you like to be when you grow up?*

4

 TR. 162

Thomas, Susanne, their daughter Lisa and their guests Sylvia and Aynur are sitting on the meadows close to the river Rhine having a picnic. Susanne is making friends with Thomas' colleagues. The atmosphere is very good, only Lisa is a bit shy. Now the picnic is nearly over. Listen to what they were talking about during the picnic.

5

 TR. 162

Listen again to the introductory dialogue and focus on the professions and personal characteristics that are mentioned.
Decide whether the words given below appear in the dialogue or not.
Mark the tick for "yes" and the cross for "no".
The professions and characteristics listed below are new in this unit. Look at the right margin for the translation.

1. Künstlerin ✓ ✗   2. Malerin ✓ ✗

3. Sportlerin ✓ ✗   4. Ärztin ✓ ✗

5. Geschäftsfrau ✓ ✗   6. schüchtern ✓ ✗

7. nett ✓ ✗

8. freundlich ✓ ✗   9. satt ✓ ✗

10. hungrig ✓ ✗

Jobs:

die Ärztin – *female doctor*

die Geschäftsfrau – *business woman*

die Künstlerin – *female artist*

die Malerin – *female painter*

die Sportlerin – *sportswoman*

Characteristics:

freundlich – *kind*

hungrig – *hungry*

nett – *nice*

satt – *full (after having eaten enough)*

schüchtern – *shy*

Male and female job titles:

der Sportler, die Sportlerin

der Zahnarzt, die Zahnärztin

der Automecha- niker, die Auto- mechanikerin

der Landwirt, die Landwirtin

der Geschäfts- mann, die Geschäfts- frau

6

Let's have a look at some useful expressions for a private invitation. In the role of the **Gastgeber** *(host)* you could say:

- **Was kann ich Ihnen anbieten?** *(What can I offer you?)*
- **Darf ich Ihnen noch etwas anbieten?** *(May I offer you anything else?)*
- **Möchten Sie noch etwas Nachtisch / Kaffee / Obstsalat?**
  (Would you like more dessert / coffee / fruit salad?)
- **Bitte bedienen Sie sich.** *(Please help yourself.)*

Of course, you can use the same expressions in the du-form.

As the **Gast** *(guest)* you can use the following phrases:

- **Ich hätte gern ein Glas Mineralwasser.**
  (I'd like to have a glass of mineral water.)
- **Ich nehme gern noch etwas / noch eine kleine Portion.**
  (I like another bit / another small portion.)
- **Danke, ich bin satt.** *(Thank you, I'm full.)*
- **Das war sehr lecker.** *(That was very delicious.)*
  Das war wirklich ausgezeichnet. *(That was really excellent.)*

der Lehrer, die Lehrerin

der Sänger, die Sängerin

der Schreiner, die Schreinerin

der Kranken- pfleger, die Kran- kenschwester

der Frisör / Friseur, die Frisörin / Friseurin.

Both spellings are used. The pronunciation remains the same. Also, the older female form **die Friseuse** is in use, too.

7

Listen to what the jobs illustrated in the pictures are called. Look at the word box to read both the male and the female job titles.

Sportlerin · Zahnarzt · Automecha- niker · Landwirt · Geschäfts- mann

Lehrerin · Sängerin · Schreiner · Kranken- schwester · Frisör

If you want to know someone's profession you can ask:

- **Was sind Sie von Beruf? / Was machst du beruflich?**
  (What's your profession?).
- **Ich bin Künstler.** *(I'm an artist.)*
  Ich arbeite als Künstler. *(I work as an artist.)*

8

TR. 165

To describe somebody's appearance you can use the words:
• **hübsch** (*pretty*), **attraktiv** (*attractive*), **sportlich** (*sporty*)
• **schlank** ◀▶ **mollig** (*slim* ◀▶ *plump*)

To describe someone's character you can use:
• **nett** (*nice*), **freundlich** (*friendly*), **sympathisch** (*pleasant*), **höflich** (*polite*)
• **schüchtern** ◀▶ **selbstbewusst** (*shy* ◀▶ *self-confident*)
• **fleißig** ◀▶ **faul** (*diligent* ◀▶ *lazy*)

Do you miss the opposite of some of the adjectives? It's easy to form them as you can see in the following exercise.

Listen and write the missing words into the gaps.
The translation is in the word box.

1. Das ist aber eine _____ Person!

2. Du bist _____, wenn du zu spät kommst.

3. Er ist mir _____.

> unhöflich   unsympathisch   unfreundliche

The prefix **un-** is also used with **unsportlich** (*unathletic*) and **unattraktiv** (*unattractive*).

Gut zu wissen:
You can use words like **nett** or **attraktiv** also to characterize things or situations, e.g. **eine nette Geschichte** (*a nice story*), **das Angebot ist attraktiv** (*the offer is attractive*).

TR. 166

That's a really unfriendly person!

You are impolite if you arrive too late.

I don't like him.

9

What's the opposite? Write the missing word into the gap.

1. freundlich   _____

2. hungrig   _____

3. fleißig   _____

4. unhöflich   _____

5. selbstbewusst   _____

6. mollig   _____

7. sympathisch   _____

10

In the introductory dialogue forms like **ich war** *(I was)* and **du hattest** *(you had)* are used. These are forms of the past tense of **haben** and **sein**. Let's have a look at the paradigm.

	haben	sein
ich	ha**tte**	**war**
du	ha**ttest**	**war**st
er, sie, es	ha**tte**	**war**
wir	ha**tten**	**war**en
ihr	ha**ttet**	**war**t
sie	ha**tten**	**war**en
Sie	ha**tten**	**war**en

It's not difficult to memorize these forms. All you need is the stem of the past form and then, usually, just add the normal endings.

 TR. 167

Gut zu wissen:
Note that the use of the German past tense doesn't automatically correspond with the simple past tense in English or in your native language.

11

When do you have to use the past tense?

> The good news is that only the past tense of a few verbs like **haben** and **sein** and the modals (see unit 16) are really used **in the spoken language**. To talk about the past the perfect tense is much more common.

Nevertheless, let's have a look at some examples in which you do use the past tense:
- **Als Kind war ich oft allein.** *(As a child I was often on my own.)*
- **Meine Großeltern hatten sehr strenge Lehrer.** *(My grandparents had very strict teachers.)*
- **Hatten Sie 1964 schon ein Auto?** *(Did you already have a car in 1964?)*
- **Früher hatte er einen Traumberuf. Er war Arzt.**
  (He used to have a dream job. He was a doctor.)

Fill in the gaps with the past tense of **haben** and **sein**.

1. Als Kind _____ ich viele Haustiere.

2. Früher _____ wir oft in der Schweiz.

3. 1980 _____ er viel Erfolg mit seiner Musik.

In written German you'll find the past tense a lot, if the story starts and ends in the past. The typical beginning of a fairy-tale is:
Es war einmal ... *(Once upon a time ...)*

12

Complete the sentences and write the correct past tense form into the gaps. Then repeat the sentences aloud.

| war   warst   wart   waren   hatte   hatten |

1. 1998 _____ ich zum ersten Mal in Rom.

2. Frau Schulze, _____ Sie früher Haustiere?

3. Peter, wo _____ du am Wochenende?

4. Warum _____ ihr nicht im Sportverein?

5. Gestern _____ ich keine Zeit für das Picknick.

6. Franz und Tina _____ letzte Woche in Berlin.

Gut zu wissen:
In Southern Germany and in Austria the perfect tense is often used instead of the past tense, e.g. **Wo bist du gewesen?** instead of **Wo warst du?** *(Where have you been?).*

13

 TR. 168

Listen to what Mrs. Kramer and Mr. Kolb are telling you about their childhood.
Then answer the questions by marking the tick for "yes" and the cross for "no". Do this for both people.
Then answer the questions as they relate to you.

	Frau Kramer		Herr Kolb		Myself	
	yes	no	yes	no	yes	no
1. Waren Sie als Kind schüchtern?	▪	▪	▪	▪	▪	▪
2. Sind Sie gern in die Schule gegangen?	▪	▪	▪	▪	▪	▪
3. Waren Sie ein guter Schüler / eine gute Schülerin?	▪	▪	▪	▪	▪	▪
4. Hatten Sie einen Traumberuf?	▪	▪	▪	▪	▪	▪
5. Hatten Sie viele Freunde?	▪	▪	▪	▪	▪	▪
6. Haben Sie früher Fußball gespielt?	▪	▪	▪	▪	▪	▪

TR. 169

Gut zu wissen:
There is a slight difference between **Abfall** and **Müll**. **Abfall** is used more for organic waste and **Müll** is all kind of waste that is collected and transported in containers.

You get 15 cents deposit per bottle.

Don't throw the bottle away. It's a refundable bottle.

We sort paper, glass and plastic.

14

Here are some useful phrases to do with environmental awareness in German-speaking countries:
- **Sind das Pfandflaschen?** *(Are these refundable bottles?)*
- **Gibt es auf die Flaschen Pfand?** *(Is there a deposit on the bottles?)*
- **Kann ich das (einfach) wegwerfen?** *(Can I (just) throw that away?)*
- **Sortiert ihr den Müll?** *(Do you sort the waste?)*
- **Wohin kann ich die Flaschen / das Papier / die Verpackungen bringen?** *(Where can I take the bottles / the paper / the packagings?)*

And where can you put the waste? Here are some possibilities:
- **Wirf es in den Abfalleimer / in die Mülltonne / in den Container!** *(Throw it into the rubbish bin / into the dustbin / into the container!)*
- **Bring die Flaschen in den Supermarkt zurück.** *(Take the bottles back to the supermarket.)*

Complete the sentences by choosing the correct word. The translation is on the left.

1. Man bekommt 15 Cent *Müll / Pfand / Papier* pro Flasche.

2. Wirf die Flasche nicht *zurück / ab / weg*! Es ist eine Pfandflasche.

3. Wir *sortieren / werfen / kommen* Papier, Glas und Plastik.

Interkulturelles

Recycling is taken very seriously in all German-speaking countries and environmental protection has a long tradition. Already little children as the one in the introductory dialogue are sensitized to an enviromentally waste recovery. Packaging materials that have **der grüne Punkt** *(a green dot on the packaging)* are placed in special recycling bins or bags. Non-refundable bottles and glasses are collected in separate containers for white, green and brown glass. Paper and cardboard are also collected and disposed of separately. And what about organic waste? People who live in the country-side usually have a compost heap. However, some towns provide bins especially for organic waste. Otherwise you have to put the organic waste in a bin for **der Restmüll** *(waste that cannot be recycled)*.

When shopping, people usually take a bag or basket with them in order to avoid superfluous waste like plastic bags. Talking about superfluous waste, you can leave packaging materials behind in the shop where you bought a product. The shopkeeper is obliged to take back packaging.

1

 TR. 170

The carnival is one of the biggest events in many German-speaking countries. What is this event all about?
Look at the pictures and hear the description. Then write the expression you heard into the gap. To make sure you understand the meanings of the words look at the words in the right margin.

colorful floats

children in costumes

a parade through the town

funny masks

big and crazy figures

1. _____ 2. _____ 3. _____

4. _____ 5. _____

A lustige Masken   **C** große und verrückte Figuren
B Kinder in Kostümen **D** bunte Festwagen
                         E ein Umzug durch die Stadt

Gut zu wissen:
Das Kostüm has two meanings:
1. the costume you wear at the carnival and
2. a (dress) suit for women.

2

 TR. 171

Who could that shadow in the picture be? What do you think? Listen to six different ideas and write the missing word into the gap.
After doing that repeat the sentences aloud and try to guess the meaning. Check your understanding with the help of the information in the word box.

| so | vermute | kann | sieht nicht aus | Clown | wie |

1. Wer _____ das sein?

2. Vielleicht ist es ein _____ .

3. Die Person _____ wie eine Frau.

4. Ich _____ , dass es ein Mann ist.

5. Die Person ist _____ groß

   _____ Peter.

New structures:

aussehen wie –
to look like

so groß wie –
as tall as

ich vermute, dass –
I suppose that

Gut zu wissen:
The word **dass** (that) introduces a subordinate clause.

129

TR. 172

3

Read the sentences and match them with the corresponding German translation. This task isn't difficult if you focus on the words you already know.

After doing that try to memorize the new words. It's worth knowing them because they are common.
In the "Gut zu wissen" box below you can read some information about the grammar used in these sentences.

Gut zu wissen:
The past participle of **verstehen** *(to understand)* is irregular:
ich habe verstanden *(I have understood)*.

1. I'm sorry, I don't understand the question.	**A** *Wir konnten nicht an der Party teilnehmen.*
2. To whom does this bag belong?	**B** *Tut mir leid, ich verstehe die Frage nicht.*
3. Yesterday he had to work for ten hours.	**C** *Ich war nicht in Bonn, weil ich keine Zeit hatte.*
4. We couldn't attend the party.	**D** *Die Vereine bauen Figuren für den Karneval.*
5. Have you already planned your wedding ceremony?	**E** *Wem gehört diese Tasche?*
6. The clubs build figures for the carnival.	**F** *Gestern musste er zehn Stunden arbeiten.*
7. I wasn't in Bonn, because I didn't have time.	**G** *Plant ihr schon eure Hochzeit?*

Grammar explanations:
1. The word **weil** *(because)* introduces a subordinate clause.
2. There are two new past tense forms:
   wir konnten – *we could*
   er musste – *he had to*
3. The verb **gehören** *(to belong to)* governs the dative case:
   die Tasche gehört mir – *the bag belongs to me*
4. The verb **teilnehmen** *(to attend)* has got a separable prefix and is often followed by the preposition an:
   ich nehme am Karneval teil – *I attend the carnival*

4

After the picnic the Kowalskis, Sylvia and Aynur are on their way back to the car. The way is along the Rhine. Lisa, who is walking in front of the others, suddenly spots something swimming close to the bank of the Rhine. Everybody starts to wonder what this might be. Listen to the dialogue at least twice. The first time just listen and look at the pictures. After doing that look at the appendix to read the tapescript and listen again.

 TR. 173

5

 TR. 173

Let's have a look at some details from the introductory dialogue. Listen again to the dialogue.
Read the sentences and decide whether they are true or false. Mark the tick for "yes" and the cross for "no".
Look at the word box for the translation of the dialogue.

	✓	✗
1. Das Krokodil sieht aus wie das Schwimmtier von Lisa.	▪	▪
2. Das Krokodil ist aus Papier und Plastik.	▪	▪
3. Sylvia geht oft ins Theater.	▪	▪
4. Das Krokodil ist vielleicht eine Figur für den Karneval.	▪	▪
5. Man bereitet den Karneval das ganze Jahr vor.	▪	▪
6. Sylvia kennt den Karneval in Düsseldorf nicht.	▪	▪
7. Thomas war im Februar in Wien.	▪	▪

TR. 174

Gut zu wissen:
Apart from *to wear* the verb **tragen** has another important meaning. It also means *to carry*, e.g. **ich trage die Tasche** (*I carry the bag*).

6

What do people do during the carnival?
• Die Leute **verkleiden sich**. (*People dress up.*)
• Sie **tragen** Verkleidungen. (*They wear fancy dress.*)
• Sie **ziehen** verrückte Kostüme **an**. (*They put on crazy costumes.*)
• Die Kinder **haben sich** als Clowns **verkleidet**.
  (*The children are dressed up as clowns.*)

In daily life you wouldn't dress up but you would do the following:
• Ich **ziehe mich an**. (*I get dressed.*)
• Sie **zieht sich** dreimal am Tag **um**.
  (*She changes her clothes three times a day.*)
• Er **zieht sich aus** und geht ins Bett. (*He undresses and goes to bed.*)

Complete the sentences by choosing the correct verb.

1. Willst du die Jacke nicht *tragen / verkleiden / ausziehen* ?
   Es ist sehr warm.

2. Ich stehe um 6 Uhr auf, dusche und ziehe mich *aus / an / um*.

Have you noticed that two of the new verbs have a reflexive and a non-reflexive variant? The verbs are:
• **sich anziehen** (*to get dressed*) and **anziehen** (*to put sth. on*)
• **sich ausziehen** (*to undress*) and **ausziehen** (*to take sth. off*)

TR. 175

Gut zu wissen:
Note that the plural of **das Material** is irregular, e.g. **Welche Materialien magst du?** (*Which materials do you like?*).

7

If you want to know the material something is made of you can ask:
Aus welchem Material ist das? (*Which material is this made of?*)

The answer has the structure "**aus** + name of the material":
Aus Papier. Aus Plastik. Aus Glas. (*Of paper. Of plastic. Of glass.*)

Other materials are:
das Holz (*wood*), **der Stein** (*stone*), **das Leder** (*leather*),
das Metall (*metal*), **das Gold** (*gold*), **das Silber** (*silver*),
der Stoff (*cloth*), **der Kunststoff** (*plastic*), **das Styropor** (*polystyrene*).

If you want to be sure that something is real you can ask:
Ist das echtes Gold / Silber / Leder? (*Is that real gold / silver / leather?*)

8

Read the expressions and write them into the right category.

1. Materialien

_____

_____

_____

_____

2. Karneval

_____

_____

_____

_____

A echtes Leder
B der Kunststoff
C der Festwagen
D das Holz
E ich verkleide mich

F der Stein
G Gold und Silber
H eine Maske tragen
I verrückte Figuren
J ein großer Umzug

9

 TR. 176

Do you remember? Only the past tense of a small number of verbs such as **haben**, **sein** and the modals are really used in the spoken language, e. g.:
• **Ich musste nach Wien fahren.** (*I had to go to Vienna.*)
• **Er konnte nicht am Karneval teilnehmen.** (*He couldn't attend the carnival.*)
• **Als Kind wollte sie Zahnärztin werden.**
  (*As a child she wanted to become a dentist.*)

The past tense forms of **müssen**, **können** and **wollen** are regular. Write the paradigm of the past tense of **wollen** in the table.

	müssen	können	wollen
ich	musste	konnte	_____
du	musstest	konntest	_____
er, sie, es	musste	konnte	_____
wir	mussten	konnten	_____
ihr	musstet	konntet	_____
sie	mussten	konnten	_____
Sie	mussten	konnten	_____

TR. 177

10

To ask for a reason you can use **warum?** *(why?)*
• **Warum** kommst du nicht ins Restaurant mit?
  (Why don't you come along to the restaurant?)

To give a reason you can use a subordinate clause starting with **weil**
(because).
• **Weil** ich keine Zeit habe. *(Because I don't have any time.)*
• **Weil** ich keine Lust habe. *(Because I don't feel like it.)*
• **Weil** Peter mich schon zum Abendessen eingeladen hat.
  (Because Peter has already invited me for dinner.)
• Ich kann nicht mitkommen, **weil** ich arbeiten muss.
  (I cannot come along, because I have to work.)

> Whether a main clause is used or not, the word order in the subordinate clause with **weil** always remains the same: the conjugated verb has to be placed at the end.

11

Look at the picture and answer the question. Mark the answers that correspond to the picture. Note that two, three or even four answers could be correct and that the number of the questions corresponds to the numbers on the picture.

1. Warum seid ihr nicht spazieren gegangen?
   A ▪ Weil wir ein Picknick gemacht haben.
   B ▪ Weil es geregnet hat.
   C ▪ Weil das Wetter schlecht war.
   D ▪ Weil wir viel Spaß hatten.

2. Warum haben Sie kein Auto?
   A ▪ Weil ich lieber Fahrrad fahre.
   B ▪ Weil ich kein Auto brauche.
   C ▪ Weil ich nicht viel Geld habe.
   D ▪ Weil ein Auto sehr teuer ist.

3. Warum warst du nicht in der Disco?
   A ▪ Weil ich zu Hause bleiben wollte.
   B ▪ Weil ich tanzen wollte.
   C ▪ Weil ich lieber schlafen wollte.
   D ▪ Weil ich noch arbeiten musste.

TR. 178

12

In the introductory dialogue you can find sentences like:
• Ich vermute, **dass** das Krokodil dem Theater gehört.
  (I suppose that the crocodile belongs to the theatre.)
• Kann es sein, **dass** ihr genau dieses Krokodil sucht?
  (Could it be that you are looking exactly for this crocodile?)

In these sample sentences the conjunction **dass** *(that)* introduces a subordinate clause, where a thought or supposition is reported. To express a supposition you can use the following verbs:
• **denken** *(to think)*, **meinen** *(to think / to mean)*, **glauben** *(to believe)*, **vermuten** *(to suppose)*, **es kann sein** *(it can be)*

Apart from these expressions there are many other verbs which are often followed by a **dass**-sentence, e. g.:
• **erzählen** *(to tell)*, **schreiben** *(to write)*, **berichten** *(to report)* etc.
• Sie hat mir erzählt, **dass** sie einen neuen Freund hat.
  (She told me that she's got a new boyfriend.)

Complete the sentences and put the words into the right position.

1. Es kann sein, dass / verkleidet / sie sich / hat. / als Clown

2. Wir vermuten, dass / ist. / schon nach Hause / er / gegangen

13

 TR. 179

To express that two items are the same you can use the following structures:
so / genauso + adjective / adverb + **wie** *(as ... as / just ... as)*
Maria ist **genauso** alt **wie** du. *(Maria is as old as you are.)*
Ich komme **so** bald **wie** möglich. *(I'll come as soon as possible.)*

Also the following structure is used to compare something:
aussehen + **wie** + nominative of a noun / pronoun *(to look like)*

Watch out for the word order. There are two possibilities:
Das Ding im Rhein **sieht aus wie** ein Krokodil.
(The thing in the Rhine looks like a crocodile.)
Das Ding im Rhein **sieht wie** ein Krokodil **aus**.
(The thing in the Rhine looks like a crocodile.)

Put the words into the right order.

1. mein Freund / aus. / wie / siehst / Du

2. aus / Das Tier / eine kleine Schlange. / sieht / wie

Gut zu wissen:
The verb **aussehen**
(to look like) is also
used to describe the
appearance of somebody, e.g.: **Er sieht gut
aus.** *(He looks good.)*

135

14

Let's practice the new vocabulary by combining verbs and nouns.
Read the question and decide which of the answers doesn't fit. Mark the
wrong answer.

1. Was können Sie anziehen?
   - A ▪ eine Jacke
   - B ▪ eine Maske
   - C ▪ einen Festwagen
   - D ▪ ein Kostüm

2. Was können Sie planen?
   - A ▪ eine Fahrt nach Wien
   - B ▪ die Hochzeit
   - C ▪ ein Wochenende
   - D ▪ ein Stück Styropor

3. Was können Sie verstehen?
   - A ▪ eine Sprache
   - B ▪ eine Frage
   - C ▪ ein Buch
   - D ▪ einen Stein

4. Was können Sie bauen?
   - A ▪ eine Unterbrechung
   - B ▪ eine Figur
   - C ▪ ein Haus
   - D ▪ eine Straße

 TR. 180

Gut zu wissen:
If you cannot believe
something someone is
telling you, you can
ask **echt?** (really?).

15

Read and listen to the questions. What are the correct answers? Match
them to the corresponding questions.

1. Aus welchem Material ist der Tisch?	____ A Ja, es ist echt.
2. Ist das echtes Leder?	____ B Sie gehören meinem Vater.
3. Verkleidest du dich für den Umzug morgen?	____ C Ja, ich verkleide mich als Clown.
4. Warum fahren Sie nicht mit dem Bus?	____ D Er ist aus Holz und Metall.
5. Was hat Maria erzählt?	____ E Ich wollte Automechaniker werden.
6. Wie sieht der neue Freund von Petra aus?	____ F Sie hat erzählt, dass sie im Juli heiratet.
7. Wem gehören diese verrückten Figuren?	____ G Er sieht sehr gut aus. Er ist ein attraktiver Mann!
8. Was wolltest du früher einmal werden?	____ H Weil ich lieber zu Fuß gehe.

Liebe Lernerin, lieber Lerner,

bis hierher wurde Ihnen die deutsche Sprache auf Englisch erklärt. Da Sie inzwischen über recht solide Deutschkenntnisse verfügen, werden nun im zweiten Teil dieses Sprachkurses nicht nur die Dialoge, Beispielsätze und Übungen auf Deutsch sein, sondern auch die grammatikalischen Erklärungen und Arbeitsanweisungen. Sie werden staunen, wie leicht es Ihnen fallen wird, alles zu verstehen.

Dear learner,

So far the German language has been explained to you in English. Since you now have a fairly sound knowledge of German, in the second part of this language course not only the dialogues, example sentences and exercises are in German, but also the grammatical explanations and work instructions. You will be amazed at how easy it will be for you to understand everything.

TR. 181

1

Was haben unsere Hauptfiguren Thomas Kowalski, seine Frau Susanne, ihre gemeinsame Tochter Lisa und seine Kolleginnen Sylvia und Aynur in den letzten Monaten gemacht? Hören Sie sich die Sätze von Ihrer CD an und schreiben Sie die Verben in die Lücken.

> feierte   arbeitete   fotografierte   besuchte   beendete

1. Thomas Kowalski _____ in der Redaktion.
2. Aynur _____ ihr Praktikum.
3. Susanne _____ viele Ausstellungen.
4. Sylvia Moser _____ viel.
5. Lisa _____ ihren siebten Geburtstag.

2

Zwei der Hauptfiguren treffen sich gleich in einem Kaufhaus. Waren Sie selbst schon einmal in einem deutschen Kaufhaus? Sehen Sie sich die Bilder an und lesen Sie die Wörter laut.

die Rolltreppe

die Kleidung

der Fotoapparat

das Heft

das Erdgeschoss

die Fotoabteilung

der Preis

der Stift

3

 TR. 182

Susanne Kowalski kauft mit ihrer Tochter Lisa in einem Kaufhaus ein. Dort treffen sie Sylvia, eine Kollegin ihres Mannes. Sie haben sich lange nicht gesehen, weil Sylvia im Ausland gearbeitet hat.

Gut zu wissen:
Nach dem Hören können Sie den Text im Anhang auch noch einmal lesen und Ihre Antworten kontrollieren.

Susanne und Sylvia sprechen über drei Themen. Hören Sie das Gespräch und nummerieren Sie die Themen in der richtigen Reihenfolge

____ A Einkaufen

____ B Wie es ihnen geht

____ C Freunde und Kollegen

4

 TR. 182

Hören Sie das Gespräch noch einmal und entscheiden Sie: Sind die folgenden Aussagen richtig oder falsch? Kreuzen Sie an.

	richtig	falsch
1. Sylvia geht es sehr gut.	▤	▤
2. Thomas konnte nicht mitkommen, weil er arbeiten musste.	▤	▤
3. Sylvia and Aynur haben keinen Kontakt mehr.	▤	▤
4. Susanne hat schon das Goethe-Museum besucht.	▤	▤
5. Lisa braucht neue Spielsachen.	▤	▤
6. Sylvia möchte einen Fotoapparat kaufen.	▤	▤
7. Susanne lädt Sylvia zum Abendessen ein.	▤	▤

TR. 182

5

Was kann man sagen, wenn man sich lange nicht gesehen hat? Ergänzen Sie die Sätze aus dem Dialog.

geht	Grüß	nicht wieder einmal	Zufall	Kontakt	lange nicht

1. Hast du noch _____ zu Aynur?

2. Sag mal, möchtest du _____ zum Abendessen kommen?

3. Hallo, Sylvia! So ein _____ !

4. Wir haben uns ja _____ gesehen.

5. _____ Aynur von mir!

6. Wie _____ es euch?

6

Die Aussprache von **s**, **ss** und **ß**

 TR. 183

(1) Stimmhaftes s [z] (wie das Summen einer Biene) spricht man am Anfang eines Wortes und einer Silbe.
Hören Sie die Beispiele und sprechen Sie nach.

ge**s**ehen - Mu**s**eum - **S**usanne

(2) Stimmloses s [s] (wie das Zischen einer Schlange) spricht man am Ende eines Wortes oder einer Silbe und bei **ss** und **ß**.

 TR. 184

Beachten Sie, dass der Vokal vor **ss** kurz gesprochen und vor **ß** lang gesprochen wird. Hören Sie die Beispiele und sprechen Sie nach.

Kaufhau**s** - Erdgescho**ss** - genie**ß**en

7

Wenn Sie jemanden treffen, den Sie lange nicht gesehen haben, können
Sie die folgenden Ausdrücke verwenden.

1. So ein Zufall!

2. So eine angenehme Überraschung!

3. Lange nicht gesehen!

4. Wir haben uns ja eine Ewigkeit nicht gesehen.

5. Wie geht's denn so?

6. Erinnern Sie sich / Erinnerst du dich noch an mich?

7. Haben Sie / Hast du noch Kontakt zu Rita?

8. Grüßen Sie / Grüß Frau Kolb von mir.

9. Wir müssen uns unbedingt mal wieder treffen.

Hören Sie Track 185 auf Ihrer CD. Welche der Sätze 1 bis 9 hören Sie?
Notieren Sie die Nummern.

 TR. 185

Sätze ___ ___ ___

8

Was können Sie fragen und antworten, wenn Sie einen alten Freund wie-
der treffen? Lesen Sie die Sätze 1 bis 6 und ordnen Sie die Reaktionen zu.
Wiederholen Sie die Sätze laut!

Gut zu wissen:
Nützliche Ausdrücke
zum Thema Urlaub:
Ich bin im Urlaub.
Ich fahre in Urlaub.

1. Haben Sie noch Kontakt zu Herrn Müller?	___ A	Ganz prima. Und selbst?
2. Wie geht's denn so?	___ B	Am nächsten Montag.
3. Hast du noch Urlaub?	___ C	Ja, klar. Ich treffe sie regelmäßig.
4. Wann fängt dein Praktikum an?	___ D	Ja, sehr gern. Ruf mich an!
5. Erinnerst du dich noch an Maria?	___ E	Nein, ich habe ihn sehr lange nicht gesehen.
6. Wir müssen uns unbedingt mal wieder treffen.	___ F	Nein, ich arbeite schon wieder.

9

In einem Kaufhaus gibt es viele **Waren** (Produkte) und **Abteilungen**. Abteilungen sind zum Beispiel:

Spielwaren, Haushaltswaren, Sportartikel, Schuhe, Damenbekleidung, Herrenbekleidung, Schmuck, Kosmetik, Zeitschriften, Fernseher und Computer.

Wo bekommen Sie diese Waren? Schreiben Sie die Abteilung in die Lücke.

1. Hefte, Stifte und Papier: _____

2. Jacken für Kinder: _____

3. Taschen aus Leder: _____

| Lederwaren |
| Kinderbekleidung |
| Schreibwaren |

10

Gut zu wissen:
Die Wörter **der Stock**, **das Stockwerk** und **die Etage** sind synonym. Das Wort **Etage** kommt aus dem Französischen und man spricht das **g** wie ein stimmhaftes **sch**.

Sie sind Kunde in einem Kaufhaus und suchen ein bestimmtes Produkt. Dann können Sie einfach fragen:

- Entschuldigung, wo bekomme ich ... ?
Mögliche Antworten:
- Im Erdgeschoss / In der ersten Etage / Im zweiten Stock.
- Nehmen Sie die Rolltreppe nach oben / nach unten.
- Fahren Sie mit dem Aufzug eine Etage höher / tiefer.
- Fahren Sie in die erste Etage / in den zweiten Stock.
Manchmal fragt eine Verkäuferin oder ein Verkäufer:
- Kann ich Ihnen helfen?
Wenn Sie keine Hilfe brauchen, können Sie antworten:
- Nein danke, ich sehe / schaue mich nur um.

TR. 186

Wo finde ich ...? Hören Sie drei kurze Dialoge und schreiben Sie den richtigen Ort in die Lücke. Vorsicht: Zwei Orte passen nicht!

1. _____

2. _____

3. _____

| 2. Etage |
| Spielwaren |
| 1. Stock |
| oben |
| Erdgeschoss |

11

Substantive verbinden: Der **Genitiv**
Der Genitiv beschreibt das vorangehende Substantiv. Lesen Sie die drei
Beispiele aus dem Hauptdialog:
die Ausstellung ← **des Museums**
die Batterie ← **meines Fotoapparates/Fotoapparats**
am Ende ← **der Rolltreppe**

Vergleichen Sie die Formen von Nominativ und Genitiv:

	Nominativ	Genitiv
Maskulin	der/ein Mann	**des/eines** Mann**es**
Neutrum	das/ein Museum	**des/eines** Museum**s**
Feminin	die/eine Frau	**der/einer** Frau
Plural	die/ - Eltern	**der/** - Eltern

Was ist anders? Ergänzen Sie jetzt die Regeln:

1. Maskuline und neutrale Substantive bekommen die Endung **-es** oder
   ___.

2. Der bestimmte Genitivartikel ist **des** für maskuline und neutrale Subs-
   tantive sowie ___ für feminine Substantive und den Plural.

3. Der unbestimmte Genitivartikel ist ___ und ___.

4. Die Endungen von **mein**, **dein**, ... sind wie die von **ein**: die Schwester
   mein___ Frau.

12

chreiben Sie die Genitivform in die Lücke.

1. die Kollegin (*eine Freundin*):

   die Kollegin _____

2. der Preis (*die Hefte*):

   der Preis _____

3. der Bruder (*mein Vater*):

   der Bruder _____.

13

Gut zu wissen:
Eigennamen erhalten
die Genitivendung
-s und stehen
normalerweise vor
dem Substantiv: Karl**s**
Tochter, Lisa**s** Stifte.
Das Substantiv steht
dann ohne Artikel!

Welcher Genitiv passt zu welchem Substantiv? Verbinden Sie die Wörter.

1. Sylvias	___ A	der Kaufhäuser
2. die Batterie	___ B	Tasche
3. das Kaufhaus	___ C	eines Fotoapparats
4. die Waren	___ D	meines Kindes
5. die Kleidung	___ E	der Stadt

14

Das **Präteritum** der regelmäßigen Verben und der Modalverben ist nicht schwer:

	erzählen	können	
ich	erzähl**te**	konn**te**	**-te**
du	erzähl**test**	konn**test**	**-test**
er/sie/es	erzähl**te**	konn**te**	**-te**
wir	erzähl**ten**	konn**ten**	**-ten**
ihr	erzähl**tet**	konn**tet**	**-tet**
sie/Sie	erzähl**ten**	konn**ten**	**-ten**

Bei Verben mit einem Infinitivstamm auf **-t** oder **-d** (arbeit-, beend-) steht ein **e** vor der Präteritumsendung: ich arbeit**ete**, ich beend**ete**.

Die Modalverben haben im Präteritum keinen Umlaut: ich **konnte**, du **musstest**, wir **durften**.

Das Modalverb **mögen** ändert seinen Stamm: ich **mochte**, du **mochtest**, ...

Schreiben Sie das **Präteritum** der angegebenen Verben in die Lücken.

1. Er _____nichts. *(sagen)*

2. Meine Eltern _____mich gestern. *(besuchen)*

3. Warum _____ihr nicht mitkommen? *(dürfen)*

15

In der folgenden Erzählung fehlen die Verben. Ergänzen Sie den Text im **Präteritum** mit den unten angegebenen Verben. Achten Sie auf die Endungen.

> kaufen   wollen   sein   machen   warten   besuchen

Gestern _____ (1) ich einen Spaziergang in der Stadt. Ich

war auch in einem Kaufhaus. Dort _____ (2) ich Batte-

rien für meinen Fotoapparat besorgen. Dann _____ (3)

ich noch eine Zeitschrift und _____ (4) ein Café. Dort

_____ (5) schon meine Freunde und wir hatten viel Spaß.

Es _____ (6) ein schöner Tag!

Gut zu wissen:
Erinnern Sie sich? Die Präteritumsformen von **sein** (ich war, du warst, er war...) und **haben** (ich hatte, du hattest, er hatte, ...) sind unregelmäßig.

16

Keine Angst vor langen Wörtern wie **Spielwarenabteilung**.
In der deutschen Sprache gibt es sehr viele lange Wörter, die aus zwei, drei oder sogar mehr Einzelwörtern bestehen. Die zusammengesetzten Wörter sind leichter zu verstehen, wenn man die einzelnen Wörter trennt:
Spiel + **Waren** + **Abteilung**.
Das letzte Substantiv in dem zusammengesetzten Wort bestimmt den Artikel, also: **die Abteilung** → **die Spielwarenabteilung**.

17

Im Lesetext gibt es ein paar neue Wörter. Ordnen Sie die Erklärungen zu und lesen Sie dann den Text.

1. was das Herz begehrt	___ A sehr lecker
2. Luxusartikel	___ B bekannt
3. feilschen	___ C mit dem Verkäufer verhandeln, damit etwas billiger wird
4. im Herzen einer Stadt	___ D Spaziergang durch Geschäfte
5. berühmt	___ E teure, exklusive Waren
6. köstlich	___ F in der Stadtmitte
7. der Einkaufsbummel	___ G was man sich sehr wünscht

Interkulturelles

Das Kaufhaus bietet alles, was das Herz begehrt: Handtücher, modische Kleider, Tassen, exotische Früchte und vieles andere mehr.
Vor mehr als 100 Jahren baute man die ersten Kaufhäuser. Es waren Orte, wo einfache Arbeiter billige Waren finden und Leute mit mehr Geld ein paar Luxusartikel zu festen Preisen kaufen konnten. Feste Preise waren neu, vorher war es normal, den Preis zu verhandeln, also zu feilschen. Viele Kaufhäuser wurden von berühmten Architekten geplant und befinden sich im Herzen großer Städte.

Das bekannteste und größte Kaufhaus in Deutschland ist das **Kaufhaus des Westens** in Berlin, kurz: KaDeWe. Es bietet über 380.000 Artikel auf einer Ladenfläche von 60.000 Quadratmetern. 64 Rolltreppen und 26 Aufzüge verbinden die Etagen. Im berühmten sechsten Stock kann man über 33.000 köstliche und exklusive Lebensmittel finden.

Haben Sie Lust, einen **Einkaufsbummel** zu machen?

1

Es wird Herbst. Zeit für neue Kleidung! Sehen Sie sich die **Mode für den Herbst** an und lesen Sie die Wörter laut.

die Handschuhe

der Schal

das Hemd

der Mantel

die Jeans

der Pullover

der Anorak

der Rock

2

Beschreiben Sie die Kleidung. Was tragen die Frau, der Mann und das Kind im Herbst? Ergänzen Sie die Sätze mit den Wörtern in Klammern.

dunkel ⟷ hell
gemustert = mit einem
Muster, z.B. Blumen

1. Die Frau: Sie trägt einen gemusterten Pullover und einen _____ Rock.

    Der Pullover ist aus _____ und man muss ihn _____ waschen. *(Wolle*

    / dunklen / mit der Hand)

2. Der Mann: Seine Kleidung ist elegant. Das _____ Hemd und der

leichte _____ stehen ihm _____. *(sehr gut / Mantel / weiße)*

3. Das Kind: Es trägt eine Jeans und einen _____ Anorak. Aber ich finde,

die _____ passt ihm nicht. Sie ist _____. *(Hose / hellen / zu klein)*

3

TR. 187

Susanne und ihre Tochter Lisa befinden sich in einem großen Kaufhaus
und suchen nach Kleidung. Eine Verkäuferin hilft ihnen. Hören Sie das
Gespräch ein erstes Mal.
Welcher Titel passt zu dem Gespräch? Kreuzen Sie an.

1. ■ Neue Kleidung für Lisa

2. ■ Keine schöne Kleidung gefunden

4

Gut zu wissen:
Eine **Lieblingshose**
ist eine Hose, die
man besonders gern
und oft trägt. Sie
können **Lieblings-**
mit vielen anderen
Wörtern verbinden,
z.B. **Lieblingspullover**,
Lieblingsfarbe usw.

Jetzt wissen Sie, welche Kleidung Lisa gefällt und welche nicht. Ergänzen
Sie die Sätze und schreiben Sie die Wörter in die Lücken.

Pullover Sweatshirt karierte hellblauen weich

1. Lisa gefällt die _____Hose.

2. Sie findet den roten _____ nicht schön.

3. Sie mag lieber den _____ Pullover.

4. Der hellblaue Pullover ist so schön _____.

5. Sie möchte kein _____.

kariert

5

Was antworten Susanne, Lisa oder die Verkäuferin? Hören Sie das Ge-
spräch noch einmal und kreuzen Sie die richtige Antwort an.

1. Kann ich Ihnen helfen?
   - ■ A Nein, danke.
   - ■ B Ich schaue mich nur um.
   - ■ C Wir suchen eine Hose.

2. Was für eine Hose soll es sein?
   - ■ A Ich möchte keine Hose.
   - ■ B Vielleicht eine Jeans.
   - ■ C Wir kommen mit.

3. Soll es eine bestimmte Farbe sein?
   - ■ A Ja, grün.
   - ■ B Eigentlich nicht.
   - ■ C Eine rote Hose, bitte.

4. Wo sind die Umkleidekabinen?
   - ■ A Ja, ich probiere sie an.
   - ■ B Dort hinten.
   - ■ C Nein, ich mag lieber den hellblauen.

5. Ist die Hose groß genug?
   - ■ A Ja, ich denke schon.
   - ■ B Nein, sie passt mir nicht.
   - ■ C Nein, sie ist zu klein.

6. Aus welchem Material ist der Pullover?
   - ■ A Es ist ein schöner Pullover.
   - ■ B Ich mag diesen Pullover.
   - ■ C Er ist aus Wolle.

 TR. 187

Gut zu wissen:
Wenn Ihnen jemand
vielen Dank für einen
Hinweis oder Ihre
Hilfe sagt, können
Sie antworten: **Gern
geschehen!**

Gut zu wissen:

1. Das Verb **passen** bezieht sich bei Kleidungsstücken auf die richtige Größe.

2. Der Ausdruck **passen + zu** (mit Dativ) bedeutet, dass zwei Kleidungsstücke, zwei Farben usw. miteinander harmonieren.

3. Das Adjektiv **schick** bedeutet „modisch und elegant".

4. Der Ausdruck **etwas steht jemandem** + Adjektiv oder + „nicht" bedeutet, dass ein Kleidungsstück an einer Person gut oder nicht gut aussieht.

6

Kennen Sie diese Situation? Sie probieren ein neues Kleidungsstück an und sind unsicher. Dann können Sie fragen:
- **Wie finden Sie / findest du die Hose?**
- **Wie gefällt Ihnen / dir diese Farbe?**
- **Steht mir dieses Kleid?**

Positive Reaktionen können sein:
- **Der Rock steht Ihnen / dir ausgezeichnet.**
- **Das ist sehr schick / modern / modisch / in Mode!**
- **Die Hose passt hervorragend zu der roten Bluse.**

Negative Reaktionen können sein:
- **Der Mantel passt nicht. Er ist nicht groß genug.**
- **Diese Stiefel gefallen mir nicht.**
- **Der Pullover steht Ihnen / dir nicht so gut.**

Hören Sie drei Reaktionen auf Ihrer CD. Sind sie positiv oder negativ?

 TR. 188   1. ■ positiv   ■ negativ

 TR. 189   2. ■ positiv   ■ negativ

 TR. 190   3. ■ positiv   ■ negativ

7

Mit den folgenden Wörtern können Sie Kleidung beschreiben:

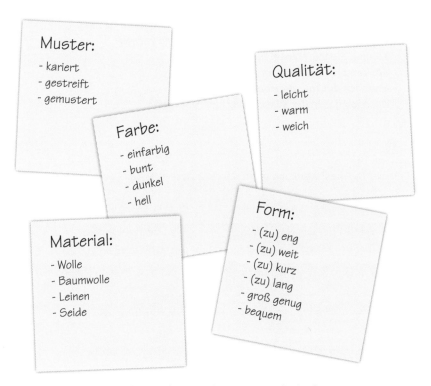

Muster:
- kariert
- gestreift
- gemustert

Qualität:
- leicht
- warm
- weich

Farbe:
- einfarbig
- bunt
- dunkel
- hell

Form:
- (zu) eng
- (zu) weit
- (zu) kurz
- (zu) lang
- groß genug
- bequem

Material:
- Wolle
- Baumwolle
- Leinen
- Seide

Lesen Sie die Sätze und schreiben Sie die Wörter in die Lücken.

> Leinen   dunkel   gestreift   klein

1. Die Hose ist nicht groß genug, sie ist zu _____.

2. Die Farbe des Hemdes ist sehr _____.

3. Die Bluse ist aus _____ .

4. Der Schal ist _____, nicht kariert.

8

Sie möchten Kleidung kaufen und brauchen Hilfe. Dann können Sie die Verkäuferin oder den Verkäufer fragen:

- **Gibt es das auch in meiner Größe / in einer anderen Größe?**
- **Gibt es den Pullover auch in Rot / in anderen Farben?**
- **Können Sie mir Mäntel für Kinder zeigen?**
- **Wo kann ich die Hose anprobieren?**
- **Muss ich das mit der Hand waschen?**
- **Kann ich das in der Waschmaschine waschen**?

9

Lesen Sie die Fragen und ordnen Sie die passenden Antworten zu.

1. Welche Größe tragen Sie?	___ A Ja, sie ist sehr bequem.
2. Gibt es die Jacke auch in meiner Größe?	___ B Rot steht Ihnen hervorragend.
3. Welcher Pullover gefällt Ihnen?	___ C Die Umkleidekabinen sind dort.
4. Was für einen Mantel suchen Sie?	___ D Aus Baumwolle.
5. Wo kann ich das anprobieren?	___ E Ich trage Größe 38.
6. Steht mir diese Farbe?	___ F Der blaue.
7. Passt Ihnen die Hose?	___ G Nein, leider nicht. Wir haben nur noch diese Größe.
8. Aus welchem Material ist das?	___ H Einen kurzen Mantel aus Baumwolle.

10

Der Rock ist <u>rot</u>.   Adjektiv ohne Endung
Der <u>rote</u> Rock gefällt mir.   Vor einem Substantiv: Adjektiv mit Endung

<u>Regel:</u> Der Artikel bestimmt die Endung des Adjektivs.

1. Bestimmter Artikel:

Nom.	der grün**e** Rock	di**e** blau**e** Hose	das rot**e** Kleid
Akk.	den grün**en** Rock	die blau**e** Hose	das rot**e** Kleid
Dat.	dem grün**en** Rock	der blau**en** Hose	dem rot**en** Kleid
Gen.	des grün**en** Rockes	der blau**en** Hose	des rot**en** Kleides

Die Endung im Plural ist immer **-en**: die grün**en** Röcke, mit den rot**en** Kleidern.

2. Unbestimmter Artikel:

Nom.	ein grün**er** Rock	eine blau**e** Hose	ein rot**es** Kleid
Akk.	einen grün**en** Rock	eine blau**e** Hose	ein rot**es** Kleid
Dat.	einem grün**en** Rock	einer blau**en** Hose	einem rot**en** Kleid
Gen.	eines grün**en** Rockes	einer blau**en** Hose	eines rot**en** Kleides

Gut zu wissen:
Sie müssen nur die Adjektivendungen für den Nominativ und den Akkusativ lernen. Im Dativ und im Genitiv ist die Endung immer **-en**.

11

Ergänzen Sie die Endungen.

1. Ich suche ein bunt____ Hemd.

2. Die Bluse passt gut zu der rot____Hose.

3. Schau mal, er trägt einen grün____ Hut.

4. Wie findest du die blau____ Bluse?

5. Suchen Sie eine bestimmt____Farbe?

6. Die Farbe des lang____ Kleides gefällt mir.

12

Vergleichen Sie:

> <u>**Welcher**</u> Rock gefällt dir? - <u>**Der**</u> rote Rock.
>
> Fragewort **welche/r/s** → Antwort: bestimmter Artikel
>
> <u>**Was für einen**</u> Rock suchen Sie? - <u>**Einen**</u> kurzen Rock.
>
> Fragewort **was für ein/e** → Antwort: unbestimmter Artikel

Das Fragewort **welch-** hat die gleichen Endungen wie der bestimmte Artikel *der, die, das*: **welcher**, **welche**, **welches** usw.
In **was für ein-** ändert sich nur **ein**.

Schreiben Sie das fehlende Wort in die Lücke. Achten Sie auf die richtige Endung.

1. _____Kleid gefällt dir? - Mir gefällt das grüne Kleid.

2. Was für _____Hose nimmst du? - Ich nehme eine Jeans.

3. _____ Pullover ziehst du an? - Den hellblauen.

13

Ergänzen Sie die Fragen mit dem richtigen Fragewort. Die Antworten helfen Ihnen, die Lösung zu finden.

1. _____Bluse trägt sie? - Eine gestreifte.
   (Was für / Was für eine / Welche)

2. _____ Kostüm gefällt dir? - Das blaue.
   (Welches / Was für eines / Welchem)

3. _____ T-Shirt passt das? - Zu dem gelben.
   (Was für ein / Zu welchem / Welcher)

4. _____ Rock suchst du? - Einen lila Rock.
   (Welches / Welche / Was für einen)

5. _____ Stiefel nimmst du? - Die braunen.
   (Welche / Was für einen / Welches Stiefel)

6. _____ Kleid ist das? - Ein Kleid aus Seide.
   (Welches / Was für ein / Aus welchem)

14

Langer oder kurzer Vokal? Manchmal hilft die Schreibweise:

(1) Lange Vokale
- Der Vokal ist doppelt geschrieben (**aa**, **ee**, **oo** und bei *i* **ie**): **Idee**, **kariert**
- Dem Vokal folgt ein *h*: **sehr**, **ihr**, **Schuhe**. Das *h* hört man nicht!

(2) Kurze Vokale
- Ein Doppelkonsonant folgt dem Vokal: **alle**, **hell**, **bitte**, **Wolle**, **muss**.
- Oft, wenn drei oder mehr Konsonanten folgen: **welcher**, **Herbst**.

15

Was denken oder wissen Sie über Kleidung in Deutschland? Kreuzen Sie
richtig (R) oder *falsch* (F) an. Lesen Sie danach den Text.

	richtig	falsch
1. Bei der Arbeit muss man sich immer formell kleiden.	■	■
2. Junge Menschen mögen modische Kleidung.	■	■
3. Alle Schüler tragen Schuluniformen.	■	■
4. Traditionelle Kleidung wie Trachten trägt heute niemand mehr.	■	■

Interkulturelles

Wie in anderen europäischen Ländern werden Sie auch in Deutschland alle möglichen Arten von Kleidung finden. Wann man formelle oder informelle Kleidung trägt, ist nicht einfach zu beantworten. Meistens kann man sich kleiden, wie man mag. In formellen Situationen tragen Frauen oft ein **Kostüm** und Männer **Anzug und Krawatte**, aber die meisten Leute sind zur Arbeit informell gekleidet. In der Oper oder im Theater werden Sie eine Mischung von Leuten in eleganter Abendkleidung und jungen Leuten in Jeans sehen. Apropos junge Leute: Studenten und Schüler tragen alles, was gerade in Mode ist oder sie ziehen sich sportlich an. Es gibt keine Schuluniformen. In Teilen Süddeutschlands und in Österreich tragen die Leute manchmal auch **Trachten**, besonders zu traditionellen Festen oder auch zu Hochzeiten.

1

Diese Lektion beginnt in einer Arztpraxis. Sehen Sie sich die Fotos an und lesen Sie, was die Personen sagen oder fragen.

Eine Arzthelferin kommt ins Wartezimmer und sagt: **Der Nächste, bitte.**

**Was fehlt Ihnen denn? –
Ich habe eine schwere Grippe.**

**Tut dein Arm sehr weh? –
Nein, es ist nicht so schlimm.**

2

Die folgenden Wörter kommen im Hauptdialog vor. Ordnen Sie die richtigen Beispielsätze zu. Versuchen Sie, die Wörter auswendig zu lernen.

1. die Gesundheit	____ A Immer wenn ich Alkohol trinke, geht es mir schlecht.
2. sich fühlen	____ B Der Arzt untersuchte mich sehr genau.
3. immer wenn	____ C Keine Sorge! Es geht mir gut.
4. die Sprechstunde	____ D Als ich krank war, musste ich im Bett bleiben.
5. untersuchen	____ E Die Gesundheit kommt zuerst.
6. die Sorge	____ F Dr. Willner hat bis 18 Uhr Sprechstunde.
7. als	____ G Ich fühle mich nicht sehr gut.

3

 TR. 191

In der Redaktion: Thomas Kowalski hat viel Arbeit. Er fühlt sich aber nicht sehr gut. Seine Sekretärin, Martina Schmidt, sorgt sich um seine Gesundheit und gibt ihm Ratschläge.
Hören Sie den Dialog und bringen Sie die Bilder in die richtige Reihenfolge.

Richtige Reihenfolge: ____ ____ ____

4

 TR. 191

Hören Sie das Gespräch noch einmal und entscheiden Sie: Sind die folgenden Aussagen richtig oder falsch? Kreuzen Sie an.

	richtig	falsch
1. Thomas fühlt sich schlecht.	◻	◻
2. Frau Schmidt hat eine schwere Grippe.	◻	◻
3. Thomas hat Kopfschmerzen.	◻	◻
4. Thomas geht nicht gern zum Arzt.	◻	◻
5. Frau Schmidt meint, dass die Gesundheit nicht sehr wichtig ist.	◻	◻
6. Frau Schmidt musste ins Krankenhaus.	◻	◻
7. Dr. Willner hat heute keine Sprechstunde.	◻	◻

5

Nützliche Wörter für Ihren nächsten Arztbesuch. Lesen Sie die Wörter und ordnen Sie sie den Bildern zu.

A die Allergie   B die Medikamente   C die Versichertenkarte
D die Nackenschmerzen   E das Fieber   F die Sprechstunde
G der Patient   H die Verletzung

1 _____ 2 _____ 3 _____ 4 _____

5 _____ 6 _____ 7 _____ 8 _____

6

Im Hauptdialog liest Frau Schmidt einen Brief vor, in dem unregelmäßige Verben im Präteritum vorkommen. Lesen Sie den Brief, um die Bedeutung der Verben zu verstehen.
Schreiben Sie den Infinitiv in die Lücken.

1. ich bekam - _____

2. er brachte - _____

3. ich blieb - _____

4. es war - _____

5. ich kam - _____

6. es ging - _____

Liebe Martina,

stell dir vor, ich musste ins Krankenhaus. Das ist passiert: Während ich im Büro am Computer arbeitete, bekam ich auf einmal hohes Fieber und starke Schmerzen. Ein Kollege brachte mich sofort ins Krankenhaus. Dort blieb ich drei Tage und man untersuchte mich gründlich. Keine Sorge, es war nicht sehr ernst. Nur eine Grippe. Als ich endlich nach Hause kam, ging es mir schon viel besser. Bist du schon aus dem Urlaub zurück?
Ich rufe dich an.

Deine Anni

7

Wie heißen die Körperteile? Schreiben Sie den Singular in die Lücke.
Versuchen Sie es zuerst ohne Hilfe.

1. die _____

die Hände

2. das _____

die Beine

3. der _____

die Füße

4. der _____

die Bäuche

5. die _____

die Schultern

6. der _____

die Köpfe

7. das _____

die Knie

8. der _____

die Rücken

9. die _____

die Brüste

Mit Hilfe:

| Bein | Rücken | Schulter | Knie | Bauch | Brust | Fuß | Kopf | Hand |

8

Wenn man über Krankheiten oder Verletzungen spricht, kann man ganz
einfach neue Wörter bilden, und zwar:

Körperteil + das Wort **Schmerzen**
Körperteil + das Wort **Verletzung**

Beispiele: **Kopfschmerzen**, **Halsschmerzen**, **Kopfverletzung** usw.
Das Wort **der Schmerz** wird meistens nur im Plural verwendet.

TR. 192

9

Auf die Frage **Wie geht es dir?** können Sie antworten:
- **Ich fühle mich schlecht / schwach / müde.**
- **Ich bin (stark) erkältet.**
- **Ich habe mich am Fuß verletzt und kann mich kaum bewegen.**
- **Mein rechter / linker Arm schmerzt / tut weh / ist gebrochen.**
- **Ich habe Schmerzen in der Brust / im Finger.**

Peter ist krank. Hören Sie, was ihm fehlt und kreuzen Sie die richtige
Antwort an.

■ **A** verletzt   ■ **B** Arm gebrochen   ■ **C** erkältet

10

Welche gesundheitlichen Probleme (**Beschwerden**) gibt es noch? Hier
sind einige Beispiele.
- **eine Erkältung, (eine) Grippe**
- **Fieber, Schnupfen, Husten**
- **eine Allergie gegen ...** (+ Akkusativ)
- **Halsschmerzen, Rückenschmerzen, Kopfschmerzen**

Schreiben Sie die fehlenden Wörter in die Lücken.

starke   Husten   Erkältung

1. Ich habe _____ und Schnupfen.

2. Er hat _____ Nackenschmerzen.

3. Sie hat eine leichte _____.

11

Sie möchten einen Termin beim Arzt vereinbaren. Lesen Sie die Sätze und entscheiden Sie, welche Reaktion passt.

1. Wann haben Sie heute Sprechstunde?
   - ■ A Nein, heute geht es nicht.
   - ■ B Von 12.30 bis 18.00 Uhr.

2. Ich hätte gern einen Termin (bei Herrn Doktor Willner).
   - ■ A Das Wartezimmer ist voll.
   - ■ B Wann möchten Sie kommen?

3. Kann ich heute noch vorbeikommen?
   - ■ A Ja, bis 18.00 Uhr. Bitte bringen Sie Ihre Versichertenkarte mit.
   - ■ B Ja, die Gesundheit kommt zuerst.

Gut zu wissen:
Das Wort **Arzt/Ärztin** bezeichnet den Beruf. **Doktor** ist die informelle Variante (*Achtung*: Er/Sie ist **Arzt/Ärztin** von Beruf. *nicht*: Doktor!) und wird bei der direkten Anrede verwendet: **Herr Doktor / Frau Doktor**.

12

Ein Patient kommt mit Hals- und Brustschmerzen in die Sprechstunde. Zuerst fragt der Arzt:
- **Welche Beschwerden haben Sie?**
- **Was fehlt Ihnen (denn)?**

Dann untersucht er den Patienten und bittet:
- **Machen Sie bitte den Oberkörper frei! / Machen Sie sich bitte frei!**
- **Öffnen Sie bitte den Mund!**

Und nach der Untersuchung sagt er:
- **Ich verschreibe Ihnen etwas / Tabletten / eine Salbe gegen ...**
- **Hier ist Ihr Rezept.**
- **Nehmen Sie das Medikament dreimal täglich ein!**
- **Gute Besserung!**

Gut zu wissen:
Sich freimachen ist Arztsprache und bedeutet **sich ausziehen**.

13

Sie kennen bereits das Präteritum einiger unregelmäßiger Verben. Hier ist das Paradigma für **gehen** und **kommen**:

ich	ging	kam	-
du	ging**st**	kam**st**	**-st**
er/sie/es	ging	kam	-
wir	ging**en**	kam**en**	**-en**
ihr	ging**t**	kam**t**	**-t**
sie/Sie	ging**en**	kam**en**	**-en**

Bildung: Der Stamm ändert sich (**gehen → ging, kommen → kam**).
Die 1. und 3. Person Singular haben keine Endung.

bekommen → **bekam**
fahren → **fuhr**
finden → **fand**
geben → **gab**
heißen → **hieß**
helfen → **half**
nehmen → **nahm**
schreiben → **schrieb**
sein → **war**
treffen → **traf**
trinken → **trank**
tun → **tat**

Ergänzen Sie den folgenden Bericht mit den Verben im Präteritum. Lesen Sie den Text laut. So merken Sie sich die unregelmäßigen Formen besser.

bekam   fuhr   kam   ging   trank   gab   nahm   halfen

Sie _____ (1) zu viel Kaffee und _____ (2) starke Bauch-

schmerzen. Dann _____ (3) sie mit dem Auto zum Arzt. Er un-

tersuchte sie und _____ (4) ihr ein Rezept für Tabletten gegen die

Schmerzen. Als sie nach Hause _____ (5) , _____ (6) sie zwei

Tabletten. Sie _____ (7) sofort und es _____ (8) ihr endlich besser.

14

Lesen Sie die Sätze. Schreiben Sie die Verben im **Präteritum**.

1. Ich schreibe einen Brief. _____

2. Ihr seid verletzt. _____

3. Wir fahren oft nach Berlin. _____

4. Er trifft dort immer seine Freunde. _____

5. Meine Großmutter heißt Frieda. _____

6. Wie finden Sie die Ausstellung? _____

7. Mein Arm tut sehr weh. _____

15

Die Konjunktionen **als**, **wenn** und **während** leiten einen Nebensatz ein.
Lesen Sie die Beispiele.

(1) **Als ich nach Hause kam, rief Tina an.**
als → Der Zeitpunkt liegt in der Vergangenheit; es passiert nur einmal.

(2) **Wenn er arbeitet (arbeitete), hört (hörte) er Musik.**
wenn → Der Zeitpunkt liegt in der Gegenwart oder in der Vergangenheit; Unterschied zu **als**: Die Handlungen kommen in der Vergangenheit mehrmalig vor („immer wenn").

(3) **Während ich im Urlaub bin (war), lese (las) ich keine E-Mails.**
während → Die Handlungen im Neben- und im Hauptsatz passieren gleichzeitig.

Welche Konjunktion passt? Ergänzen Sie **als**, **wenn** oder **während**.

1. _____ ich Schmerzen habe, gehe ich zum Arzt.

2. _____ er den Brief bekam, war er nicht zu Hause.

Gut zu wissen:
Wortstellung: 1. Im Nebensatz steht das konjugierte Verb am Ende. 2. Der Hauptsatz beginnt mit dem konjugierten Verb, wenn er nach dem Nebensatz steht. 3. Der Nebensatz kann auch nach dem Hauptsatz stehen: **Thomas fühlte sich schlecht, als / wenn / während ...**

16

Welche Haupt- und Nebensätze passen zusammen?

1. **Als** ich Thomas gestern besuchen wollte,	___ A **während** Susanne das Abendessen zubereitete.
2. **Als** ich eine Allergie gegen Katzenhaare bekam,	___ B hatte er keine Zeit.
3. Lisa spielte mit ihrer Freundin,	___ C **wenn** ich krank bin.
4. **Wenn** er ins Büro kommt,	___ D liest er zuerst seine Briefe.
5. Ich trinke immer viel Tee,	___ E hatten sie Zeit für ein Gespräch.
6. **Während** sie im Wartezimmer saßen,	___ F verschrieb mir meine Ärztin eine gute Salbe.

Zu schwer? Drei Tipps: 1. Lesen Sie alle Sätze sorgfältig. 2. Was bedeutet die Konjunktion? 3. Achten Sie auf die Wortstellung.

17

Was machen Sie, wenn Sie krank sind? Zuerst rufen Sie wie Thomas Kowalski in der Praxis Ihres Hausarztes an. Und dann? Bringen Sie die Schritte in die richtige Reihenfolge.

___ A Er verschreibt Ihnen ein Medikament.

___ B Sie warten im Wartezimmer.

_1_ C Sie rufen an und vereinbaren einen Termin.

___ D Zu Hause nehmen Sie das Medikament ein.

___ E Er spricht mit Ihnen und untersucht Sie.

___ F Eine Arzthelferin bringt Sie zum Arzt ins Sprechzimmer.

___ G Sie gehen in die Praxis, melden sich an und zeigen Ihre Versicher-tenkarte.

___ H Sie nehmen das Rezept und gehen in die Apotheke.

Interkulturelles

Der **Hausarzt**: Bei leichten Beschwerden oder Verletzungen geht man normalerweise zuerst zum Hausarzt, also einem Arzt für Allgemeinmedizin. Wenn es nötig ist, überweist er Sie an einen Spezialisten – den **Facharzt** – oder ins Krankenhaus.

Die **Sprechstunde**: Wenn man keinen Termin vereinbart hat, muss man lange warten. Deshalb: Rufen Sie vorher an und vereinbaren Sie einen Termin. Vergessen Sie Ihre **Versicherten-karte** nicht!

1

Aus Lektion 19 kennen Sie bereits viele Körperteile. Doch was ist mit Gesicht, Haaren und Fingernägeln? Schreiben Sie die passenden Wörter im Singular oder im Plural unter die Bilder – so, wie Sie es sehen.

das Auge - die Augen
der Bart - die Bärte
der Fingernagel -
die Fingernägel
das Gesicht -
die Gesichter
das Haar - die Haare
die Lippe - die Lippen
die Nase - die Nasen
das Ohr - die Ohren
der Zahn - die Zähne

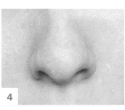
1
_____

2
_____

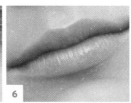
3
_____

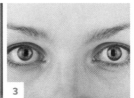
4
_____

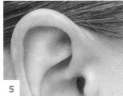
5
_____

6
_____

7
_____

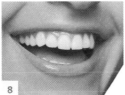
8
_____

9
_____

2

Mit welchem Kosmetikartikel pflegt man Haut, Haare usw.? Und wie heißt die Tätigkeit? Schreiben Sie die passenden Wörter in die Lücken.

der Lippenstift	die Zahnpasta	lackieren	waschen	eincremen

1. Haut, Gesicht   die Hautcreme   _____

2. Lippen   _____   schminken

3. Haare   das Shampoo   _____

4. Zähne   _____   putzen

5. Fingernägel   der Nagellack   _____

TR. 193

3

Sylvia und Aynur haben sich bei der gemeinsamen Arbeit in der Zeitungs-
redaktion kennengelernt und sind inzwischen gute Freundinnen. Heute
Nachmittag ist Sylvia zu Besuch bei Aynur, die gerade aus dem Badezim-
mer kommt. Hören Sie das Gespräch.

Sylvia möchte in dem Gespräch wissen, für wen sich Aynur schminkt.
Bekommt sie eine Antwort?   ja ▪ nein

 TR. 193

Gut zu wissen:
Das Wort **wohl**
hat verschiedene
Bedeutungen: 1. Im
Ausdruck **sich wohl
fühlen** bedeutet es
gesund und gut. 2. Im
Satz **Du hast wohl noch
etwas vor.** drückt **wohl**
eine Vermutung aus: **Ich
vermute, dass du noch
etwas vorhast.**

4

Hören Sie das Gespräch noch einmal. Konzentrieren Sie sich jetzt auf die
Aktivitäten von Sylvia und Aynur. Zu wem passen Sie? Kreuzen Sie an.

	Sylvia	Aynur
1. Yoga machen	▪	▪
2. ins Bad gehen	▪	▪
3. nicht fertig sein	▪	▪
4. Massagen bekommen	▪	▪
5. das Gesicht eincremen	▪	▪
6. Tee kochen	▪	▪
7. Stress abbauen	▪	▪
8. sich wohl fühlen	▪	▪
9. duschen	▪	▪
10. Haare waschen	▪	▪

5

TR. 193

Aynur und Sylvia sprechen über Haare. Was kann man mit Haaren machen? Ergänzen Sie die Sätze aus dem Dialog.

1. Ich habe mir die Haare _____.

2. Gibst du mir mal den Föhn und den _____?

3. Deine Haare sehen immer so _____ aus

    und sie _____ so schön.

4. Ich verwende ein mildes _____ für die Haare

    und ich _____ sie.

6

TR. 194

Im Deutschen gibt es sehr viele Verben mit betonten und unbetonten Präfixen (Vorsilben).
Lesen Sie die folgenden Wörter laut und mit Betonung auf dem Präfix:
sich <u>ab</u>trocknen, <u>vor</u>haben, <u>aus</u>sehen
Und nun Wörter mit Betonung auf dem Stamm:
sich er<u>ho</u>len, sich ent<u>spann</u>en, ver<u>spre</u>chen

Hören Sie die folgenden Wörter auf Ihrer CD und entscheiden Sie, ob das Präfix betont oder unbetont ist.

1. mitbringen   ▪ betont
                    ▪ unbetont

2. bekommen   ▪ betont
                    ▪ unbetont

3. eincremen   ▪ betont
                    ▪ unbetont

Gut zu wissen:
Trennbare und betonte Präfixe:
ab-, an-, auf-, aus-, ein-, herein-, hin-, mit-, teil-, um-, vor-, weg-, weiter-, zurück-
Nicht-trennbare und unbetonte Präfixe:
be-, ent-, er-, ver-, zer-

7

Was machen die Personen auf den Fotos? Lesen Sie die Sätze und schreiben Sie den Buchstaben in das richtige Kästchen.

A Sie cremt sich die Hände ein.	B Er putzt sich die Zähne.
C Sie kämmt sich.	D Sie schminkt sich.
E Sie lackiert sich die Fingernägel.	F Er rasiert sich.
G Sie frisiert sich.	H Er putzt sich die Nase.
I Er föhnt seine Haare.	J Er trocknet sich ab.

  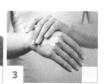

1   2   3   4

5   6   7   8

9   10

8

Reflexivpronomen:

Akk.	Dat.
mich	mir
dich	dir
sich	sich
uns	uns
euch	euch
sich	sich

Sich waschen ist ein reflexives Verb. Vergleichen Sie die zwei Sätze:
(1) Ich wasche **mich**.   (**mich** = Reflexivpronomen im Akkusativ)
(2) Ich wasche **mir** die Hände.   (**mir** = Reflexivpronomen im Dativ)

Regel: Wenn der Satz schon eine Akkusativ-Ergänzung hat (hier: die Hände), steht das Reflexivpronomen im Dativ.
Die Reflexivpronomen im Akkusativ und Dativ sehen Sie rechts.

Ergänzen Sie das Reflexivpronomen:

1. Ich muss _____ noch die Haare föhnen.

2. Wie fühlst du _____ ?

9

Alles für **die Körperpflege**. Lesen Sie die Wörter und lernen Sie sie.

Für die Haare: **die Haarbürste, der Föhn**
Für den Bart: **der Rasierapparat, der Rasierschaum, das Rasierwasser**
Für Haut und Nägel: **die Creme, die Hautcreme, der Nagellack**
Für die Zähne: **die Zahnbürste, die Zahnpasta**
Waschen, duschen oder baden: **die Seife, das Duschgel, das Badeöl**
Abtrocknen: **das Handtuch, der Bademantel**
Gut riechen: **das Deo / das Deodorant, das Parfüm**

Hier sind drei weitere Kosmetikartikel aus unserem Dialog. Schreiben Sie das Wort – bitte mit Großbuchstaben am Wortanfang.

1. M A M K   der _____

2. A H S P M O O   das _____

3. L S T I P P I F E N T   der _____

10

Über **Körperpflege** und **Aussehen** sprechen. Lesen Sie die Fragen und ordnen Sie die passenden Antworten zu.

Worterklärungen:
viel Wert auf etwas legen = etwas ist sehr wichtig für eine Person
fettig ↔ trocken
empfindlich = sensitiv

Fragen	Antworten
1. Legst du viel Wert auf dein Aussehen?	____ A Ich mache nichts Besonderes. Ich rasiere mich nur.
2. Meine Hände sind immer so trocken. Was kann ich tun?	____ B Ich wasche es mit einem milden Shampoo.
3. Was tun Sie gegen fettiges Haar?	____ C Cremen Sie sie täglich ein!
4. Wie pflegst du deinen Bart?	____ D Ich finde, sie sehen sehr gepflegt aus.
5. Wie findest du meine Fingernägel?	____ E Nur Produkte ohne Alkohol und ohne Parfüm.
6. Meine Haut ist sehr empfindlich. Was für Produkte kann ich verwenden?	____ F Ja, ich finde es wichtig, gut und gepflegt auszusehen.

11

Wie reagieren Sie? Markieren Sie die Reaktion, die <u>nicht</u> passt.

1. Was hast du heute Abend vor?
   - ■ A Nichts Besonders.
   - ■ B Ach was!
   - ■ C Warum fragst du?

2. Mit wem triffst du dich?
   - ■ A Na klar!
   - ■ B Wer weiß ...
   - ■ C Sei nicht so neugierig!

3. Gehen wir heute in die Sauna?
   - ■ A Das klingt gut!
   - ■ B Nimm dir Zeit!
   - ■ C Gute Idee!

4. Ich bin noch nicht fertig.
   - ■ A Kein Problem.
   - ■ B Macht nichts.
   - ■ C Du bist ja schon da.

12

Gut zu wissen:

Das Komma vor dem Infinitivsatz ist nicht obligatorisch, aber es hilft, den ganzen Satz besser zu verstehen.

Infinitivsätze mit **zu** können nach bestimmten (1) Verben, (2) Substantiven oder (3) Adjektiven folgen:

(1) Ich **verspreche**, dich heute **zu besuchen**.
(2) Es ist eine gute **Idee**, sich bei Musik **zu entspannen**.
(3) Ich finde es **besser**, nicht **zu rauchen**.

Die Konstruktion „**zu** + Infinitiv" steht oft nach Ausdrücken wie **Lust/Zeit haben**, **es gut/schlecht finden** und **es ist gut/schlecht/wichtig** usw.

<u>Regeln:</u>
- „**Zu** + Infinitiv" steht am Satzende.
- Verben mit einem trennbaren Präfix schreibt man als ein Wort; **zu** steht zwischen dem Präfix und dem Stamm: **Es ist wichtig, Stress ab<u>zu</u>bauen und neu an<u>zu</u>fangen.**

Bringen Sie die Wörter in die richtige Reihenfolge.

1. ist | Es | trinken | gesund | Tee | zu | grünen

   _____

2. ihm | Zeit | habe | keine | zu | helfen | Ich

   _____

3. gehen | in | Wir | die | haben | vor | Sauna | zu

   _____

13

Schreiben Sie Sätze mit „**zu** + Infinitiv".

Beachten Sie die Wortstellung:
„**Zu** + Infinitiv" →
Satzende.
Trennbare Verben →
zu zwischen Präfix und Stamm.

1. Er verspricht, _____ .
   (Er besucht uns bald.)

2. Ich habe vergessen, _____ .
   (Ich bringe Tee mit.)

3. Sie hat keine Lust, _____ .
   (Sie cremt sich täglich ein.)

4. Wann hast du Zeit, _____ ?
   (Du entspannst dich.)

5. Es ist wichtig für mich, _____ .
   (Ich sehe gut aus.)

TR. 195

14

Wie bauen Thomas und Sylvia Stress ab? Hören Sie auf Ihrer CD, was die beiden sagen. Kreuzen Sie an, wer was sagt.
Und was machen Sie selbst?

	Sylvia	Thomas	Und Sie selbst?
1. Ich entspanne mich bei Musik.	■	■	■
2. Ich nehme ein Bad.	■	■	■
3. Ich mache Yoga.	■	■	■
4. Ich rauche nicht.	■	■	■
5. Ich gehe spazieren.	■	■	■
6. Ich gehe in die Sauna.	■	■	■

15

Was ist Wellness? Bringen Sie Textteile in die richtige Reihenfolge.

_____ A spezielle Wellness-Wochenenden oder längere Wellness-Urlaube angeboten haben. Doch auch in großen Städten gibt es inzwischen

_____ B Wellness ist mehr, als nur Gymnastik zu machen oder ins Fitnessstudio zu gehen. Es bedeutet, Körper *und* Seele zu pflegen, sich

_____ C kann man eine große Anzahl von Wellness-Produkten wie Meditationsmusik, Tees und Badeöle zur Entspannung kaufen.

_____ D zu erholen und den täglichen Stress abzubauen. Zuerst waren es nur Hotels auf dem Land, die

_____ E ein ähnlich großes Wellness-Angebot: Kopf- und Fuß-massagen, Yogakurse, Meditationskurse, Saunas usw. Man muss aber nicht in die Berge fahren oder einen Kurs besuchen. Im Internet, in vielen Geschäften und sogar in Supermärkten

16

Wussten Sie schon, dass man Wörter **mit allen Sinnen** (mit Augen, Ohren, Nase und Händen) lernen kann? Beispiele:

- Sprechen Sie neue Wörter laut und schreiben Sie sie noch einmal auf.

Mit allen Sinnen:
Augen - sehen
Ohren - hören
Nase - riechen
Mund - schmecken
Hände - berühren

- Denken Sie an Ihr Badezimmer. Was gibt es dort? Sagen Sie die Wörter auf Deutsch. Was machen Sie dort? Versuchen Sie, Aktivitäten zu beschreiben: **Haare waschen**, **Zähne putzen**, ...

- Berühren Sie Teile Ihres Körpers und sagen Sie das deutsche Wort: **die Nase**, **mein Bart**, **der Fingernagel**, ...

1

Was denken Sie über die Personen auf den Fotos? Welche Gefühle haben sie? Lesen Sie die Sätze und ordnen Sie sie dem passenden Foto zu.

	Foto 1	Foto 2
1. Das ist eine temperamentvolle Person.	▪	▪
2. Vielleicht hat sie Liebeskummer.	▪	▪
3. Die Person ist traurig.	▪	▪
4. Ich denke, dass er gern flirtet.	▪	▪
5. Die Person sieht enttäuscht aus.	▪	▪
6. Ich mag Menschen, die viel lachen.	▪	▪

2

Beschreiben die folgenden Ausdrücke ein positives oder ein negatives Gefühl? Schreiben Sie die Wörter in die richtige Spalte.

> die Angst   traurig   die Liebe   gern haben
> unglücklich   verliebt sein   die Enttäuschung   die Eifersucht
> die Freude   nichts empfinden   das Glück   sich freuen

Positive Gefühle

_____

_____

_____

_____

_____

_____

Negative Gefühle

_____

_____

_____

_____

_____

_____

3

TR. 196

Aynur hat Probleme mit ihren Gefühlen und muss mit jemandem darüber sprechen. Deshalb trifft sie ihre Freundin Claudia.
Hören Sie das Gespräch auf Ihrer CD und beantworten Sie die Frage.

Was ist Aynurs Problem? Ergänzen Sie die Lücke.

> glücklich   eifersüchtig   verliebt   temperamentvoll

Sie ist _____ und weiß nicht, was sie tun soll.

4

TR. 196

Hören Sie das Gespräch noch einmal und beantworten Sie die Fragen.
Kreuzen Sie die richtige Antwort an.

Gut zu wissen:
Toll bedeutet „sehr gut, sehr schön" und **süß** bedeutet umgangssprachlich „hübsch" oder „lieb".

1. Wo sind Aynur und Claudia?
   - ■ A In einer Kneipe.
   - ■ B In einem Café.
   - ■ C An der Uni.

2. Wer ist Claudia?
   - ■ A Eine Freundin von Eric.
   - ■ B Die beste Freundin von Aynur.
   - ■ C Sylvias Kollegin.

3. Wer ist süß?
   - ■ A Niemand.
   - ■ B Claudia.
   - ■ C Eric.

4. Was haben Aynur und Eric gemacht?
   - ■ A Sie haben geflirtet.
   - ■ B Sie haben gewartet.
   - ■ C Sie haben gespielt.

5. Was sagt Claudia zu Aynur?
   - ■ A Du musst etwas tun!
   - ■ B Du bist toll!
   - ■ C Du hast schöne Augen.

6. Wann treffen sich Aynur und Eric?
   - ■ A Am nächsten Tag.
   - ■ B Vielleicht heute.
   - ■ C Am Montag.

5

Was wissen Sie über Eric? Lesen Sie die Sätze und ergänzen Sie die Lücken.

| lacht | gern | charmant | verliebt | blaue | älter als | blonde |

1. Aynur ist in Eric _____.

2. Sie hat ihn sehr _____.

3. Eric ist temperamentvoll und _____.

4. Er ist jemand, der viel _____.

5. Er ist _____ Aynur.

6. Er hat _____ Augen und _____ Haare.

6

Was bedeuten die folgenden Ausdrücke? Kreuzen Sie die richtige Bedeutung an.

1. Im Dialog **geht es um** Eric.
   - ▪ A Im Dialog spricht Eric.
   - ▪ B Das Thema des Dialogs ist Eric.

2. Du musst **etwas unternehmen**.
   - ▪ A Du musst etwas tun und aktiv sein.
   - ▪ B Du musst etwas nehmen.

3. Und wenn er **nichts für mich empfindet**?
   - ▪ A Und wenn er enttäuscht von mir ist?
   - ▪ B Und wenn er mich nicht gern hat?

4. Ich bin ihm hier **begegnet**.
   - ▪ A Ich habe ihn hier zufällig getroffen.
   - ▪ B Ich habe mit ihm geflirtet.

5. **Das stimmt**.
   - ▪ A Das ist richtig.
   - ▪ B Das brauche ich.

7

Welche Eigenschaften sind bei Partnern oder Freunden wichtig? Lesen Sie die Beschreibungen.

> Mann sucht tolle, selbstbewusste Frau. Ich selbst bin tolerant und offen. Schreib mir einfach eine E-Mail.

> Bist du manchmal ein bisschen schüchtern? Das macht nichts. Wichtig ist, dass du gern lachst, sympathisch und nicht humorlos bist.

> Unfreundliche Kollegen? Stress bei der Arbeit? Dann brauchen Sie liebe Freunde.

> Welche gefühlvolle Person hat Zeit für romantische Abende?

Suchen Sie aus den Texten das Gegenteil und schreiben Sie es in die Lücken.

1. _____ ⟷ verschlossen

2. humorvoll ⟷ _____

3. _____ ⟷ intolerant

4. selbstbewusst ⟷ _____

5. _____ ⟷ unsympathisch

6. freundlich ⟷ _____

7. _____ ⟷ unromantisch

8. _____ ⟷ gefühllos

8

Adjektive lernt man am besten zusammen mit dem Gegenteil. Sie kennen bereits folgende Möglichkeiten der Wortbildung:

(1) Präfix **un-** oder manchmal auch **in-**: **unfreundlich**, **intolerant**. Aussprache: Die Präfixe **un-** und **in-** sind betont.

(2) Adjektive mit der Endung **-voll** bilden oft das Gegenteil mit **-los**: **humorvoll** („mit Humor") – **humorlos** („ohne Humor").

9

Relativsätze sind Nebensätze, die ein Substantiv im Hauptsatz erklären.

Regeln:
(1) Der Relativsatz steht meist direkt nach dem Substantiv, auf das er sich bezieht. Er wird durch Kommas vom Hauptsatz abgetrennt.

Hauptsatz	*Relativsatz*	
Er ist <u>eine Person</u>,	**die sehr romantisch ist.**	

Hauptsatz (1. Teil)	*Relativsatz*	*Hauptsatz (2. Teil)*
<u>Menschen</u>,	**die viel lachen,**	**finde ich toll.**

(2) Relativsätze werden durch ein Relativpronomen eingeleitet.

	Maskulin	Feminin	Neutrum	Plural
Nom.	der	die	das	die
Akk.	den	die	das	die
Dat.	dem	der	dem	denen

Das Verb **begegnen** (+ Dat.) bedeutet immer, dass man eine Person zufällig sieht. Dagegen kann bei **treffen** (+ Akk.) die Begegnung zufällig oder geplant sein, z.B. im Falle eines Termins.

Die Relativpronomen haben die gleichen Formen wie der bestimmte Artikel. Ausnahme: **denen**.

(3) Beispiele mit maskulinem Bezugswort im Singular:

Er ist ein Mensch, <u>**der**</u> **gerne lacht.** *(lachen + Nom.)*
Der Mann, <u>**den**</u> **Aynur getroffen hat, heißt Eric.** *(treffen + Akk.)*
Das ist der Freund, <u>**dem**</u> **ich gestern begegnet bin.** *(begegnen + Dat.)*

Welches Relativpronomen passt?

1. Sie ist eine Frau, _____ gerne lacht.

2. Das Kind, _____ Aynur getroffen hat, ist Lisa.

3. Das sind zwei Freunde, _____ ich gestern begegnet bin.

10

Relativsätze mit Präposition. Lesen Sie die Beispiele.

erzählen von + Dat.
verliebt sein in + Akk.
etwas empfinden für + Akk.

Wie heißt der <u>Mann</u>, ...
... <u>für den</u> sie sich interessiert? *(sich interessieren für + Akk.)*
... <u>mit dem</u> sie spricht? *(sprechen mit + Dat.)*

Schreiben Sie das Relativpronomen in die Lücke.

1. Das ist die Kneipe, von _____ ich dir schon viel erzählt habe.

2. Eric ist der Mann, in _____ Aynur verliebt ist.

3. Menschen, für _____ er etwas empfindet, müssen humorvoll sein.

11

Verbinden Sie die Sätze. Der zweite Satz soll der Relativsatz sein. Beachten Sie, dass der Relativsatz direkt nach dem Bezugswort steht.

1. Sylvia ist Aynurs Kollegin. Ich finde Sylvia sehr nett.

   _____

2. Es gibt viele Themen. Wir interessieren uns für viele Themen.

   _____

3. Es geht um einen Mann. Claudia kennt den Mann nicht.

   _____

4. Meine Eltern sind offene Menschen. Ich spreche mit ihnen über alles.

   _____

12

So können Sie jemanden bitten,
eine Person zu beschreiben:
Wie sieht er/sie aus?
Kannst du ihn/sie beschreiben?

Ihre Antworten können sich auf
das Aussehen oder den Charakter
beziehen:
Er/Sie ist blond, er/sie hat dunkle Haare.
Er/Sie ist schlank ⟷ mollig / groß ⟷ klein.
Er/Sie hat eine sehr gute / tolle Figur.
Er/Sie ist charmant, freundlich, ...
Er/Sie ist jemand, der ... (Relativsatz)

13

Worterklärungen:
sich nahe stehen =
1. sehr gute Freunde
sein; 1. eine enge
Beziehung haben, z.B.
Kinder und ihre Eltern.
zusammen sein =
eine feste (sexuelle)
Beziehung haben.
mein Freund =
1. Freund, mit dem man
eine Freundschaft hat;
2. Partner oder fester
Freund, mit dem man
eine Beziehung hat.

 TR. 197

Über Freundschaften und Beziehungen sprechen:

Was empfindest du für ...?
    Ich empfinde viel/nichts für sie/ihn.
    Ich mag sie/ihn sehr.
    Ich habe sie/ihn sehr gern.

Seid ihr eng befreundet?
    Ja, wir stehen uns nahe.
    Ja, wir sind zusammen.
    Nein, wir sind nur gute Bekannte.

Lebst du mit jemandem zusammen?
    Ja, ich habe eine (feste) Freundin / einen (festen) Freund.
    Nein, ich lebe allein.

Hören Sie drei kurze Dialoge auf Ihrer CD und entscheiden Sie, ob die
folgenden Aussagen richtig oder falsch sind.

	richtig	falsch
1. Maria lebt allein.	■	■
2. Sie stehen sich nahe.	■	■
3. Sie sind eng befreundet.	■	■

14

Erinnern Sie sich noch an die Steigerung von Adjektiven?
klein – kleiner – am kleinsten / kleinst-
gut – besser – am besten / best-
usw.

Regeln:
(1) Vor einem Substantiv haben die Komparativ- und Superlativformen
die üblichen Adjektivendungen.

Grundform	Komparativ	Superlativ
der **schöne** Tag	der **schönere** Tag	der **schönste** Tag
ein **schöner** Tag	ein **schönerer** Tag	–

(2) Die Superlativformen stehen ohne **am** und immer mit dem bestimmten Artikel.
Das ist die beste Kneipe in der Stadt.

(3) Die Komparativformen **mehr** und **weniger** verwendet man ohne
Endung und ohne Artikel:
mehr Musik, mehr Menschen, weniger Ideen.

Ergänzen Sie die Sätze mit den passenden Komparativ- oder Superlativ-
formen.

größte   genauere   jüngerer   hübscheres   mehr   besten

1. Sie sind die _____ Freunde.

2. Kannst du mir eine _____ Beschreibung geben?

3. Kai ist mein _____ Bruder.

4. In Köln gibt es _____ Studenten als in Düsseldorf.

5. Das war die _____ Enttäuschung in meinem Leben.

6. Ein _____ Kind habe ich noch nicht gesehen.

Zur Erinnerung:
Komparativ bei **als**:
älter als
Grundform bei **so …**
wie: so alt wie.

15

Den folgenden Brief hat eine Frau an ihren geliebten Tommi geschrieben.
Für sie ist Tommi nicht einfach nur nett, er ist der netteste Mann der Welt ...
Ergänzen Sie die Superlativformen.

1. Mein lieb_____ Tommi!

Du bist 2. der toll_____ Mann, den ich kenne.

Ich empfinde 3. die größ_____ Freude, wenn ich dich sehe.

Du hast 4. die schön_____ Augen und 5. die süß_____ Lippen.

Und ich bin 6. die glücklich_____ Frau, weil ich dich liebe.

16

Rund um die Liebe: Es gibt viele Wörter, die **-lieb**- enthalten.
Was bedeuten die folgenden Ausdrücke und wie verwendet man sie?
Ordnen Sie die richtige Erklärung zu.

1. sich verlieben in	___ A	Ende eines Briefs oder ein Glückwunsch
2. Liebeskummer haben	___ B	zwei Personen, die sich lieben
3. Alles Liebe!	___ C	alle mögen es sehr
4. Liebling, kannst du ...	___ D	in ihm schreibt man über seine Gefühle
5. das Liebespaar	___ E	der Anfang eines Briefs
6. Liebe Anna, ...	___ F	ein „Name" für Männer oder Frauen, die man liebt
7. ein beliebtes Kind	___ G	beginnen, für jemanden starke Gefühle zu empfinden
8. der Liebesbrief	___ H	traurig über eine unglückliche Liebe sein

1

In einem Restaurant findet man oft eine **Tageskarte** mit besonderen Speisen, die es nur an einem bestimmten Tag gibt. Sehen Sie sich die Tageskarte an. Auf dieser Karte gibt es vier Kategorien:

A Vorspeisen
B Hauptgerichte
C Beilagen
D Nachtisch

Zu welcher Kategorie gehören die folgenden Lebensmittel? Schreiben Sie den Buchstaben auf die Linie. Manchmal passen zwei Kategorien.

Tageskarte

Vorspeisen

Tomatensuppe	4,50 €
Großer Salatteller mit Käse	8,90 €

Hauptgerichte

Kalbsschnitzel	14,80 €
Thunfisch vom Grill	18,50 €
Hähnchenschnitzel süßsauer	16,80 €

Beilagen

Reis	
Pommes frites	3,20 €
Kleiner gemischter Salat	3,20 €
	4,60 €

Nachtisch

Hausgemachter Apfelkuchen	4,00 €

Wir wünschen guten Appetit!

1. die Kartoffeln ___
2. das Obst ___
3. der Fisch ___
4. das Gemüse ___
5. das Eis ___

6. das Brot ___
7. die Bratwurst ___
8. der Käse ___
9. der Salat ___
10. die Nudeln ___

Gut zu wissen:
Die Wörter **das Obst**, **der Reis** und **das Fleisch** verwendet man nur im Singular.

2

 TR. 198

Was sagt man, wenn das Essen oder die Bestellung nicht in Ordnung sind? Hören Sie die Minidialoge auf Ihrer CD und ergänzen Sie die Lücken.

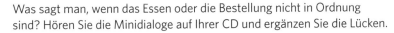

versalzen   mag   vergessen   durch   bestellt   schmeckt

1. **Gast:** Das habe ich nicht _____!

   Bedienung: Oh, Entschuldigung!

2. **Gast 1:** Die Suppe _____ nicht gut.

   Gast 2: Ja, sie ist _____.

3. **Gast 1:** Das Steak ist nicht _____.

   Gast 2: Ich _____ kein blutiges Steak.

4. **Gast:** Haben Sie das Brot _____?

   Bedienung: Ich bringe es sofort.

TR. 199

3

Eric Vanderberg und seine Eltern sitzen in einem eleganten Restaurant. Der Kellner hat bereits die Getränke gebracht und fragt jetzt nach der Bestellung. Hören Sie das Gespräch auf Ihrer CD.

Wer bestellt was? Kreuzen Sie die richtigen Antworten an.

	Eric und sein Vater	seine Mutter
1. Tagessuppe	■	■
2. Steak mit Pfeffersoße	■	■
3. Thunfisch	■	■
4. Reis	■	■
5. Bratkartoffeln	■	■
6. gemischter Salat	■	■

TR. 199

4

Wer stellt die folgenden Fragen? Die Bedienung (**B**) oder der Gast (**G**), also die Familie Vanderberg? Hören Sie das Gespräch noch einmal und schreiben Sie den Buchstaben **B** oder **G** hinter die Frage.

1. Haben Sie schon gewählt? ____

2. Können Sie mir etwas empfehlen? ____

3. Werden die Kartoffeln mit Butter gebraten? ____

4. Möchten Sie vielleicht auch einen Salat? ____

5. Hat euch die Suppe geschmeckt? ____

6. Möchten Sie auch schon den Nachtisch bestellen? ____

5

Ordnen Sie die Antworten den Fragen in Übung 4 zu.

____ A Ja, ich fand sie ausgezeichnet.

____ B Ja. Als Vorspeise nehmen wir dreimal die Tagessuppe.

____ C Nein, wir warten noch und entscheiden uns später.

____ D Ja, ich kann Ihnen den Thunfisch empfehlen.

____ E Ja, ich nehme einen gemischten Salat.

____ F Ja, mit Butter und mit Rosmarin.

6

Die Familie ist mit dem Essen nicht zufrieden. Was ist das Problem? Suchen Sie das Wort in der Buchstabenschlange und schreiben Sie es in die Lücke.

Worterklärungen:
leider ↔ glücklicherweise
ziemlich = fast ganz, sehr
etwas = ein bisschen, ein wenig

1. Die Suppe war leider nur _____ .

2. Das Steak ist noch ziemlich _____ .

3. Der Thunfisch ist etwas zu _____ .

7

Im Dialog gibt es viele neue Verben. Was bedeuten sie? Kreuzen Sie die richtige Antwort an.

1. Fisch oder Fleisch? Was kann Erics Mutter nicht?
   - ◼ A probieren
   - ◼ B sich entscheiden
   - ◼ C schmecken

2. Das Essen schmeckt Eric nicht. Was möchte er tun?
   - ◼ A sich beschweren
   - ◼ B servieren
   - ◼ C zubereiten

3. Was macht der Kellner?
   - ◼ A den Thunfisch braten
   - ◼ B den Salat anmachen
   - ◼ C eine Spezialität empfehlen

Gut zu wissen:
Das Verb **schmecken** hat verschiedene Bedeutungen:
1. „etwas hat einen bestimmten Geschmack". Hier verwendet man nach **schmecken** ein Adjektiv oder **nach** + Substantiv: **Es schmeckt lecker, süß, nach Zwiebeln.**
2. „gefallen, mögen": **Hat Ihnen die Suppe geschmeckt?**

185

8

die Beilage
das Geflügel
das Gericht
das Getränk
der Nachtisch
der Schnaps
die Speise
die Speisekarte

Diese Kategorien können Sie auf einer **Speisekarte** finden:

- **Vorspeisen**
- **Hauptgerichte**

Oft gibt es auf einer Speisekarte folgende Arten von Hauptgerichten:
Fleischgerichte, Fischgerichte, Geflügel, vegetarische Gerichte
- **Beilagen**
- **Desserts**

Und auf der **Getränkekarte** gibt es:
alkoholische Getränke (z.B. **Bier**, **Wein**, **Schnäpse**), **alkoholfreie Getränke**
(z.B. **warme Getränke**, **Softdrinks**)

Suchen Sie in der Liste oben das Synonym.

1. die Hauptspeise = das _____

2. die Nachspeise, der Nachtisch = das _____

9

Gut zu wissen:

Oft verwendet man die Kurzform **Pommes** für **Pommes frites**. Achten Sie auf die Aussprache: Die Endung -es in **Pommes** [pommes] hört man, aber in **Pommes frites** [pomm frit] hört man sie nicht.

Diese Fragen hört man oft in einem Restaurant:
Haben Sie einen Tisch reserviert?
Was nehmen Sie als Hauptgericht / als Dessert?
Haben Sie schon gewählt?

Was antworten Sie? Bringen Sie die Wörter in die richtige Reihenfolge.
Achten Sie bei Satz 2 und 3 auf die Großschreibung am Satzanfang.

1. für vier Personen | reserviert | haben | einen Tisch | wir

    Ja, _____

2. nehme | Hauptspeise | mit Pommes | als | ich | ein Steak

    _____

3. noch nicht | ich | mich | entschieden | habe

    _____

Wenn Sie einen besonderen Wunsch haben, können Sie fragen oder sagen:
Was können Sie mir empfehlen?
Den Salat bitte ohne ... .
Ist es möglich, die Pizza auch mit ... zu bekommen?
Das Steak bitte (gut) durch (= durchgebraten) / halbdurch (oder: medium, englisch) / blutig.

10

Wie heißen die Speisen und Getränke auf den Fotos? Schreiben Sie die
Wörter bitte mit Artikel in die Lücke. Versuchen Sie es zuerst ohne Hilfe.

A der Obstsalat **B** die Bratkartoffeln **C** die Soße **D** das Geflügel
E das Gemüse **F** die Suppe **G** der Schnaps **H** das Eis **I** das Schnitzel

Gut zu wissen:
Die deutsche Küche ist
bekannt für ihre vielen
verschiedenen Soßen.
Die Wortbildung ist
einfach: Man nimmt
die wichtigste Zutat
(z.B. **Pfeffer**, **Käse**, ...)
+ **die Soße** und erhält
die Pfeffersoße, **die
Käsesoße** usw.
Das Wort **Soße**
schreibt man auch
Sauce. Die Aussprache
bleibt gleich.

1 _____

2 _____

3 _____

4 _____

5 _____

6 _____

7 _____

8 _____

9 _____

11

Welcher Geschmack passt am besten zu den Beispielen? Ordnen Sie zu.

1. bitter	___	**A** Kräuter, Rosmarin
2. salzig	___	**B** Kuchen
3. sauer	___	**C** Pfeffer, Zwiebeln
4. scharf	___	**D** Pommes frites, Wasser
5. süß	___	**E** Schnaps, Bier
6. würzig	___	**F** Zitronen

12

Kochen Sie gerne? Dann sind die folgenden Wörter interessant:

- Ein anderes Wort für **kochen** ist **zubereiten** .
  Das Verb **kochen** bezieht sich nur auf warme Speisen, **zubereiten** auf warme und kalte Speisen.

Beachten Sie:
zubereiten (kochen)
≠ **vorbereiten** (z.B. Lebensmittel einkaufen, Tisch decken usw.)

- Die folgenden Verben erklären genauer, wie man etwas zubereitet: **backen, braten, grillen, anmachen** und noch einmal **kochen** (!) in der Bedeutung „Essen in einer 100 Grad heißen Flüssigkeit, z.B. Wasser, zubereiten".

- Die Partizipien **gebacken, gebraten, gegrillt** usw. kann man wie Adjektive verwenden, z.B. **eine gegrillte Bratwurst**.

Kreuzen Sie das richtige Wort an.

1. eine Pizza
   - ■ A grillen
   - ■ B backen
   - ■ C kochen

2. einen Salat
   - ■ A anmachen
   - ■ B kochen
   - ■ C braten

3. gebratener
   - ■ A Kuchen
   - ■ B Käse
   - ■ C Fisch

4. gekochte
   - ■ A Kräuter
   - ■ B Kartoffeln
   - ■ C Schnitzel

13

Welches Verb passt? Ergänzen Sie die Sätze.

1. Wir haben einen Tisch _____ . (serviert | reserviert | probiert)

2. Der Obstsalat _____ mir nicht. (schmeckt | ist | mag)

3. Das Fleisch ist trocken. Ich möchte mich _____ .
   (entscheiden | bestellen | beschweren).

4. Die Bedienung _____ eine Spezialität. (empfiehlt | wählt | wartet)

14

Vergleichen Sie die Sätze:

Aktiv: **Der Koch grillt den Fisch.**

Passiv: **Der Fisch wird (von dem Koch) gegrillt.**

<u>Regeln:</u>
(1) Mit dem Passiv beschreibt man einen Vorgang („Was wird gemacht? Was passiert?").
In dem Beispiel **Der Fisch wird gegrillt**. ist wichtig, was mit dem Fisch passiert. Die handelnde Person (der Koch) ist unwichtig.

(2) Bildung:

Hilfsverb **werden** + Partizip Perfekt des Hauptverbs	
Passiv Präsens:	**Die Kartoffeln werden gekocht.**
Passiv Präteritum:	**Die Kartoffeln wurden gekocht.**
Passiv Perfekt:	**Die Kartoffeln sind gekocht worden.**

(3) Wenn man die Person nennen möchte, verwendet man **von** + Dativ:
Der Fisch wurde von der Bedienung empfohlen.

15

Ergänzen Sie die Sätze mit den Präsensformen von **werden**.

werdet   werde   wird   werden   werden   wirst

1. Ich _____ sehr geliebt.

2. Du _____ nicht richtig verstanden.

3. Das Steak _____ auf dem Grill gebraten.

4. Wir _____ oft von unseren Eltern angerufen.

5. Ihr _____ im Krankenhaus untersucht.

6. Die Beilagen _____ sofort gebracht.

Und gestern? Ergänzen Sie die Sätze 1 bis 6 auch mit den Präteritumsformen **wurde**, **wurdest** usw. und den Perfektformen **bin ... worden**, **bist ... worden** usw.

16

Bringen Sie die Wörter in die richtige Reihenfolge und schreiben Sie die Sätze im Passiv.

1. mit | Die | serviert | werden | Reis | Hauptgerichte | .

   _____

2. gemacht | Dressing | aus | Das | Joghurt und Kräutern | wurde | .

   _____

3. Herrn Vanderberg | Die | worden | Rechnung | von | ist | bezahlt | .

   _____

17

Was sagen Sie, wenn Sie sich in einem Restaurant höflich beschweren möchten?
Lesen Sie die Situationen 1 bis 7 und ordnen Sie dann die passenden Sätze zu. Lesen Sie dann die Beschwerden noch einmal laut.

1. Ihre Vorspeise ist nicht heiß genug.

2. Sie bekommen ein falsches Getränk.

3. Ihr Essen kostet 15,50 Euro, aber Sie sollen 17,20 Euro bezahlen.

4. Sie warten schon sehr lange auf Ihr Dessert.

5. Sie haben drei Salate bestellt, Sie bekommen aber nur zwei.

6. Die Bedienung kommt nicht.

7. Auf dem Steak waren zu viele Zwiebeln und zu viel Pfeffer.

___ A Die Rechnung stimmt nicht.

___ B Die Suppe ist nur lauwarm. Kann ich bitte eine andere bekommen?

___ C Hier fehlt noch eine Beilage.

___ D Mit dem Essen bin ich nicht so zufrieden. Es ist zu scharf.

___ E Haben Sie meinen Nachtisch vergessen?

___ F Entschuldigung! Können wir bitte bestellen?

___ G Dieses Getränk habe ich nicht bestellt.

18

1. 2.

Lesen Sie die Texte. Welcher Text passt zu Foto 1 und 2?

Foto 1: Text ____

Foto 2: Text ____

Interkulturelles

Tipps für den Besuch in einem Restaurant

1. *Den Kellner rufen*

„Herr Ober!" wird nur noch selten und vor allem in besseren Restaurants benutzt. Oft verwendet man einfach das Wort „Hallo!", das man auch für Kellnerinnen benutzen kann. Am elegantesten ist es, nichts zu sagen und nur die Hand zu heben.

2. *Brot und Wasser*

In vielen Ländern stehen Brot und Wasser schon auf dem Tisch. In den deutschsprachigen Ländern werden die Hauptgerichte traditionell ohne Brot gegessen. Wasser müssen Sie wie alle anderen Getränke extra bestellen.

3. *Reservierung*

Normalerweise muss man keinen Tisch reservieren. Wenn man aber mit einer größeren Gruppe von Leuten essen gehen will oder wenn man sich für ein sehr populäres Restaurant entschieden hat, ist es sicherer, vorher anzurufen und zu reservieren.

4. *Trinkgeld*

Das Trinkgeld ist nicht in der Rechnung enthalten. Normalerweise gibt man ein Trinkgeld von 5 bis 10 Prozent. Oder man rundet die Rechnung auf, zum Beispiel: Das Essen kostet 18,50 Euro. Man gibt 20 Euro und sagt: „Stimmt so!"

Wir wünschen guten Appetit!

1

Auf den Fotos sehen Sie ein paar Gerichte, um die es in dieser Lektion geht. Lesen Sie die Beschreibungen.

1.

Der **Braten** ist ein Fleischgericht, das zusammen mit einer Soße serviert wird. Meistens wird Schweine- oder Rindfleisch verwendet.

2.

Klöße werden aus Kartoffeln gemacht und in Salzwasser gekocht. Sie sind eine typische Beilage zu Braten.

3.

Pfannkuchen sind eine beliebte Süßspeise. Besonders lecker sind sie, wenn man sie mit Quark oder Marmelade füllt.

2

Zuerst wird das Essen gekocht, dann wird der Tisch gedeckt. Dazu brauchen Sie **Besteck** und **Geschirr**. Schreiben Sie die Wörter in die richtige Spalte.

> die Gabel   die Pfanne   die Tasse   das Messer   die Kuchengabel
> der Löffel   der Teller   die Schüssel   der Kochlöffel   der Topf

Besteck

Geschirr

_____   _____
_____   _____
_____   _____
_____   _____

3

 TR. 200

Vor zwei Wochen hat Susanne Kowalski Sylvia zum Abendessen einge-
laden. Heute treffen sie sich. Die Vorbereitungen für das Abendessen bei
Familie Kowalski sind fast fertig.
Hören Sie das Gespräch ein erstes Mal und konzentrieren Sie sich auf die
Personen. Was machen sie? Wo sind sie?

Was ist richtig? Kreuzen Sie an.

1. Thomas und seine Tochter Lisa ...
   - ▨ A decken den Tisch.
   - ▨ B trinken Wasser.

2. Susanne und Sylvia ...
   - ▨ A sind im Esszimmer und warten auf das Essen.
   - ▨ B sind in der Küche und bereiten das Essen zu.

3. Sylvia lädt Familie Kowalski ein und ...
   - ▨ A will der Familie Wien zeigen.
   - ▨ B will dann eine Spezialität aus Österreich kochen.

4

 TR. 200

Hören Sie das Gespräch noch einmal. Um welche Lebensmittel geht es?
Kreuzen Sie die Wörter an, die Sie hören.

Die **Brühe** ist eine
klare Suppe, die aus
Rindfleisch oder
Gemüse gekocht wird.
Pflaumen sind süßes,
blaues Obst.

	ja	nein
1. Saft	▨	▨
2. Pfannkuchen	▨	▨
3. Pflaumen	▨	▨
4. Pfeffer	▨	▨
5. Öl	▨	▨
6. Süßigkeiten	▨	▨
7. Süßspeisen	▨	▨
8. Bier	▨	▨
9. Brühe	▨	▨
10. Schokolade	▨	▨

TR. 200

5

Lesen Sie die Fragen und notieren Sie die Antworten aus dem Gespräch. Ordnen Sie dann die Antworten unten zu und vergleichen Sie sie mit Ihren Notizen.

Notizen:

1. Wofür brauchen sie so viele Gläser? _____
2. Was für Wein bevorzugen Sylvia und Susanne? _____
3. Wonach riecht es in der Küche? _____
4. Warum wird die Soße mit Pflaumen und Essig zubereitet? _____
5. Sylvia schmeckt das Essen sehr. Was sagt sie? _____
6. Wofür haben sich Sylvia und Aynur noch nicht entschieden? _____

___ A Nach Gewürzen.

___ B So bekommt sie einen süß-sauren Geschmack.

___ C Rotwein.

___ D Für eine Reise nach Wien.

___ E Für Wasser, Wein und Saft.

___ F Mein Kompliment!

6

Worterklärungen:
verfeinern: den Geschmack einer Speise besser machen
umrühren: mit einem Kochlöffel etwas mischen
schneiden (Partizip Perfekt: **geschnitten**): etwas mit einem Messer in kleine Stücke teilen

Wie wird die österreichische Spezialität **Frittatensuppe** zubereitet? Bringen Sie die Sätze in die richtige Reihenfolge.

1. Wenn sie heiß ist,
2. in die Brühe gelegt.
3. Das Rezept für Frittatensuppe:
4. Zuerst backt man viele Pfannkuchen.
5. Umrühren und fertig!
6. werden die Pfannkuchenstreifen
7. Danach müssen sie in feine Streifen geschnitten werden.
8. Dann bereitet man eine Brühe vor.

Richtige Reihenfolge: _____

7

Sie kennen schon viele Verben mit Präposition, zum Beispiel:
sich interessieren für, sich entscheiden für, riechen nach, sich freuen über, sich freuen auf, warten auf, denken an usw.

Mit was für einem Fragewort stellt man passende Fragen? Vergleichen Sie:

Frage nach Sachen: **Woran** denkst du? – *Antwort:* **An** Süßigkeiten.

Frage nach Personen: **An wen** denkst du? – *Antwort:* **An** Susanne.

Der Ausdruck **sich freuen auf** bezieht sich auf etwas, das man erwartet oder erhofft, **sich freuen über** auf etwas, das bereits da ist.

Regeln:
(1) Wenn man nach Sachen fragt, ist das Fragewort **wo-** + Präposition:
Wofür interessierst du dich? – Für neue Rezepte.
Wonach riecht es? – Nach Gewürzen.
Bei Präpositionen, die mit einem Vokal (**an**, **auf**, **um**) oder einem Umlaut (**über**) beginnen, wird nach **wo-** ein **r** hinzugefügt: **wo-** + **r** + Präposition:
Worüber freut sie sich? – Über das Kompliment.

(2) Wenn man nach Personen fragt, verwendet man als Fragewort die Präposition und **wen** (Akkusativ) / **wem** (Dativ):
Für wen interessierst du dich? – Für Eric.
Mit wem triffst du dich? – Mit einer Freundin.

8

Ergänzen Sie das Fragewort. Versuchen Sie es zuerst ohne Hilfe.

Auf wen	Mit wem	Worauf	Wofür	Worüber	Wozu

1. _____ passt Weißwein? – Zu Fisch.

2. _____ sprecht ihr? – Über das Abendessen.

3. _____ warten sie? – Auf ihre Eltern.

4. _____ freut sich Lisa? – Auf das Dessert.

5. _____ entscheiden Sie sich? – Für Rotwein.

6. _____ fährst du nach Wien? – Vielleicht mit Aynur.

9

Gut zu wissen:
1. Der Plural von **das Ei** ist **die Eier**.
2. Das österreichische Wort für **der Quark** ist **der Topfen**.
3. **Ketschup** wird auch **Ketchup** und **Majonäse** auch **Mayonnaise** geschrieben.

Hier sind ein paar wichtige **Zutaten**, die man zum Kochen braucht:

A das Öl, der Essig

B das Salz, der Pfeffer, der Paprika, die Kräuter

C der Zucker, das Mehl, die Milch, die Sahne, der Quark, die Butter, das Ei

D der Senf, der/das Ketschup, die Majonäse

Beantworten Sie die Fragen und schreiben Sie A, B, C oder D in die Lücke.

1. Welche Zutaten brauchen Sie für einen Kuchen? _____

2. Was passt zu Bratwurst oder zu Pommes? _____

3. Mit welchen Zutaten machen Sie einen Salat an? _____

4. Welche Zutaten sind Gewürze? _____

10

Wie heißen die Tätigkeiten, die Sie auf den Fotos sehen? Kreuzen Sie das richtige Wort an.

■ **A** füllen
■ **B** umrühren
■ **C** legen

■ **A** verfeinern
■ **B** würzen
■ **C** schneiden

11

In einem **Haushalt** gibt es viele verschiedene Tätigkeiten. Welches Verb passt? Ordnen Sie zu.

1. Das einfache Verb **spülen** und die trennbaren Verben **abspülen** und **abwaschen** werden synonym verwendet.
2. Das Verb **gießen** ist unregelmäßig (**goss**, **hat gegossen**) und bedeutet „einer Pflanze Wasser geben".

1

2

1. Hemden und Blusen	___ A decken
2. den Tisch	___ B spülen
3. die Pfannkuchen mit Quark	___ C mischen
4. Kartoffeln	___ D gießen
5. das Geschirr	___ E putzen
6. die Blumen	___ F füllen
7. die Fenster	___ G bügeln *(Foto 1)*
8. Zucker, Eier, Milch und Mehl	___ H schälen *(Foto 2)*

12

TR. 201

Hören Sie auf Ihrer CD, was Susanne und Thomas über ihren Haushalt erzählen. Wer macht was? Susanne, Thomas oder beide?
Beantworten Sie die Fragen und kreuzen Sie die richtige Person an.

	Susanne	Thomas
1. Wer putzt die Wohnung?	■	■
2. Wer bügelt die Wäsche?	■	■
3. Wer geht einkaufen?	■	■
4. Wer räumt auf?	■	■
5. Wer deckt den Tisch?	■	■
6. Wer spült ab?	■	■

13

Das Passiv mit Modalverben hat drei Teile:

Modalverb + Partizip Perfekt des Hauptverbs + Infinitiv von **werden**

Regel:
Nur das Modalverb wird konjugiert. Es steht in Hauptsätzen an zweiter Position, das Partizip Perfekt und **werden** stehen am Ende.

Präsens: Die Suppe **kann** mit Gewürzen **verfeinert werden**.
Präteritum: Der Tisch **musste** noch **gedeckt werden**.

14

Bringen Sie die Wörter in die richtige Reihenfolge und schreiben Sie die Sätze.

1. geholt | Die Getränke | müssen | werden | aus dem Keller |.

    _____

2. nicht zu lange | Die Suppe | gekocht | werden | darf |.

    _____

3. werden | Zuerst | gebacken | die Pfannkuchen | sollen |.

    _____

15

Tipp für Bildung des Partizips: **Bügeln** und die trennbaren Verben **einkaufen** und **abspülen** sind regelmäßige Verben, nur **waschen** ist ein unregelmäßiges Verb.

Was musste gemacht werden? Schreiben Sie Passivsätze mit dem Modalverb **müssen** im Präteritum und dem angegebenen Verb.

1. einkaufen
    Die Zutaten für den Braten _____ .

2. abspülen
    Das Geschirr _____ .

3. waschen und bügeln
    Die Hemden _____ .

16

Wie macht man **Pfannkuchen**? Ergänzen Sie das Rezept. Lesen Sie dann den Text noch einmal laut und achten Sie auf die Passivformen.

geschnitten gebraten gewendet gefüllt
zubereitet gelegt muss können

Zuerst _____ **(1)** ein Teig aus Eiern, Milch, Mehl und etwas Salz

_____ **(2)** werden. Dann werden die Pfannkuchen in einer Pfan-

ne _____. **(3)** Nach ein paar Minuten müssen sie auf die andere

Seite _____ **(4)** werden.

Für eine Süßspeise _____ **(5)** die Pfannkuchen mit süßem Quark

_____ **(6)** werden. Für Frittatensuppe müssen sie in Streifen

_____ **(7)** und in eine heiße Brühe _____ **(8)** werden.

17

Viele deutsche Substantive sind aus zwei oder mehr Wörtern zusammen-gesetzt. Es gibt folgende Möglichkeiten:

(1) Substantiv + Substantiv
der Wein + <u>das</u> **Glas** = **das Weinglas**
das Glas + <u>die</u> **Schüssel** = **die Glasschüssel**
Manchmal wird **-(e)s-** oder **-(e)n-** zwischen die Substantive eingefügt:
das Kalbs̱schnitzel, der Suppen̲teller.

(2) Adjektiv + Substantiv
süß + **die Speise** = **die Süßspeise**

(3) Verb + Substantiv
kochen + **der Löffel** = **der Kochlöffel**
Die Infinitivendung **-(e)n** wird meist gekürzt (**koch-**).

Finden Sie das zusammengesetzte Wort und schreiben Sie es in die Lücke.

1. Ü B S G R I N D F L E I S C H K Ä X I S – das _____

2. S I P P T U S A U E R B R A T E N O F F – der _____

3. K O K U C H E N G A B E L I V E N P E T – die _____

18

Aus welchem Land sind die Spezialitäten auf den Fotos? Lesen Sie die Texte und schreiben Sie das Land und den Namen der Spezialität unter die Fotos.

1 _____ 2 _____ 3 _____

_____ _____ _____

Interkulturelles

Spezialitäten aus Deutschland, Österreich und der Schweiz

Deutschland:
Wenn Sie gerne Fleisch essen, empfehlen wir **Bratwürste mit Sauerkraut** und alle Arten von Braten, wie zum Beispiel **Sauerbraten mit Klößen**.

Österreich:
Österreich ist für seine Süßspeisen berühmt, zum Beispiel:
Topfenstrudel: gerollter Kuchen, gefüllt mit Topfen (Quark).
Topfenpalatschinken: Pfannkuchen, gefüllt mit Quark.

Schweiz:
Käsefondue: heißer, geschmolzener (= flüssig gemachter) Käse, in den man auf einer Gabel Brotstücke taucht.
Züricher Geschnetzeltes: Kalbsfleisch, in Streifen geschnitten und in einer cremigen Weinsoße mit Champignons.

TR. 202

1

Der Campingurlaub   Urlaub in der Türkei   Eine Städtereise

günstig = preiswert, nicht teuer
die Pauschalreise = eine Reise, bei der alle Kosten (Flug, Hotel usw.) in einem Preis zusammengefasst sind.
buchen = fest bestellen und bezahlen

Urlaubszeit! Was muss man planen und vorbereiten?
Hören Sie auf Ihrer CD, was die Personen sagen. Verbinden Sie dann die Sätze.

1. Wir planen ...	____ A einen günstigen Flug im Internet.
2. Wir buchen ...	____ B Geld.
3. Wir suchen ...	____ C einen Kurzurlaub in die Türkei.
4. Wir packen ...	____ D eine Pauschalreise im Reisebüro.
5. Wir wechseln ...	____ E unseren Koffer.

2

Manchmal ist es schwer zu entscheiden, wohin man fahren möchte, wo man übernachten möchte usw.
Hier sind ein paar Möglichkeiten. Ergänzen Sie die fehlenden Wörter.

die Jugendherberge = eine Art Hostel für junge Menschen
die Verpflegung = Essen und Getränke auf einer Reise
die Vollpension = Frühstück, Mittag- und Abendessen
die Übernachtung, übernachten = nicht zu Hause schlafen

| Vollpension   Meer   Jugendherberge   Einzelzimmer |

1. **Das Reiseziel:** Das _____, das Gebirge oder eine Stadt?

2. **Die Unterkunft:** Ein Hotel, ein Campingplatz oder eine _____?

3. **Die Verpflegung:** Nur mit Frühstück oder mit _____?

4. **Die Übernachtung:** Im _____, im Doppelzimmer, im Wohnwagen oder bei Freunden?

TR. 203

3

Sylvia und Aynur wollen zusammen Urlaub machen. Zu Hause sprechen sie über verschiedene Möglichkeiten. Dann gehen sie in ein Reisebüro.

Hören Sie das Gespräch auf Ihrer CD und beantworten Sie die Fragen.

1. Wohin möchte Sylvia zuerst fliegen? ▪ Wien ▪ Antalya
2. Wo will Aynur lieber Urlaub machen? ▪ am Meer ▪ in einer Stadt
3. Hat das Reisebüro eine passende
   Reise für sie? ▪ ja ▪ nein

TR. 203

4

Lesen Sie die Aussagen. Sind sie richtig oder falsch?

Hören Sie das Gespräch noch einmal und kreuzen Sie an.

		richtig	falsch
1.	Der Urlaub von Sylvia und Aynur soll nicht teuer sein.	▪	▪
2.	Aynur möchte Sylvias Heimatstadt sehen.	▪	▪
3.	Wien bietet viele kulturelle Möglichkeiten.	▪	▪
4.	Aynurs Mutter lebt in der Türkei.	▪	▪
5.	Es gibt keinen Flug mehr nach Wien.	▪	▪
6.	Sylvia und Aynur reservieren ein Doppelzimmer.	▪	▪
7.	Sie buchen einen Flug nach Antalya.	▪	▪

5

Lesen Sie die Sätze aus dem Dialog. Schreiben Sie die Verben in die richtigen Lücken.
Wenn Sie nicht genau wissen, welches Verb passt, können Sie das Gespräch noch einmal hören.

anbieten = sagen, dass jemand etwas haben kann
faulenzen ↔ aktiv sein, arbeiten
sich erkundigen = nach etwas fragen

| übernachten buchen fliegen anbieten erkundigen faulenzen |

1. Ich möchte am Strand liegen und _____.

2. Wir können bei Freunden _____ und brauchen kein Hotel.

3. Wir möchten uns nach Flügen _____.

4. Wir möchten einen Flug nach Antalya _____.

5. Wir wollen am 24. September _____ und eine Woche bleiben.

6. Können Sie uns einen günstigen Flug _____?

6

Sylvia und Aynur sind wieder zu Hause und planen ihre Reise.
Lesen Sie die Sätze und finden Sie das fehlende Substantiv oder Verb in der Buchstabenschlange. Lesen Sie dann die Sätze noch einmal laut.

1. **Der Reiseführer** ist ein Buch mit Informationen über eine Stadt, eine Region oder ein Land.
2. Koffer, Taschen usw. nennt man **das Gepäck**.

1. Müssen wir ein _____ beantragen?
   G R T A N A D G V I S U M G H D A Z R

2. Gestern habe ich einen Reiseführer und einen _____ gekauft.
   Z L E T U N S T A D T P L A N R E R A U F S Y

3. Ich muss noch eine Kreditkarte _____.
   V Ä R G I G A B E S O R G E N B E R L Ö

4. Wir dürfen unsere _____ nicht vergessen.
   A N Y S R E I S E P Ä S S E Ä N D I X

5. Sollen wir für das Gepäck eine _____ abschließen?
   U I H J A R T E V E R S I C H E R U N G S T E R

203

7

Gut zu wissen:
der See (Plural:
Seen) ≠ **die See**, z.B.:
**der Bodensee, der
Chiemsee**
die See (nur Singular)
= **das Meer**, z.B.: **die
Nordsee, die Ostsee**

Im Inland und im Ausland gibt es viele schöne Reiseziele:
die **Alpen**, die **Berge**, das **Gebirge**, die **Insel**, das **Land** (im Unterschied zur
Stadt), das **Meer**, der **See**, der **Strand**, der **Süden**, die **Wüste**.

Welches Reiseziel wird hier beschrieben? Schreiben Sie es in die Lücke.

1. Die **Nordsee** ist kein See, sondern ein _____ im Norden von
   Deutschland.

2. Die **Sahara** ist eine _____ .

3. Mein idealer Urlaub: Eine Insel mit Sonne, Meer und _____ .

4. Städtereisen mag ich nicht. Ich mache lieber Urlaub auf dem _____ .

8

Dativ:
am (an + dem)
beim (bei + dem)
im (in + dem)
zum (zu + dem)
zur (zu + der)
Akkusativ:
ans (an + das)
aufs (auf + das)
ins (in + das)

Die meisten
Ländernamen werden
ohne Artikel gebraucht,
aber nicht: **die Schweiz**
und **die Türkei**. Dann
heißt es: **Wir machen
Urlaub** in der **Türkei.
Wir fahren** in die
Schweiz.

Wenn man über Urlaub und Reiseziele spricht, braucht man sehr oft die
Präpositionen **an**, **auf**, **bei**, **in**, **nach** und **zu**.

Regeln:
(1) Nach **bei**, **nach** und **zu** folgt ein Substantiv im Dativ.
(2) Nach **an**, **auf** und **in** kann das Substantiv im Dativ (Frage: Wo?) oder
im Akkusativ (Frage: Wohin?) stehen.

Schreiben Sie die passenden Präpositionen in die Lücken.

	Wo macht ihr Urlaub?	**Wohin fahrt ihr?**
1.	**am** Meer	_____ Meer
2.	_____ Gebirge	**ins** Gebirge
3.	**auf dem** Land	_____ Land
4.	_____ Österreich	**nach** Österreich
5.	**im** Ausland	_____ Ausland
6.	_____ Freunden	**zu** Freunden
7.	**zu** Hause	_____ Hause

9

Bei den indirekten Fragen gibt es wie bei den direkten Fragen zwei Arten:
(1) W-Fragen und (2) Ja-/Nein-Fragen. Vergleichen Sie:

	Direkte Frage:	Indirekte Frage:
(1)	**Wie viel** kostet der Flug?	Ich weiß nicht, **wie viel** der Flug kostet.
(2)	Ist der Flug teuer?	Ich weiß nicht, **ob** der Flug teuer ist.

Regeln:
(1) Indirekte *W-Fragen* haben das gleiche Fragewort wie die entsprechen-
de direkte Frage, z.B. **warum**, **wer**, **wann**, **...**:
Wir müssen uns entscheiden, <u>wohin</u> wir fahren wollen.
Ich weiß nicht, <u>woran</u> er denkt.

(2) Indirekte *Ja-/Nein*-Fragen werden mit der Konjunktion **ob** eingeleitet:
Ich frage mich, <u>ob</u> er zu Hause ist. (← Ist er zu Hause?)
Weißt du, <u>ob</u> sie nach Wien fährt? (← Fährt sie nach Wien?)

(3) Wortstellung: Indirekte Fragen sind Nebensätze. Deshalb steht das
konjugierte Verb am Ende des Satzes.

10

Kreuzen Sie den richtigen Ausdruck an.

1. _____, ob wir morgen Zeit haben.
   - ■ A Ihr sagt uns
   - ■ B Wir wissen nicht
   - ■ C Wir fragen

2. Ich frage mich, wofür _____
   - ■ A er hat sich entschieden.
   - ■ B er sich entschieden hat.
   - ■ C sich er hat entschieden.

3. _____, ob es noch freie Plätze gibt.
   - ■ A Ich weiß
   - ■ B Ich bin mir sicher
   - ■ C Ich möchte fragen

4. _____ meine Reisetasche ist?
   - ■ A Weißt du, wo
   - ■ B Weißt du, ob
   - ■ C Weißt du, woran

1. Mit indirekten
Fragen formuliert
man oft Unsicherheit,
Nichtwissen oder
Fragen, bei denen man
sich nicht sicher ist. Sie
stehen nach Verben
wie z.B. **(nicht) sagen**,
(nicht) fragen, **(sich)
fragen** und **(nicht)
wissen**.
2. Beachten Sie das
Satzzeichen:
Ich weiß nicht, ob er
kommt. (mit Punkt)
Weißt du, ob er
kommt? (mit
Fragezeichen)

11

Welche Unterkunft wählen Sie? Lesen Sie die Beschreibungen und ordnen Sie sie der passenden Unterkunft zu.

1. Der Campingplatz: 4. Die Jugendherberge:

2. Der Bauernhof: 5. Die Pension:

3. Das Ferienhaus:

___ A Günstiges Doppelzimmer mit Frühstück.

___ B Ohne Verpflegung. Sie kochen und putzen die Zimmer selbst.

___ C Unterkunft für junge Menschen, einfache Mehrbettzimmer.

___ D Im Wohnwagen oder im Zelt und Schlafsack übernachten.

___ E Urlaub auf dem Land. Ideal für Familien: Die Kinder haben einen direkten Kontakt zu Tieren.

12

Hören Sie zu jedem Foto drei Sätze und entscheiden Sie, welcher am besten passt. A, B oder C? Kreuzen Sie an.

 TR. 204

- A
- B
- C

 TR. 205

- A
- B
- C

 TR. 206

- A
- B
- C

13

Im Hauptdialog konnten Sie Wörter wie **daran, davon** und **damit** hören.
Welche Funktion haben diese Wörter? Lesen Sie die Beispiele:

Was hältst du <u>von dieser Idee</u>? – Ich halte nichts <u>davon</u>.
Freust du dich <u>auf den Urlaub</u>? – Ja, ich freue mich sehr <u>darauf</u>.

<u>Regeln:</u>
(1) Wenn Sie einen Ausdruck mit einer Präposition nicht wiederholen
möchten, verwenden Sie ein Wort, das aus **da-** + Präposition gebildet
wird. Dieses Wort heißt in der Grammatik **Pronominaladverb.**

Bei Präpositionen, die mit einem Vokal (**an**, **auf**, **um**) oder einem Umlaut
(**über**) beginnen, verwendet man **da-** + **r** + Präposition: **daran, darüber.**

(2) Pronominaladverbien können Sie nur für Sachen verwenden.
Für Personen verwenden Sie einfach die Präposition und ein Personalpro-
nomen (**mich**, **mir**, **dich** usw.):
Was hältst du <u>von ihm</u>? Wir freuen uns <u>auf euch</u>.

14

Lesen Sie die Fragen und ergänzen Sie dann die Antwort mit dem richti-
gen Pronominaladverb.

1. Bist du mit dieser Idee einverstanden?

    – Nein, ich bin _____ nicht einverstanden.

2. Interessieren Sie sich für Städtereisen?

    – Ja, ich interessiere mich sehr _____.

3. Wann erkundigst du dich nach einem günstigen Flug?

    – Ich erkundige mich morgen _____.

Mit den Wörtern
daran, **damit** usw.
kann man auch einen
ganzen Satz ersetzen.
Ein Beispiel mit dem
Verb **denken an**: **Ich**
habe nicht viel Geld.
Wir müssen **daran**
denken.

15

Wenn Sie in ein Reisebüro gehen oder dort anrufen, können Sie das Gespräch so beginnen:

Ich möchte mich nach einem günstigen Flug erkundigen.
Ich interessiere mich für eine Pauschalreise nach ... (Reiseziel)
Ich möchte mich über Last-Minute-Angebote informieren.

Auch Eric möchte Urlaub machen. Er ruft in einem Reisebüro an.
Ergänzen Sie den Dialog mit den folgenden Wörtern.

> kostet   erkundigen   bleiben   reservieren
> anbieten   Einzelzimmer   Meer   Vollpension
> Unterkunft   Urlaub   inklusive

Es ist kein Zufall, dass auch Eric in die Türkei fliegt. Die Türkei ist nämlich eines der beliebtesten Urlaubsländer der Deutschen.

Eric: Guten Tag, mein Name ist Eric Vanderberg. Ich möchte in Antalya eine Woche _____ **(1)** machen und mich nach günstigen Angeboten _____. **(2)**

Reisebüro: Wie lange wollen Sie _____ **(3)** ?

Eric: Eine Woche.

Reisebüro: Ich kann Ihnen eine Pauschalreise für 534,- Euro _____. **(4)**

Eric: Dieser Preis ist _____ **(5)** Hotel und Flug, richtig?

Reisebüro: Ja. Sie wohnen in einem Hotel mit Blick aufs _____ **(6)**.

Eric: Ist es möglich, ein _____ **(7)** zu bekommen?

Reisebüro: Ja, aber das _____ **(8)** dann 61,- Euro mehr.

Eric: In Ordnung. Ist die _____ **(9)** mit Halbpension?

Reisebüro: Nein, sogar mit _____. **(10)**

Eric: Sehr gut. Bitte _____ **(11)** Sie dieses Angebot für mich. Ich komme dann heute Nachmittag bei Ihnen vorbei.

Reisebüro: Sehr gerne. Auf Wiederhören.

16

TR. 207

Üben Sie die Aussprache von **f**, **v** and **w**:
- **f** und **w** werden „f" und „w" ausgesprochen: <u>**Flug**</u>, <u>**Wien**</u>,
- **v** wird „f" oder „w" ausgesprochen: <u>**Vater**</u> („f"), aber <u>**Visum**</u> („w").

Hören Sie die folgenden Wörter auf Ihrer CD und sprechen Sie sie nach.

Die Wörter in dieser Übung, bei denen **v** wie „w" gesprochen wird, kommen aus der lateinischen Sprache.

der **W**ohnwagen
das **F**erienhaus
die Reise**v**ersicherung
das **V**isum
die **W**üste

ein**v**erstanden
inklusi**v**e
wie **v**iel
die Reser**v**ierung
sich in**f**ormieren

1

Welche Beschreibung passt zu welchem Foto?

___ **A** Das Flugzeug befindet sich im Anflug. In wenigen Minuten landet es auf dem Flughafen.

___ **B** Hier kann man sich informieren, ob das Flugzeug planmäßig oder mit Verspätung startet und von welchem Flugsteig man abfliegt.

___ **C** Am Check-in-Schalter bekommen die Fluggäste ihre Bordkarte und stellen ihr Gepäck auf ein Band.

 TR. 208

2

Aynur hat eine türkische Mutter, die nicht mehr in Deutschland lebt. Die Geschichte ihrer Familie beginnt aber schon bei den Großeltern.
Lesen Sie den Beginn und hören Sie die Sätze 1 bis 6 auf Ihrer CD. Schreiben Sie die fehlenden Wörter in die Lücken. Eine Antwort auf die Frage am Ende bekommen Sie später im Hauptdialog.

1. Aynurs Großeltern kamen aus der _____ nach Deutschland.

2. Hier arbeiteten sie als _____ .

3. Ihre Tochter, Aynurs Mutter, ist in Düsseldorf _____ .

   Als sie 20 Jahre alt war, ging die ganze Familie in die Türkei. Ihre Eltern wollten, dass sie einen türkischen Mann heiratet. Aber:

4. Sie heiratete einen _____ .

   Mit ihm lebte sie zuerst in der Türkei, dann in Deutschland.

5. Später _____ sie in die Türkei _____ .

6. Was kann der _____ dafür sein?

> kehrte   Deutschen   geboren   Grund   Türkei
> Gastarbeiter   zurück

TR. 209

3

Sylvia und Aynur konnten einen Flug nach Antalya im Internet buchen. Das Gespräch, das Sie auf Ihrer CD hören, hat zwei Teile. Worum geht es?

Hören Sie die zwei Teile des Gesprächs und ordnen Sie A bis G zu.

> **A** Anflug auf Antalya **B** Abflug in Düsseldorf **C** Aynurs Mutter
> **D** im Flugzeug **E** am Schalter **F** Sylvias Fototasche
> **G** Unterschied Deutschland – Österreich

1. Was passt zu Teil 1?
_____

2. Was passt zu Teil 2?
_____

4

TR. 209

Lesen Sie zuerst die Fragen und hören Sie dann das Gespräch noch einmal. Kreuzen Sie die richtige Antwort an.

1.
Wo möchten Sylvia und Aynur sitzen?
- **A** Am Gang.
- **B** Am Fenster.
- **C** Auf dem Band.

2.
Was sagt Aynur über ihre Großeltern?
- **A** Sie haben nie geheiratet.
- **B** Sie sind in Deutschland geblieben.
- **C** Sie haben sich nicht integriert.

3.
Was hat bei ihren Eltern nicht gut funktioniert?
- **A** Das Zusammenleben.
- **B** Die Scheidung.
- **C** Die Kultur.

4.
Was sagt sie über die Beziehung zu ihrer Mutter?
- **A** Sie ist ihr fremd.
- **B** Sie sind Freundinnen.
- **C** Sie vermisst ihre Mutter.

5.
Was denkt Sylvia über die Österreicher?
- **A** Sie sind Ausländer.
- **B** Sie sind so ähnlich wie die Deutschen.
- **C** Sie sind groß.

6.
Was wird über die Landung des Flugzeugs gesagt?
- **A** Es landet mit Verspätung.
- **B** Es landet planmäßig.
- **C** Es landet um 15.00 Uhr.

Das Wort **fremd** bedeutet , dass etwas oder jemand ist unbekannt. Das Substantiv ist **der/die/das Fremde**.
vermissen = fühlen, dass man jemanden oder etwas gern in seiner Nähe hätte, was aber nicht so ist.

5

Worterklärungen:
die **Gesellschaft**:
Menschen, die in einem
Land
zusammenleben
der **Einheimische**:
jemand, der an einem
Ort schon lange oder
länger lebt.

Es gibt viele Gründe, warum man lieber in seiner Heimat oder im Ausland lebt. Kreuzen Sie an, was Aynur und Sylvia im Dialog **nicht** nennen.

■ A die Arbeit, z.B. als Gastarbeiter

■ B die Gesellschaft

■ C die Heirat

■ D der Kontakt zu Einheimischen

■ E die Kultur

■ F die Mentalität

■ G die Politik

■ H die Religion

■ I das Studium

■ J die Tradition

6

Die Präposition **über**
(+ Akkusativ) gibt oft
das Thema an, z.B.: **eine
Geschichte über ...**, ein
Text
über ... oder auch **über
... sprechen**.

Ergänzen Sie Aynurs Geschichte über ihre Mutter. Schreiben Sie die Wörter in die Lücken.

> A Scheidung   B Kulturen   C Zusammenleben   D Gründen
> E Tradition   F aufgewachsen   G außerhalb

Meine Mutter ist in Deutschland geboren und _____. **(1)** Trotzdem

hat sie zwischen zwei _____ **(2)** gelebt: Türkische _____ **(3)**

zu Hause und _____ **(4)** des Hauses ein Leben in der deutschen

Gesellschaft. Später hat sie geheiratet, doch das _____ **(5)** mit

meinem Vater hat aus vielen _____ **(6)** nicht gut funktioniert. Nach

der _____ **(7)** hat sie sich für ein Leben in der Türkei entschieden.

7

 TR. 210

Hören Sie auf Ihrer CD neun Wörter zum Thema „Fliegen" und notieren Sie die richtige Reihenfolge. Schreiben die Zahlen 1 bis 9 in die Kästchen.

____ **A** der Flughafen   ____ **B** das Flugzeug   ____ **C** der Abflug

____ **D** der Flugsteig   ____ **E** abfliegen   ____ **F** einchecken

____ **G** starten   ____ **H** der Fluggast   ____ **I** landen

8

Die Sätze 1 bis 6 hört man am Check-in-Schalter, die Sätze 7 bis 9 im Flugzeug. Was passt zusammen?

1. Kann ich bitte Ihren Pass	____ **A** auf das Band.
2. Möchten Sie am Gang	____ **B** einen angenehmen Flug.
3. Stellen Sie bitte Ihr Gepäck	____ **C** Bordkarte.
4. Gehört die Fototasche	____ **D** Antalya. Ankunft um 16.05 Uhr.
5. Hier ist Ihre	____ **E** Fluggäste, willkommen an Bord!
6. Gehen Sie bitte zum	____ **F** und Ihren Flugschein sehen?
7. Sehr geehrte	____ **G** Flugsteig 20 in Abflughalle C.
8. Wir wünschen Ihnen	____ **H** oder am Fenster sitzen?
9. Wir landen planmäßig in	____ **I** dazu oder nehmen Sie sie als Handgepäck mit?

Gut zu wissen:
1. Worterklärungen:
angenehm: Auf einem **angenehmen** Flug fühlt man sich wohl. Man wünscht auch: **Angenehme Reise!**
die Ankunft ↔ der Abflug
an Bord (das Bord) = innen im Flugzeug
gehören zu (+ Dativ): Die Fototasche, der Koffer usw. sind Teile des Gepäcks, sie gehören dazu (dazu = zum Gepäck).
2. Die Anrede
Sehr geehrte(r) ... verwendet man auch in formellen Briefen oder E-Mails, z.B. **Sehr geehrter Herr Kolb, Sehr geehrte Frau Hartmann.** Wenn man die Namen und Personen nicht kennt, schreibt man **Sehr geehrte Damen und Herren.**

TR. 211

9

Mit den folgenden Ausdrücken können Sie zwei Situationen vergleichen:

= gleich (wie)
≈ (ganz/so) ähnlich (wie)
≠ anders (als)

Wenn etwas anders ist, können Sie auch folgende Formulierungen verwenden:
im Unterschied zu + Dativ
im Vergleich zu + Dativ

Hören Sie auf Ihrer CD, welcher Ausdruck in den folgenden Sätzen verwendet wird und schreiben Sie ihn in die Lücken:

1. _____ Deutschland leben in der Schweiz mehr Ausländer.

2. Die Situation in meiner Heimat ist ganz _____ in Deutschland.

3. _____ dir lebe ich gern in einer multikulturellen Gesellschaft.

10

Trennen Sie die Buchstabenschlangen in einzelne Wörter. Dann erhalten Sie zwei weitere Sätze, in denen Vergleiche formuliert werden.

1. DIEMENTALITÄTHIERISTGANZANDERSALSINMEINERHEIMAT.

_____

2. WIRHABENDIEGLEICHESITUATIONWIEINDERSCHWEIZ.

_____

11

Mit den Konjunktionen **weil** und **obwohl** verbindet man einen Hauptsatz mit einen Nebensatz:

Hauptsatz	+ Nebensatz
Ich fühle mich nicht fremd,	**weil** ich hier schon 10 Jahre <u>lebe</u>.
Ich fühle mich fremd,	**obwohl** ich hier schon 10 Jahre <u>lebe</u>.

Das Beispiel mit **obwohl** bedeutet: Nach 10 Jahren erwartet man, dass sich eine Person wohl fühlt, aber das tut sie hier nicht. Mit **obwohl** drückt man einen Gegengrund aus, also etwas, was der Logik oder den Erwartungen nicht entspricht. Die Nebensätze mit **obwohl** heißen **konzessive Nebensätze**.

Der Nebensatz mit **obwohl** steht oft vor dem Hauptsatz. In diesem Fall folgt nach dem Komma zuerst das konjugierte Verb und dann das Subjekt: **Obwohl seine Familie im Ausland lebt, bleibt er in seiner Heimat.**

12

Ergänzen Sie die folgende Geschichte mit **obwohl** oder **weil**.

Meine Frau und ich fahren gern ins Ausland, ＿＿＿＿＿＿ **(1)** wir uns für

fremde Kulturen interessieren. ＿＿＿＿＿＿ **(2)** die Tradition ganz anders

ist, fühle ich mich zum Beispiel in der Türkei wie ein Einheimischer. Meine

Frau aber fühlt sich dort ein wenig fremd, ＿＿＿＿＿＿ **(3)** sie sogar

die türkische Sprache spricht. Bald fliegen wir wieder nach Antalya,

＿＿＿＿＿＿ **(4)** wir türkische Freunde besuchen wollen. Leider waren

sie noch nie bei uns in Deutschland, ＿＿＿＿＿＿ **(5)** wir sie schon oft

eingeladen haben.

13

Während **weil** und **obwohl** einen Haupt- und Nebensatz miteinander verbinden, verbinden **deshalb** und **trotzdem** zwei Hauptsätze:

Hauptsatz	+ Hauptsatz
Ich lebe schon 10 Jahre hier,	**deshalb** <u>fühle</u> ich mich nicht fremd.
Ich lebe schon 10 Jahre hier,	**trotzdem** <u>fühle</u> ich mich fremd.

Im zweiten Hauptsatz steht das Verb in der zweiten Position.

Deshalb und **trotzdem** können vor oder nach dem Verb stehen:
... ich fühle mich <u>deshalb</u> fremd.
Ein Satz mit **deshalb** oder **trotzdem** ist immer der zweite Hauptsatz.

14

Ergänzen Sie die Lücken mit **weil, obwohl, deshalb** oder **trotzdem**.

1. Aynur studiert in Düsseldorf, _____ lebt sie nicht bei ihrer Mutter.

2. Sylvia lebt nicht in Österreich, _____ sie in Deutschland arbeitet.

3. Es gab keine Probleme, _____ hatten wir Verspätung.

4. Er kehrte in die Heimat zurück, _____ er im Ausland glücklich war.

15

Gut zu wissen:

In der gesprochenen Sprache verwendet man nach **während, wegen** und **trotz** meist den Dativ: **während dem Flug, trotz dem starken Wind / trotz starkem Wind, wegen ihren Eltern**.

Sie kennen schon viele Präpositionen mit Akkusativ und Dativ. Neu in dieser Lektion sind die **Präpositionen mit dem Genitiv**.

Grund:	**wegen** ihrer Eltern
Gegengrund:	**trotz** (des) starken Windes
Ort:	**außerhalb** ⟷ **innerhalb** der Familie
Ort:	**in der Nähe** des Flughafens
Zeitspanne:	**während** des Fluges

Beachten Sie, dass **während** eine Präposition oder eine Konjunktion sein kann:
Präposition: <u>**Während des Fluges**</u> fragte Sylvia nach Aynurs Mutter.
Konjunktion: <u>**Während sie flogen,**</u> fragte Sylvia nach Aynurs Mutter.

16

Ergänzen Sie die Sätze mit der passenden Präposition.

die Maschine
(umgangssprachlich)
= **das Flugzeug**

1. Die Maschine hatte _____ der Landung Probleme.
   (*während | trotz | außerhalb*)

2. _____ der Scheidung ihrer Eltern war sie traurig.
   (*Innerhalb | Wegen | Außerhalb*)

3. Was befindet sich _____ des Flughafens?
   (*trotz | wegen | innerhalb*)

17

Verbinden Sie die Sätze. Achten Sie auf die Wortstellung. Sie hilft Ihnen, den richtigen zweiten Teil zu finden.

1. **Wegen** des starken Windes

2. **Obwohl** sie oft in die Türkei fliegt,

3. Die Maschine landete nicht planmäßig,

4. **Trotz** der kulturellen Unterschiede

5. Meine Großeltern arbeiteten lange in Deutschland,

6. **Während** der Reise

7. Seine Tante identifizierte sich nicht mit der deutschen Kultur,

____ A sprachen sie viel über ihre Familien.

____ B **weil** wir starken Wind hatten.

____ C fühlt sie sich dort ein wenig fremd.

____ D **deshalb** kehrte sie eines Tages in ihre Heimat zurück.

____ E hatte das Flugzeug Verspätung.

____ F funktioniert das Zusammenleben gut.

____ G **trotzdem** konnten sie sich nicht integrieren.

18

Mit Hilfe:

Fenster oder ...
unbekannt = ...
der Flug war ...
Abflug ⟷ ...
den Flugschein
zeigen = ...
Inland / Ort, wo man
sich zu Hause
fühlt = ...
Flugzeug =
nicht anders, aber auch
nicht gleich = ...

Finden Sie die Wörter? Wir suchen waagerecht (→) und senkrecht (↓) ein Verb, drei Adjektive und vier Substantive, die Sie in dieser Lektion neu gelernt haben. Markieren Sie die Wörter.

U	Q	G	S	Ä	C	A	M	M	I	B	T
E	F	P	L	W	Ö	N	A	U	S	T	L
R	R	A	A	I	N	G	S	X	D	I	A
T	E	I	N	C	H	E	C	K	E	N	Y
Z	M	P	D	G	Ö	N	H	H	E	Q	U
D	D	Ä	U	M	H	E	I	M	A	T	T
I	F	F	N	Y	Ä	H	N	L	I	C	H
G	A	N	G	Ü	G	M	E	C	H	Ö	D
X	W	Y	F	K	E	N	V	U	A	S	S

Interkulturelles

Gastarbeiter

Nach dem Zweiten Weltkrieg gab es in Deutschland viel Arbeit, aber zu wenig Arbeiter. Deshalb holte man ab 1950 Arbeiter aus dem Ausland. Man nannte sie „Gastarbeiter", weil man dachte, dass sie nach ein paar Monaten oder Jahren wieder in die Heimat zurückkehren würden.

Bis 1973 kamen 14 Millionen Gastarbeiter nach Deutschland: 11 Millionen gingen zurück und 3 Millionen blieben im Land. Ende 2013 lebten 7,6 Millionen Menschen ohne deutschen Pass in Deutschland. Die größte Gruppe sind die Türken mit 1,5 Millionen, dann folgen Italiener und Polen mit jeweils einer halben Million.

1

Susanne Kowalski trifft Sylvia und möchte wissen, wie der Urlaub in der Türkei war. Ordnen Sie Sylvias Antworten zu.

1. *Susanne:* Wie war es in der Türkei?

   Sylvia: _____

2. *Susanne:* Und sprichst du jetzt etwas Türkisch?

   Sylvia: _____

3. *Susanne:* Wirklich? Wo?

   Sylvia: _____

4. *Susanne:* Frag doch mal bei der VHS nach!

   Sylvia: _____

____ A Nein, aber ich will es lernen.

____ B Gute Idee. Ich rufe gleich an.

____ C Es war wunderschön!

____ D Ich weiß noch nicht.

VHS ist die Abkürzung für **die Volkshochschule**. Das ist eine spezielle Schule, in der man zum Beispiel nach der Arbeit, aber auch tagsüber etwas lernen kann.
Wenn **Türkisch** großgeschrieben wird, ist die Sprache gemeint. Sprachen sind immer Neutrum, werden aber meist ohne Artikel gebraucht.
nachfragen = sich erkundigen

2

Sehen Sie sich das Kursangebot auf dem Bild an. Welche Informationen finden Sie? Schreiben Sie die Wörter in die Lücken.

1. _Türkisch 1_____ (Name des Kurses)

2. der _____ (Was für ein Kurs?)

3. die _____ (53.- Euro)

4. die _____ (8 Wochen)

5. der _____ (Mehmet Aktaş)

6. für _____ (Für wen?)

7. die _____ (schriftlich oder persönlich)

Volkshochschule

Sprachkurse

Kurs: **Türkisch 1 (Anfänger)**
Beginn: 14. Oktober, 18.30 - 10.00 Uhr
Dauer: 8 Wochen, dienstags
Kursleiter: Mehmet Aktaş
Kursgebühr: 53,- Euro
Anmeldung: schriftlich (Internet, Fax, Post) oder persönlich

Kurs: **Türkisch 4 (Fortgeschrittene)**
Beginn: ...

TR. 212

3

Sylvia hat sich entschieden, einen Türkischkurs an der VHS zu besuchen. Im ersten Teil des Dialogs ruft sie bei der VHS an, im zweiten Teil lernt sie die anderen Kursteilnehmer kennen.

Hören Sie den Dialog ein erstes Mal und konzentrieren Sie sich auf Sylvia. Was macht sie zuerst? Und dann? Nummerieren Sie die Reihenfolge.

____ A Sie findet die türkische Sprache schwierig.

____ B Sie erkundigt sich nach der Anmeldung.

____ C Sie trifft eine Person, die auch in Antalya war.

____ D Sie erzählt von ihrem Urlaub.

____ E Sie sagt ihren Namen.

Haben Sie gehört, wen Sylvia zufällig trifft? Sie trifft _____ !

 TR. 212

4

Hören Sie den Dialog noch einmal. Ordnen Sie die folgenden Ausdrücke und Sätze den Situationen auf den Fotos zu. Notieren Sie die Buchstaben.

Teil 1 des Dialogs _____

____ A schon ein paar Sätze gelernt

____ B sich für einen Türkischkurs anmelden

____ C Sprachkurse an der VHS besucht

____ D welches Niveau

____ E Italienisch und Spanisch

____ F Anfängerkurs

____ G Gelegenheit zum Üben

____ H meine Muttersprache

Teil 2 des Dialogs _____

5

Was sagt man in den folgenden vier Situationen? Kreuzen Sie die richtige Antwort an.

1. Die Sekretärin verbindet Sylvia mit Herrn Lehnhart. Sie erklärt:
   - ■ A Er ist zuständig.
   - ■ B Er meldet sich an.
   - ■ C Er ist geistig fit.

2. Der Termin am Dienstag ist für Sylvia in Ordnung. Sie sagt:
   - ■ A Das dauert lange.
   - ■ B Das funktioniert.
   - ■ C Das passt mir sehr gut.

3. Wenn man eine Sprache, z.B. Türkisch, nie gelernt hat, sagt man:
   - ■ A Die türkische Grammatik ist schwierig.
   - ■ B Ich kann kein Wort Türkisch.
   - ■ C Ich habe genug Gelegenheit.

4. Der Urlaub in der Türkei war wunderschön. Man sagt:
   - ■ A Ich war begeistert von Land und Leuten.
   - ■ B Das fand ich sehr schade.
   - ■ C Mich interessierte die Muttersprache.

die Gelegenheit = eine Situation, in der man eine gute Möglichkeit hat, etwas zu tun
etwas interessiert mich = ich interessiere mich für etwas
begeistert sein = ein Gefühl, das größte Freude und größtes Interesse ausdrückt
geistig ⟷ körperlich
fit = stark und gesund

6

Auch die folgenden Wörter sind aus dem Dialog. Was passt zusammen?

1. an einem Kurs	____	A anfangen
2. die Kursgebühr auf ein Konto	____	B halten
3. mit Türkisch	____	C teilnehmen
4. sich auf den nächsten Urlaub	____	D überweisen
5. sich geistig fit	____	E vorbereiten

7

Wozu macht man etwas? Was ist das Ziel? Auf diese Fragen können Sie mit einem Nebensatz oder mit einem Infinitivsatz antworten:

Handlung:	Ziel oder Zweck der Handlung:
Ich besuche den Kurs,	**damit** mein türkischer Freund mich besser versteht.
Ich besuche den Kurs,	**um** endlich Türkisch **zu** lernen. (= damit ich endlich Türkisch lerne.)

Ergänzen Sie die Regeln:

1. Im Nebensatz mit _____ steht das konjugierte Verb am Ende.

2. Im Infinitivsatz steht _____ nach dem Komma und _____ vor dem Infinitiv.

Der Nebensatz mit **damit** muss verwendet werden, wenn die Subjekte im Haupt- und Nebensatz verschieden sind. Bei einem Subjekt verwendet man die Infinitivkonstruktion.

8

Sehen wir uns die Infinitivkonstruktion etwas genauer an. Wo steht **zu**?

* Bei Verben mit zwei Teilen (**üben können**, **kennen lernen**) muss **zu** vor dem zweiten Infinitiv stehen:
  ..., um mehr üben zu können.

* Bei Verben mit einem trennbaren Präfix (**teilnehmen**, **anmelden**) wird **zu** zwischen Präfix und Infinitiv gesetzt:
  ..., um an dem Kurs teilzunehmen.

Schreiben Sie Infinitivsätze mit **um ...zu**.

1. Er lernt Deutsch, / mit Einheimischen / sprechen können

   Er lernt Deutsch, _____ .

2. Ich war heute bei der VHS, / für den Anfängerkurs / mich anmelden

   Ich war heute bei der VHS, _____ .

9

Verbinden Sie die Sätze mit **damit** oder **um ... zu**. Achten Sie auf die Wortstellung und das Komma.

1. Was muss ich tun? Du besuchst endlich einen Sprachkurs. *(damit)*

   _____ ?

2. Er fährt nach Österreich. Er lernt das Land kennen. *(um ...zu)*

   _____ .

3. Dieser Kurs ist gut. Wir üben die Aussprache. *(damit)*

   _____ .

4. Wir lernen Deutsch. Wir bereiten uns auf das Studium vor. *(um ... zu)*

   _____ .

Gut zu wissen:
Auch mit **zum/zur** + Substantiv kann man auf die Frage **Wozu?** antworten: **zum Üben der Aussprache; zur Vorbereitung auf das Studium.**

10

Sie suchen einen passenden Kurs? Dann helfen Ihnen diese Wörter:

Kurse
- der Sprachkurs
- der Deutschkurs
- Deutsch als Fremdsprache
- der Kursleiter
- der Kursteilnehmer
- sich anmelden für (+ Akk.)
- teilnehmen an (+ Dat.)
- besuchen, bezahlen (+ Akk.)

Niveaus
- Anfänger
- Fortgeschrittene
- Grundstufe (A1, A2)
- Mittelstufe (B1, B2)
- Oberstufe (C1)

Gut zu wissen:
das Niveau = die Stufe
Mit **Grundstufe**, **Mittelstufe** oder **Oberstufe** kann man sein Niveau beschreiben.
Oder man nimmt die genaueren Bezeichnungen **A1**, **A2** usw.

11

Schreiben Sie die passenden Wörter aus Übung 10 in die Lücken.

1. Sie lernen schon drei Jahre Deutsch, sie sind _____.

2. Das ist unser _____. Seine Muttersprache ist Türkisch.

3. In der ersten Stunde lernen sich die _____ kennen.

4. Ich möchte mich für einen Sprachkurs _____.

5. Wann finden die Kurse für die _____ B1 und B2 statt?

12

(jemandem) **etwas ausrichten** = einer anderen Person sagen, dass jemand angerufen hat
eine Nachricht hinterlassen = jemanden bitten, eine kurze Information an eine andere Person zu geben
die **Buchhaltung** = die Abteilung, die für die Finanzen zuständig ist

Es gibt typische Sätze, die Sie bei einem **offiziellen Telefongespräch** hören oder sagen können.

Zu welcher Situation und zu welcher Person passen die Sätze A bis J? Schreiben Sie die Buchstaben unter das richtige Foto.

 1

 2

■ A Dafür bin ich leider nicht zuständig.

■ B Guten Tag, mein Name ist Sylvia Moser.

■ C Ich möchte mich erkundigen, ob ...

■ D Tut mir leid. Frau Kramer ist heute nicht da.

■ E Kann ich eine Nachricht hinterlassen oder später zurückrufen?

■ F Kann ich etwas ausrichten?

■ G Können Sie mich bitte mit der Buchhaltung verbinden?

■ H Moment, ich verbinde Sie.

■ I Ich möchte bitte mit Frau Kramer sprechen.

■ J Volkshochschule, Lehnhart. Guten Tag.

13

Was lernt man bei einer **Fremdsprache**? Ordnen Sie A bis H den Symbolen auf den Bildern zu.

> A die Landeskunde   B die Grammatik   C das Hörverstehen
> D das Leseverstehen   E die Aussprache   F das Sprechen
> G der Wortschatz   H das Schreiben

1. ⊖ ___   5. 💬 ___

2. 👁 ___   6. 🌍 ___

3. § ___   7. ᴬᴮᶜ ___

4. ✏ ___   8. 👂 ___

14

Wozu lernt man die einzelnen Teile einer Fremdsprache? Ergänzen Sie die Lücken.

1. Man möchte Gespräche und Texte verstehen. Deshalb übt man das

   _____ und das _____.

2. In der _____ lernt man viele Regeln.

3. Das _____ und das _____ sind wichtig, um schriftlich und mündlich kommunizieren zu können.

4. In der _____ lernt man Land und Leute kennen.

15

Ein junger Mann möchte sich für einen Sprachkurs anmelden. Hören Sie seine Fragen auf Ihrer CD und ordnen Sie die richtigen Antworten zu.

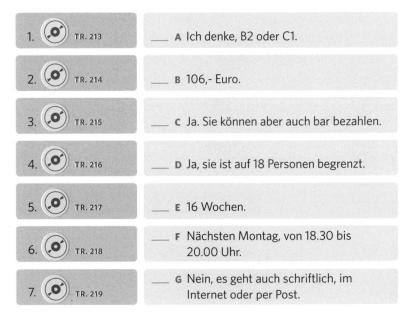

1. TR. 213   ____ **A** Ich denke, B2 oder C1.

2. TR. 214   ____ **B** 106,- Euro.

3. TR. 215   ____ **C** Ja. Sie können aber auch bar bezahlen.

4. TR. 216   ____ **D** Ja, sie ist auf 18 Personen begrenzt.

5. TR. 217   ____ **E** 16 Wochen.

6. TR. 218   ____ **F** Nächsten Montag, von 18.30 bis 20.00 Uhr.

7. TR. 219   ____ **G** Nein, es geht auch schriftlich, im Internet oder per Post.

16

Wie bezahlt man die Kursgebühr? Es gibt folgende Möglichkeiten:

- **Die Überweisung:** Man bekommt die Bankverbindung (Kontonummer usw.) und überweist dann die Gebühr auf das Konto der Sprachschule.

- **Die Abbuchung:** Sie geben der Sprachschule Ihre Bankverbindung und die Gebühr wird von Ihrem Konto abgebucht.

- Manchmal kann man auch **bar** bezahlen.

17

Ergänzen Sie die Sätze mit der richtigen Präposition.

1. Hast du dich schon _____ den Kurs angemeldet? *(für | per | um)*

2. Das ist eine gute Gelegenheit _____ Sprechen. *(mit | über | zum)*

3. Ich informiere Sie _____ E-Mail. *(auf | per | in)*

4. Bitte überweisen Sie die Gebühr _____ unser Konto. *(nach | auf | von)*

5. Nehmen Sie auch _____ dem Kurs teil? *(an | bei | in)*

6. Ich bin begeistert _____ dieser Sprache. *(für | von | mit)*

7. Gibt es _____ dem Kurs noch freie Plätze? *(an | in | auf)*

Interkulturelles

Die Volkshochschule (VHS)

In jeder größeren und kleineren Stadt kann man eine **Volkshochschule** finden. Sie ist für die ganze Bevölkerung da und wegen der günstigen Kursgebühren für jeden bezahlbar, auch wenn jemand nicht so viel Geld hat. Die Teilnehmer sind Kinder und Erwachsene, Menschen mit und ohne Arbeit, Studenten und Schüler usw.

Sie alle besuchen die VHS, um etwas zu lernen, um sich zu entspannen oder um neue Leute kennen zu lernen.
Das Angebot an Kursen ist riesig und ganz bunt: Sprachen, Sport, Yoga, Kunst, Computer, Kochen, ... Es gibt fast nichts, was man an der VHS nicht lernen kann.

1

Man hat wenig Geld, aber man wünscht sich ...? Wir alle haben Träume und Wünsche. Leider ist die Realität oft anders.
Welche Träume und Wünsche sehen Sie auf den Fotos? Lesen Sie die Sätze und ordnen Sie sie den Fotos zu.

____ A Ich würde gern nach Berlin fahren.

____ B Ich träume von einem Urlaub im Süden.

____ C Wenn ich doch mehr Geld hätte!

____ D Ich wünsche mir, dass sie nie mehr streiten.

2

Die folgenden Wörter kommen in Hauptdialog vor und sind neu. Lesen Sie die Erklärungen und schreiben Sie die Wörter in die Lücken.

> A stören B Ruhe C geduldig
> D Hausaufgaben E Neuigkeiten F nützlich

1. Neue und interessante Nachrichten heißen _____.

2. Wenn man Wörter lernen will, hilft ein Wörterbuch. Es ist _____.

3. Zu laute Musik oder Leute, die die ganze Zeit reden, können _____.

4. Übungen, die man zu Hause macht, heißen _____.

5. Wenn ich allein lerne, habe ich mehr _____ als im Unterricht.

6. Der Kursleiter will nicht sofort Antworten haben, er erklärt alles und wartet. Er ist _____.

TR. 220

3

Es gibt viele Neuigkeiten. Deshalb besucht Sylvia Susanne zu Hause. Zur gleichen Zeit treffen sich Aynur und ihre beste Freundin Claudia in einer Studentenkneipe.
Hören Sie beide Gespräche auf Ihrer CD. Kreuzen Sie an, über welche Themen gesprochen wird. Mehrere Antworten können richtig sein.

1. Zu Hause bei Susanne Kowalski:
   - A Eric
   - B Hausaufgaben
   - C Abendessen
   - D Unterricht

2. Zur gleichen Zeit in der Studentenkneipe:
   - A Ruhe
   - B Postkarten
   - C Eric
   - D Sylvia

4

TR. 220

Hören Sie den Dialog noch einmal und entscheiden Sie, ob die folgenden Aussagen richtig oder falsch sind.

	richtig	falsch
1. Sylvia möchte etwas lernen, aber Eric stört sie.	▦	▦
2. Der Kursleiter ist sehr geduldig.	▦	▦
3. Sylvia möchte mehr Übungen machen.	▦	▦
4. Sylvia und Eric sehen sich nur im Türkischkurs.	▦	▦
5. Aynur und Eric haben sich gestritten.	▦	▦
6. Claudia empfiehlt Aynur zu warten, dass Eric anruft.	▦	▦
7. Aynur möchte Eric nie mehr sehen.	▦	▦

5

Gut zu wissen:

Im Ausdruck **jemandem fällt etwas schwer/ leicht** verwendet man das Verb nur in der 3. Person Singular oder Plural, z.B.: **Schriftliche Übungen fallen mir leicht**.

Die folgenden Sätze enthalten Wörter und Ausdrücke, die man oft verwendet. Ordnen Sie die richtigen Bedeutungen zu.

1. Ich stelle mir vor, dass es nicht leicht ist.

2. Das fällt mir schwer.

3. Das reicht mir nicht.

4. Du hast Recht!

5. Ich habe nichts von ihm gehört.

6. Das wäre wirklich gut.

7. Wenn er doch anrufen würde!

8. Verabrede dich mit ihm!

____ A Ich bin einverstanden. Das, was du sagst, ist richtig.

____ B Ich denke, dass das eine gute Idee ist.

____ C Damit habe ich Schwierigkeiten.

____ D Wir haben uns nicht gesprochen.

____ E Das ist für mich nicht genug.

____ F Vereinbare einen Termin und triff dich mit ihm!

____ G Ich weiß es nicht, aber ich kann mir denken, dass es nicht leicht ist.

____ H Ich wünsche mir, dass er anruft.

6

Lesen Sie die Sätze aus dem Dialog. In diesen Sätzen ist eine neue Form des Verbs, der **Konjunktiv II**. Er hat mehrere Funktionen. Die folgenden Formen drücken aus, dass etwas möglich ist, aber noch nicht Realität ist.

Schreiben Sie den Infinitiv der Verben.

1. Dann <u>könntest</u> du in Ruhe zu Hause üben. _____

2. Ich <u>müsste</u> noch mehr üben. _____

3. Dann <u>hättest</u> du endlich Klarheit. _____

4. Das <u>wäre</u> nützlich. _____

7

Der **Konjunktiv II** der Gegenwart drückt Folgendes aus:

Höfliche Bitten:	**Könnten** Sie mir bitte helfen?
Ratschläge:	Ihr **müsstet** auch zu Hause üben.
Vermutungen:	Ein Wörterbuch **wäre** nützlich.
Irreale Wünsche:	Ich **hätte** gern mehr Geld, aber ...

der Ratschlag =
Tipp, Empfehlung
die Vermutung =
Spekulation; man
weiß etwas nicht
sicher
irreal =
hypothetisch

Regeln:
(1) Den Konjunktiv II von **haben** und **sein**, den Modalverben **können**, **müssen**, **dürfen** und **mögen** sowie einiger anderer Verben wie **wissen** und **brauchen** bildet man aus den Formen des Präteritum + Umlaut (**ä, ö, ü**):

Präteritum: **ich konnte** → *Konjunktiv II:* **ich k̲ö̲nnte**

(2) Die Modalverben **sollen** und **wollen** haben keinen Umlaut im Konjunktiv II: **ich sollte**, **du wolltest**.

Schreiben Sie die Formen des **Konjunktiv II** in die Lücken. Sprechen Sie alle Formen laut und achten Sie auf den Umlaut.

Gut zu wissen:
Der Konjunktiv II von
sein:
ich wär**e**
du wär**(e)st**
er wär**e**
wir wär**en**
ihr wär**(e)t**
sie wär**en**

Präteritum	→	*Konjunktiv II*
1. ich hatte	→	ich _____
2. du konntest	→	du _____
3. er durfte	→	er _____
4. wir wussten	→	wir _____
5. ihr musstet	→	ihr _____
6. sie waren	→	sie _____

8

Ergänzen Sie die Sätze und verwenden Sie den **Konjunktiv II**.

1. Ich _____ eine CD mit Übungen. *(brauchen)*

2. Wir _____ jetzt lieber zu Hause. *(sein)*

3. Er _____ mehr Zeit für seine Kinder haben. *(müssen)*

4. Ihr _____ regelmäßig Hausaufgaben machen. *(sollen)*

9

Irreale Wünsche können Sie auch mit dieser Konstruktion formulieren:
Wenn ich/du/er ... doch + Konjunktiv II. Beispiel:
Ich habe wenig Geld. → Wenn ich doch mehr Geld hätte!

Schreiben Sie irreale Wünsche nach diesem Muster.

1. Wir haben wenig Zeit. → _____ !

2. Sie sind nicht hier. → _____ !

3. Ich kann nicht nach Wien fliegen. → _____ !

10

Wie bilden die anderen Verben den Konjunktiv II? Zwei Beispiele:

Ich würde ihn gern wiedersehen. Wenn er doch anrufen würde!

Die Konstruktion **würde** + **Infinitiv** wird verwendet

* für alle regelmäßigen Verben, wenn die Formen des Präteritum und des Konjunktiv II, die direkt vom Verb gebildet werden, identisch sind: *Präteritum:* **ich kaufte** = *Konjunktiv II:* **ich kaufte → ich würde kaufen**;

* für sehr viele unregelmäßige Verben, aber nicht für **haben**, **sein**, **wissen**, **brauchen** und die Modalverben (Übung 7).

Ergänzen Sie die Formen von **würde** (= Konjunktiv II von **werden**).

ich _____	wir **würden**
du _____	ihr **würdet**
er **würde**	sie _____

11

Bringen Sie die Wörter in die richtige Reihenfolge. So erhalten Sie Beispiele des Konjunktiv II mit **würde** + Infinitiv.

1. *(Höfliche Bitte:)* Würdest | ? | geben | du | CD | die | mir

   _____

2. *(Ratschlag:)* würde | . | schreiben | Ich | Brief | ihm | einen

   _____

3. *(Vermutung:)* würde | stören | Diese | . | sie | Musik | laute

   _____

4. *(Irrealer Wunsch:)* sprechen | ! | doch | Wenn | sie | mit | würden | uns

   _____

12

Was würden Sie tun? Ergänzen Sie die Dialoge mit den Formen von **würde** und schreiben Sie für die Person B eine Antwort. Die Fotos helfen Ihnen.

An meiner Stelle
bedeutet: wenn du ich wärst.

1.

A: Er hat nicht angerufen. Was

_____ du an meiner

Stelle tun?

B: Ich _____

_____ .

2.

A: Was _____ dein

Freund mit 30.000 Euro

machen?

B: Er _____

_____ .

233

13

So können Sie über Wünsche und Träume sprechen:

Ich habe einen Traum: ...
Mein größter Wunsch ist ...
Ich träume von ... + *Dativ*
Ich wünsche mir ... + *Akkusativ*
Ich wünsche, dass ... / Ich stelle mir vor, dass ...
Ich würde gern ... + *Infinitiv*
Wenn ich/du/er doch ... ! + *Konjunktiv II*

 TR. 221

Hören Sie vier Wünsche auf Ihrer CD. Welcher Wunsch passt am besten zu dem Foto?

Am besten passt Wunsch _____ .

14

Wovon träumt Aynur? Schreiben Sie die fehlenden Wörter in die Lücken. Bei zwei Lücken ist der erste Buchstabe schon vorgegeben.

1. Ich _____ von einer Zukunft mit Eric.

2. Wenn er _____ meine SMS bald lesen _____!

3. Ich _____ mir, dass er anruft.

4. Ach, ich _____ so gern wieder mit ihm zusammen lachen.

5. Ich _____ mir vor, dass wir uns nicht mehr über

   Kleinigkeiten *S*_____.

6. Mein _____ ist, dass wir uns *t*_____ und wieder

   Freunde sind.

15

Lesen Sie die Beispiele:

Sylvia versteht Eric und Eric versteht Sylvia. → **Sie verstehen sich.**
Ich treffe Claudia und Claudia trifft mich. → **Wir treffen uns.**

Sich verstehen und **sich treffen** drücken eine **reziproke** Beziehung zwischen zwei Personen oder zwei Dingen aus („A mit B und B mit A").

Welches der vier Verben passt zu dem Foto? Kreuzen Sie an.

- ▨ sich umarmen
- ▨ sich streiten
- ▨ sich verabreden
- ▨ sich unterhalten

Statt **uns**, **euch**, **sich** kann man auch das Pronomen **einander** verwenden, um die reziproke Beziehung zu zeigen:
Wir verstehen uns.
oder:
Wir verstehen einander.

16

Den Unterschied zwischen dem reflexiven und dem reziproken Gebrauch von sich sehen Sie in den folgenden Beispielen:

Reziproker Gebrauch:	Reflexiver Gebrauch (oft mit Präposition):
Wir **treffen uns**.	Er **trifft sich** <u>mit</u> ihr.
Ihr **verabredet euch**.	**Verabredet** ihr **euch** <u>mit</u> Peter?
Sie **trennen sich**.	Er **trennt sich** <u>von</u> seiner Frau.

17

Auch nicht reflexive Verben können reziprok gebraucht werden. Man verwendet dann **einander** oder Präposition + **-einander**:

Ich helfe dir und du hilfst mir.
→ Wir helfen einander.
A sitzt neben B und B sitzt neben A.
→ Sie sitzen nebeneinander.

Ergänzen Sie das richtige Wort.

1. Er lernt mit ihr und sie lernt mit ihm. → Sie lernen _____.

2. Ich denke an dich und du denkst an mich. → Wir denken _____.

3. Du träumst von ihm und er träumt von dir. → Ihr träumt _____.

 TR. 222

18

Zum Abschluss dieser Lektion haben wir zehn Lerntipps für Sie. Kreuzen Sie an, welche der Tipps Sie auf Ihrer CD hören können.

1. ▪ Dialoge anhören und nachsprechen

2. ▪ wichtige Konstruktionen mit einem Stift markieren

3. ▪ Wörter wiederholen

4. ▪ unbekannte Wörter im Wörterbuch nachschlagen

5. ▪ Übungen zur Aussprache machen

6. ▪ Hausaufgaben machen

7. ▪ regelmäßig den Unterricht besuchen

8. ▪ selbst Beispiele zu Grammatikregeln machen

9. ▪ in Ruhe zu Hause üben

10. ▪ sich mit Deutschen unterhalten

1

Was machen viele Deutsche am liebsten in der Freizeit? **Fernsehen!**
Sehen Sie sich die Fotos an und lesen Sie Wörter laut.

gemütlich fernsehen   der Krimi   eine Sendung über Tiere

langweilige Werbung   die Fernbedienung   ein tragischer Unfall

2

Was ist typisch für Krimis? Die folgenden Wörter hört man oft. Ordnen
Sie die Erklärungen zu und versuchen Sie, die neuen Wörter zu verstehen.

1. tot	____ A Ort, wo ein Mord passiert ist
2. ermordet	____ B Mann, der den Mord untersucht
3. der Tatort	____ C lebt nicht mehr
4. der Kommissar	____ D die Person, die Schuld an dem Mord hat, wird gesucht
5. die Schuld	____ E von jemandem getötet, zum Beispiel mit einem Messer

Gut zu wissen:
der Tatort = Ort, an
dem ein Verbrechen
(z.B. ein Mord)
passiert ist.
„Tatort" ist auch
der Titel einer sehr
beliebten
Krimireihe im
deutschen,
österreichischen und
Schweizer Fernsehen.

TR. 223

MDR = Mitteldeutscher Rundfunk (Name eines Fernsehsenders)
im Dritten = im 3. Programm
Joachim Król = Name eines deutschen Schauspielers
Thiel = Familienname eines Kommissars im „Tatort"

3

Es ist 20 Uhr. Susanne hat ihre Tochter Lisa ins Bett gebracht und freut sich auf einen gemütlichen Abend mit Thomas vor dem Fernseher.

Hören Sie den Dialog auf Ihrer CD. Ordnen Sie die Sendungen den Personen zu.

A Krimis	**B** Talkshows	**C** Tierfilme	**D** Spielfilme

1. Lisa sieht gern _____.

2. Susanne mag _____ und _____.

3. Thomas findet _____ langweilig.

 TR. 223

Gut zu wissen:
Die Verben **ansehen** und **anschauen** (+ Akk.) sind synonym. Sie können mit einem Reflexivpronomen im Dativ verwendet werden: **Ich sehe/ schaue (mir) einen Film an.**
Die Person, die einen Film ansieht oder anschaut, heißt der **(Fernseh-)Zuschauer**.

4

Lesen Sie die folgenden Aussagen. Hören Sie dann den Dialog noch einmal und kreuzen Sie die richtige Antwort an.

1.
Susanne und Thomas wollen ...
- **A** Lisa aus dem Bett holen.
- **B** einen Tierfilm aufnehmen.
- **C** eine Talkshow einschalten.

2.
Susanne möchte ...
- **A** einen Krimi anschauen.
- **B** eine Wiederholung sehen.
- **C** die Nachrichten ansehen.

3.
Im „Tatort" geht es um ...
- **A** Tiere in Afrika.
- **B** den verliebten Dr. Weis.
- **C** den Mord an zwei Personen.

4.
Der Kommissar hat ...
- **A** Schuld.
- **B** sehr viel Arbeit.
- **C** einen Unfall.

5.
Thomas soll ...
- **A** das Licht ausschalten.
- **B** ein Glas Wein besorgen.
- **C** in Venedig bleiben.

6.
Thomas möchte ...
- **A** Werbung ansehen.
- **B** lieber arbeiten.
- **C** die Fernbedienung haben.

5

Lesen Sie die Fragen zum Fernsehprogramm und ordnen Sie die passende Antwort zu.

1. Gibt es etwas Interessantes im Fernsehen?
2. Was willst du dir ansehen?
3. Wann fängt der „Tatort" an?
4. Wovon handelt der Krimi?
5. Der Film fängt an. Könntest du bitte das Licht ausschalten?

___ **A** Von einer jungen Frau, die tot in ihrem Bett liegt.

___ **B** Den Spielfilm mit Joachim Król.

___ **C** Mache ich. Gute Unterhaltung!

___ **D** Er beginnt in ein paar Minuten.

___ **E** Ja, im Dritten läuft eine Sendung über Tiere in Afrika.

Gut zu wissen:
Mache ich. Die Wortstellung in diesem Satz ist nicht falsch, sondern typisch für die gesprochene Sprache, in der man oft keine ganzen Sätze spricht. Der Satz heißt eigentlich: **Das mache ich.**

6

Hier sind ein paar neue Verben aus dem Dialog. Welches passt zum Foto? Kreuzen Sie die richtige Antwort an.

1. ■ **A** mitspielen
   ■ **B** sich aufregen
   ■ **C** zumachen

2. ■ **A** vermuten
   ■ **B** ermorden
   ■ **C** ausschalten

3. ■ **A** vergiften
   ■ **B** dranbleiben
   ■ **C** folgen

7

Im **Fernsehprogramm** gibt es viele verschiedene Arten von **Sendungen** (oder **Programme**). Hier sind ein paar Beispiele:

der Spielfilm, der Zeichentrickfilm
die Komödie, das Drama, der Western, der Krimi
die Show, die Reportage (z.B. über Sport oder Politik),
das Magazin (über Kultur oder Gesundheit),
die Serie oder **die Reihe** (z.B. „Tatort")

Natürlich gibt es auch speziellere Sendungen, z.B.:
die Krimireihe, die Sportreportage, die Quizshow, ...

Welche Sendungen gibt es im Hauptdialog? Notieren Sie das Wort.

1. T I L R F M E I = der _____

2. T O W A K L S H = die _____

3. N I C H A C H R T E N = die _____

8

Wie können Filme oder Sendungen sein? Ordnen Sie die Adjektive zu, die am besten passen.

1. Krimis und Western   ____ A informativ

2. Shows   ____ B witzig

3. Zeichentrickfilme und Komödien   ____ C spannend

4. Reportagen und Magazine   ____ D tragisch

5. Dramen   ____ E unterhaltsam

9

Wenn Sie mehr über einen Film wissen wollen, können Sie folgende Fragen stellen und entsprechend antworten:

Die Handlung: **Wovon handelt der Film? – Er handelt von ...**
Worum geht es in dem Film? – Es geht um ...
Wie geht es weiter? – Dann / Kurze Zeit später ...
Der Ort: **Wo spielt die Handlung? – Sie spielt in ...**
Der Regisseur: **Wer führt (die) Regie?**
Die Darsteller: **Welche Schauspieler spielen mit?**
Wer spielt die Hauptrolle?

10

Was passiert im „Tatort"? Lesen Sie den Text aus dem Fernsehprogramm.

20.15 Uhr

Tatort: Mord ist die beste Medizin
Krimireihe

Deutschland 2014
Regie: Thomas Jauch
Darsteller: Axel Prahl, Jan Josef Liefers, ...
90 Minuten

Die kleine Mia sieht, wie sich ein jüngerer Mann mit einem anderen laut streitet. Sie erzählt es ihrem Vater, der Kommissar Thiel (Axel Prahl) informiert. Thiel reagiert zuerst nicht. Dann bekommt der jüngere Mann Probleme mit dem Herzen und wird ins Krankenhaus gebracht. Dort geht es ihm schnell wieder besser, aber kurze Zeit später ist er plötzlich tot. Mit nur 32 Jahren! Jetzt bekommt Thiel doch jede Menge Arbeit. Und wie immer im Tatort aus Münster ist auch Professor Boerne (Jan Josef Liefers) da, um Thiel zu helfen. Beide fragen sich: Wurde der Patient ermordet?

Beschreiben Sie den Film und ergänzen Sie die Lücken. Beachten Sie, dass in den Sätzen 1, 4 und 7 mehrere Wörter fehlen.

1. Der „Tatort" um 20.15 Uhr hat den Titel „_____".

2. Er spielt in _____.

3. Die _____ spielen Axel Prahl und Jan Josef Liefers.

4. Die _____ Thomas Jauch.

5. Es geht um einen jüngeren Mann, der mit einem anderen _____.

6. Kurze Zeit später ist er _____.

7. Thiel und Boerne vermuten, dass er _____.

11

In Lektion 27 haben Sie den Konjunktiv II kennen gelernt. Er wird auch in bestimmten Nebensätzen verwendet. Sie heißen **Bedingungssätze** oder auch **konditionale Nebensätze**.

Hauptsatz:	Nebensatz:
Ich würde den Krimi ansehen,	**wenn** ich Zeit hätte.

Nebensatz:	Hauptsatz:
Wenn ich Zeit hätte,	würde ich den Krimi ansehen.
Hätte ich Zeit,	würde ich den Krimi ansehen.

Regeln:
(1) Im Nebensatz mit **wenn** steht eine irreale Bedingung und im Hauptsatz eine Folge, die nicht realisiert wird. In beiden Satzteilen steht der Konjunktiv II.
(2) Wenn der Nebensatz vor dem Hauptsatz steht, kann **wenn** fehlen. Dann beginnt der Nebensatz mit dem Verb.

Ergänzen Sie die Sätze mit **müsste**, **hätte** und **würden**.

1. Wenn er eine DVD _____, würde er den Film aufnehmen.

2. Lisa könnte Tierfilme ansehen, wenn sie früher laufen _____.

3. _____ Thomas nicht arbeiten, würde er mit Susanne fernsehen.

12

Wie gehen die Sätze weiter? Ordnen Sie zu.

1. Wir könnten zusammen einen Film ansehen,

2. Würde der Computer funktionieren,

3. Lisa dürfte auch am Abend fernsehen,

4. Wenn ich das Fernsehprogramm machen könnte,

___ A wenn sie älter wäre.

___ B könnte Thomas den Artikel für seine Zeitung zu Ende schreiben.

___ C würde ich weniger Wiederholungen zeigen.

___ D wenn du mit deiner Arbeit fertig wärst.

13

Ändern Sie die Sätze und schreiben Sie irreale Bedingungssätze mit dem Konjunktiv II (bei **sein**, **haben** und **müssen** direkt vom Verb gebildet und mit **würde** + Infinitiv bei allen anderen Verben).

In Satz 3 haben Sie zwei Möglichkeiten – mit und ohne **wenn**.

1. Was tust du, wenn du kein Handy hast?

_____

2. Wir fahren mit euch nach Venedig, wenn ihr nicht arbeiten müsst.

_____

3. Wenn ich Schauspieler bin, spiele ich im „Tatort" mit.

_____

_____

14

Lesen Sie die Sätze und kreuzen Sie an, welche zu dem Foto passen. Mehrere Antworten können richtig sein.

umschalten = das Programm wechseln.
einschalten ↔ ausschalten

1. ■ A Was kommt heute Abend im Fernsehen?
   ■ B Regen Sie sich über die Werbung auf?
   ■ C Läuft heute etwas Interessantes?
   ■ D Im Dritten folgt jetzt das Wetter.

2. ■ A Bitte schalte den Fernseher ein. Gleich kommen die Nachrichten.
   ■ B Nimmst du die Sendung auf Video auf?
   ■ C Sehen Sie gerne witzige Filme?
   ■ D Das ist langweilig. Kannst du bitte umschalten?

15

Mach die Tür zu! Das kann man viel höflicher sagen. Zum Beispiel:

- mit **bitte** und **mal**:   **Mach bitte mal die Tür zu!**
- mit Modalverb (Präsens):   **Kannst du bitte die Tür zumachen?**

Noch höflicher sind Formulierungen im Konjunktiv II:
- mit Modalverb (Konjunktiv II):   **Könntest du die Tür zumachen?**
- mit **würde** + Infinitiv: **Würdest du bitte die Tür zumachen?**
- mit dem Ausdruck **Würde es dir etwas ausmachen** + Infinitiv mit zu
- mit dem Ausdruck **Wärst du so nett/lieb/freundlich und ...**

16

Lesen Sie die Sätze und hören Sie auf Ihrer CD, wie man es höflicher sagen kann. Schreiben Sie die fehlenden Wörter in die Lücken.

TR. 224

1. Schalten Sie den Fernseher ein!

   _____ bitte den Fernseher _____?

TR. 225

2. Mach die Tür zu!

   _____ und machst die Tür zu?

TR. 226

3. Gib mir bitte die Fernbedienung!

   _____ mir bitte die Fernbedienung _____?

TR. 227

4. Geben Sie mir das Fernsehprogramm!

   _____ mir das Fernsehprogramm geben?

TR. 228

5. Nimm die Sendung für mich auf!

   _____, die Sendung für mich aufzunehmen?

TR. 229

6. Schalt das Licht aus!

   _____ das Licht ausschalten?

Hören Sie die Sätze noch einmal und sprechen Sie sie nach. Achten Sie dabei auf die Satzmelodie und auf die Umlaute bei den Konjunktivformen: **Ä**, **ö** und **ü** dürfen nicht wie **a**, **o** und **u** klingen.

17

Und was denken Sie über das Fernsehen? Beantworten Sie die Fragen für sich selbst.

Sehen Sie in Ihrer Freizeit oft fern?

Welche Sendungen sehen Sie am liebsten?

Haben Sie einen Lieblingsschauspieler?

Was finden Sie langweilig?

Würde Sie der „Tatort" interessieren?

Wie viel und was sollten sich Kinder ansehen?

Worüber regen Sie sich am meisten auf?

1

Wenn Sie am Computer arbeiten, brauchen Sie die Teile, die Sie auf den
Fotos sehen. Wie heißen sie? Schreiben Sie die Wörter unter die Fotos.

| der Drucker | die Maus | der Bildschirm | die Festplatte |
| die Tastatur | das Laufwerk | das Kabel | der USB-Stick |

1   2   3   4

_____   _____   _____   _____

5   6   7   8

_____   _____   _____   _____

 TR. 230

2

schließen (schloss, hat
geschlossen) ⟷ öffnen
das Dokument =
1. Text (im
Computer);
2. wichtiges, offizielles
Papier, z.B. der Pass
abspeichern oder
speichern: Man
speichert ein Dokument
auf einem USB-Stick
(ab).
der Fachmann = der
Experte

Welche Probleme kann man mit seinem Computer haben? Hören Sie die
Sätze auf Ihrer CD und schreiben Sie das fehlende Wort in die Lücke. Die
Erklärungen links helfen Ihnen.

1. Achtung! Der Computer hat einen _____!

2. Die _____ reagiert nicht.

3. Es ist nicht möglich, das Programm zu _____.

4. Man kann das _____ nicht abspeichern.

5. Ich habe wichtige Daten _____.

6. Hoffentlich kann das ein _____ reparieren!

3

 TR. 231

Zu Hause bei Thomas und Susanne Kowal-
ski gibt es Probleme mit dem Computer.
Hören Sie den Dialog auf Ihrer CD. Worum
geht es in dem Gespräch? Kreuzen Sie A, B
oder C an.

1.
■ **A** Thomas weiß nicht, warum der Compu-
ter nicht funktioniert.
■ **B** Thomas wollte Fotos von der Türkei
speichern.
■ **C** Thomas muss heute nicht ins Büro und
möchte zu Hause arbeiten.

2.
■ **A** Susanne hat den neuen Drucker zu einem Fachmann gebracht.
■ **B** Susanne will Thomas helfen und die Reparatur organisieren.
■ **C** Susanne hat eine Bewerbung geschrieben und kann sie nicht drucken.

4

 TR. 231

Hören Sie den Dialog noch einmal und entscheiden Sie, ob die folgenden
Aussagen richtig oder falsch sind.

	richtig	falsch
1. Der Drucker funktioniert sehr gut.	■	■
2. Der Computer und der Drucker sind fast neu.	■	■
3. Thomas konnte nicht alle Daten speichern.	■	■
4. Susanne repariert den Computer selbst.	■	■
5. Susanne und Eric haben sich schon oft gesehen.	■	■
6. Susanne findet zufällig ein Foto von Thomas.	■	■
7. Thomas trifft heute Eric im Büro.	■	■

5

Auf viele technische Produkte gibt es eine **Garantie** für eine bestimmte Zeit. Wenn innerhalb dieser Zeit etwas repariert werden muss, ist das für den Kunden kostenlos.

Wie gehen die Sätze aus dem Dialog weiter? Ordnen Sie zu.

1. Ich kann das Programm weder öffnen	___ **A** abspeichern?
2. Konntest du wenigstens alle Dokumente	___ **B** reparieren lassen.
3. Ich befürchte, dass ich einige Daten	___ **C** die Daten retten.
4. Aber vielleicht kann ein Fachmann	___ **D** Garantie.
5. Auf jeden Fall müssen wir den Computer	___ **E** noch schließen.
6. Auf dem Computer ist noch	___ **F** verloren habe.

Die zweiteilige Konjunktion **weder ... noch** verbindet zwei Satzteile, die beide verneint sind, z.B. keine Zeit und kein Geld = **weder Zeit noch Geld**.

6

Im Hauptdialog haben Sie neue Wörter kennen gelernt. Lesen Sie die Erklärungen und finden Sie das Wort in der Buchstabenschlange.

1. Drucker, Computer, Scanner usw. sind _____.

   V A S B G W Ü G E R Ä T E Y D D G T

2. Man will wissen, wie viel eine Reparatur kosten würde und bittet den Fachmann um einen _____.

   S D O K K O S T E N V O R A N S C H L A G Ä M G

3. Susanne bietet an, die Reparatur zu organisieren. Sie will sich um die Reparatur _____.

   A S D J H W P K Ü M M E R N N B A Ä Q J H F

4. Thomas hat vielleicht wichtige Daten verloren. Das ist _____ !

   F F G H Ä R G E R L I C H B L Ä Ö S T T

5. Für Susanne ist es eine Überraschung, dass Eric auf dem Foto ist. Sie findet diesen Zufall _____ .

   D S H F S D F H M E R K W Ü R D I G K L T Y L

7

  system.ini **www.pons.com**

der Ordner   das Dokument   die Datei   der Link

Was macht man mit Ordnern, Dokumenten, Dateien und Links?
Lesen Sie die folgenden Möglichkeiten laut:

eine Datei / einen Ordner kopieren
ein Dokument ausdrucken
Dateien auf einer CD / auf einem USB-Stick (ab)speichern
eine CD / DVD brennen
klicken auf + Akk. oder **einen Ordner / einen Link anklicken**
eine Datei aus dem Internet herunterladen
im Internet surfen

Ordnen Sie das Gegenteil zu.

1. eine Datei öffnen ⟷ ___ A ausschalten

2. ein Dokument speichern ⟷ ___ B deinstallieren

3. Daten verlieren ⟷ ___ C löschen

4. den Computer einschalten ⟷ ___ D retten

5. ein Programm installieren ⟷ ___ E schließen

8

Kreuzen Sie die Aktivitäten an, die zu dem Foto passen.

___ A klicken

___ B verlieren

___ C Links öffnen

___ D surfen

___ E sich um den Rechner kümmern

___ F ausdrucken

___ G Informationen herunterladen

29 zum Üben

 TR. 232

defekt = **kaputt**; kaputt verwendet man in der Umgangssprache. Ein defektes oder kaputtes Gerät funktioniert nicht mehr. **fehlerhaft** = mit Fehlern; das Gerät kann trotzdem noch funktionieren. **überhaupt**: Dieses Wort verstärkt **nicht** oder **kein**. **melden** = eine Nachricht bekannt geben **ständig** = immer wieder, die ganze Zeit

9

Sie haben Probleme mit einem technischen Gerät, der Hardware oder der Software? Dann können Sie sagen:

Das Gerät ...
... ist kaputt / defekt.
... ist fehlerhaft / hat (irgend)einen Fehler.
... läuft nicht / funktioniert überhaupt nicht (mehr).
Der Computer / Der Drucker / Das Programm ...
... meldet ständig Fehler.
... reagiert nicht (mehr).

Hören Sie auf Ihrer CD drei Probleme und ergänzen Sie die Sätze.

1. Das Gerät _____.

2. Der Drucker _____.

3. Das Programm _____.

10

Wenn Sie nicht genau wissen, wo etwas ist oder wann etwas passiert, können Sie **irgend-** mit dem entsprechenden Fragewort verbinden: **irgendwo**, **irgendwann**.
Außerdem kann **irgend-** mit dem unbestimmten Artikel kombiniert werden. Im Singular sagt man **irgendein/e** und im Plural **irgendwelche**.

Schreiben Sie das passende Wort mit **irgend-** in die Lücke.

1. Ich kenne den Fehler nicht.

   Es ist _____ Fehler.

2. Ich weiß nicht, was für Texte das sind.

   Es sind _____ Texte.

3. Ich bin nicht sicher, wo das Handbuch ist.

   Es ist _____.

4. Ich weiß nicht, wann der Fachmann kommt.

   Er kommt _____.

250

11

Was sagt man in der Situation, die Sie auf dem Foto sehen?
Kreuzen Sie die richtigen Sätze an.

1. ■ Alle Geräte haben zwei Jahre
   Garantie.

2. ■ Die Tastaturen sind kaputt.

3. ■ Haben die Computer auch
   ein DVD-Laufwerk?

4. ■ Diese Bildschirme hier sind
   sehr günstig.

5. ■ Können Sie uns irgendeine
   CD brennen?

12

Zweiteilige Konjunktionen können wie **und**, **oder** usw. zwei Wörter oder
zwei Sätze miteinander verbinden.
Beispiel: **Das Gerät ist <u>nicht nur</u> alt, <u>sondern auch</u> fehlerhaft.**
Bedeutung: „Element a und auch noch Element b"
Lesen Sie die Sätze und ordnen Sie zu, wie „a" und „b" verbunden werden.

> A „a oder b"   B „trotz a b"
> C „beides, a und b"   D „nicht a und nicht b"

Gut zu wissen:
Die Konjunktionen
zwar und **entweder**
können auch am
Anfang des Satzes
stehen: **Zwar gibt es
gute Programme,
aber ... / Entweder
kannst du mir helfen
oder ....**

1. ■ Hier kann man **sowohl** Drucker **als auch** Scanner günstig kaufen.

2. ■ Das Handbuch ist schlecht. Mir helfen **weder** die Fotos **noch** die Texte.

3. ■ Du kannst diese Datei jetzt **entweder** löschen **oder** speichern.

4. ■ Die Software war **zwar** teuer, **aber** sie ist sehr gut.

13

Die Freunde Tim und Kai sprechen über ein **Computerproblem**. Schreiben
Sie die passenden Konjunktionen in die Lücken.

Tim: Ich weiß nicht, warum der Computer nicht funktioniert. _____ **(1)**
hat er einen Virus _____ **(2)** die Festplatte ist defekt.
Kai: Kennst du schon die neueste Software gegen Viren?
Tim: Ja, ich habe sie _____ **(3)** installiert, _____ **(4)** nichts ist pas-
siert.
Kai: Dann brauchst du einen Fachmann, der den Computer repariert.
Tim: Ich habe _____ **(5)** Zeit _____ **(6)** Geld für eine Reparatur.

251

14

Im Hauptdialog haben Sie die Konstruktion **lassen** + Infinitiv kennen gelernt. Hier sind die wichtigsten Bedeutungen:

Thomas <u>lässt</u> den Computer <u>reparieren</u>.
Bedeutung: Thomas repariert ihn nicht selbst, er gibt jemandem den Auftrag zur Reparatur.

Thomas <u>lässt</u> Lisa im Internet <u>surfen</u>.
Bedeutung: Lisa darf im Internet surfen. Thomas erlaubt es.

<u>Lass uns</u> einen Fachmann <u>holen</u>.
Bedeutung: Ich möchte, dass wir einen Fachmann holen.

15

Das Verb **lassen** ist unregelmäßig:

Präsens:	Er **lässt** den Computer **reparieren**.
Präteritum:	Er **ließ** den Computer **reparieren**.
Perfekt:	Er **hat** den Computer **reparieren lassen**. (!)

Das Perfekt von **lassen** + Infinitiv wird nicht mit einem Partizip gebildet, sondern mit dem Infinitiv des Hauptverbs und dem Infinitiv von **lassen** am Ende.
Auch in Kombination mit einem Modalverb gibt es zwei Infinitive:
Er <u>muss</u> den Computer <u>reparieren lassen</u>.

Bringen Sie die Wörter in die richtige Reihenfolge.

1. brennen | . | Ich | lassen | eine CD | habe mir

   _____

2. seinen Sohn | Er | . | allein | ließ | fahren | nach Berlin

   _____

3. müssen | lassen | reparieren | den Fernseher | . | Wir

   _____

16

Was macht man nicht selbst? Formulieren Sie die Sätze mit **lassen** + Infinitiv. Achten Sie auf die richtige Zeit.

1. Mein Chef schreibt seine Briefe nicht selbst. *(Präsens)*

   _____

2. Ich installierte die Programme nicht selbst. *(Präteritum)*

   _____

3. Wir haben unser Auto nicht selbst gewaschen. *(Perfekt)*

   _____

17

Sie bringen ein defektes Gerät in eine **Werkstatt** oder zum **Kundendienst**. Was können Sie sagen oder fragen?

die Werkstatt = Ort, wo Geräte repariert werden
der Kundendienst = Service für Kunden
das Ersatzteil = Teil eines Geräts, das man für die Reparatur eines defekten Teils verwenden kann
das Lager = Raum, in dem Produkte oder Teile sind, die ein Geschäft nicht sofort braucht
liefern = Ware zum Kunden bringen
abholen = Ware selbst holen

   Die Reparatur:
1. **Ich möchte ... reparieren lassen.**
2. **Das Gerät ist schon alt. Gibt es (noch) Ersatzteile dafür? /**
   Haben Sie Ersatzteile für ... auf Lager?
   Die Kosten:
3. **Könnten Sie mir einen schriftlichen Kostenvoranschlag machen?**
4. **Bitte informieren Sie mich, wenn die Reparatur mehr als ... Euro**
   kostet.
   Nach der Reparatur:
5. **Können Sie mir das reparierte Gerät nach Hause liefern?**
6. **Wann kann ich das Gerät wieder abholen?**

Hören Sie auf Ihrer CD drei Antworten. Zu welchen der Sätze 1 bis 6 passen die Antworten? Notieren Sie die Nummern.

 TR. 233

Antwort 1: ___   Antwort 2: ___   Antwort 3: ___

TR. 234

18

Hören Sie auf Ihrer CD Sätze zu den folgenden Stichwörtern. Wer spricht die Sätze? Der Kunde oder jemand vom Kundendienst? Kreuzen Sie die richtige Antwort an.

		Kunde:	Kundendienst:
1.	Gerät	■	■
2.	liefern	■	■
3.	Drucker	■	■
4.	Kabel	■	■
5.	abholen	■	■
6.	Kostenvoranschlag	■	■
7.	Lager	■	■
8.	Ersatzteile	■	■
9.	100 Euro	■	■

19

In der letzten Übung können Sie noch einmal wichtige Wörter und Strukturen dieser Lektion wiederholen.
Zwei Freunde unterhalten sich über das Problem, das Sie auf dem Foto sehen. Was sagen sie? Kreuzen Sie die passenden Sätze an. Mehrere Sätze können richtig sein.

1.
Achtung! Virus!

■ A Kopierst du mir bitte dieses Programm?
■ B Ich befürchte, dass du ein Problem hast.
■ C Wie ärgerlich! Hast du alle Daten gespeichert?
■ D Irgendwo ist der Kostenvoranschlag.

2.
Kaputt!

■ A Kümmerst du dich bitte um die Reparatur?
■ B Können wir die Datei auch herunterladen?
■ C Kannst du das Gerät reparieren lassen?
■ D Lass uns eine Werkstatt anrufen!

1

Sehen Sie sich die Fotos an. Wer sagt was über seinen **Beruf**?
Ordnen Sie die Sätze den Fotos zu. Lesen Sie dann die Sätze laut.

tätig sein als =
arbeiten als
die Tätigkeit =
berufliche Aktivität,
Arbeit
die Ausbildung =
Zeit, in der man
studiert oder einen
Beruf lernt

1   2   3   4

___ **A** Ich bin als Bankkaufmann tätig.

___ **B** Ich habe das Studium noch nicht abgeschlossen.

___ **C** Meine Ausbildung zur Ärztin dauerte acht Jahre.

___ **D** Für meine Tätigkeit als Sekretärin brauche ich gute Computer-
kenntnisse.

2

Sie wissen schon aus den letzten Lektionen, dass es bei der Zeitung
„Blickpunkte", wo Thomas Kowalski arbeitet, eine freie Arbeitsstelle gibt.
Lesen Sie die **Stellenanzeige**.

(m/w) = männlich
oder weiblich

STELLENANZEIGEN

Blickpunkte, Ihre Zeitung in Ihrer Stadt

Wir suchen
junge Redakteure (m/w)
für unser Team

Sind Sie flexibel und belastbar?
Haben Sie journalistische Erfahrung?
Dann bewerben Sie sich!

Bewerbungen an die Personalabteilung, Frau Wieland, wieland@blickpu....

Was für Bewerber werden gesucht?
Ergänzen Sie die Wörter.

TR. 235

Gut zu wissen:

der Lebenslauf = Curriculum vitae

das Gehalt = Geld, das man für seine Arbeit bekommt

die Fähigkeit = das Können, das man hat

die Sprachkenntnisse (Plural) = Fremdsprachen, die man gelernt hat oder kann

3

Eric wurde zum **Bewerbungsgespräch** eingeladen. Thomas und die Chefin der Personalabteilung, Frau Wieland, führen das Gespräch.
Hören Sie das Gespräch auf Ihrer CD und kreuzen Sie an, über welche Themen gesprochen wird.

1. ■ die Schulzeit

2. ■ das Studium

3. ■ der Lebenslauf

4. ■ Fähigkeiten

5. ■ das Gehalt

6. ■ die Ausbildung

7. ■ die Berufserfahrung

8. ■ Sprachkenntnisse

TR. 235

4

Was für Fragen stellen Thomas und Frau Wieland? Und was antwortet Eric? Hören Sie das Gespräch noch einmal und ergänzen Sie die Lücken.

1. Wie haben Sie von der Stelle _____ ?

2. *Eric:* Ich lese regelmäßig die _____ im Internet.

3. Warum möchten Sie sich beruflich _____?

4. *Eric:* Nach dem Abitur machte ich eine _____ zum Bankkauf-mann und ...

5. Warum sind Sie an der _____ als Redakteur interessiert?

6. *Eric:* Ich habe schon über _____ Themen geschrieben und gemerkt, dass das Schreiben mehr als ein _____ ist.

7. Bringen Sie noch andere _____ mit?

8. *Eric:* Ja, ich habe sehr gute _____ im Umgang mit Computern.

5

Bringen Sie Erics Lebenslauf in die richtige zeitliche Reihenfolge. Nummerieren Sie die Sätze.

____ **A** Er macht eine Ausbildung zum Bankkaufmann.

____ **B** Er entdeckt eine Stellenanzeige im Internet.

____ **C** Er schließt das Studium ab.

____ **D** Er wird zum Bewerbungsgespräch bei „Blickpunkte" eingeladen.

____ **E** Er arbeitet eine Zeit lang in einer Bank.

____ **F** Er bewirbt sich bei der Zeitung „Blickpunkte".

____ **G** Er macht Abitur.

____ **H** Er beginnt mit dem Studium der Betriebswirtschaft an der Heinrich-Heine-Universität.

Gut zu wissen:
1. **Das Abitur** ist ein Schulabschluss, wenn man ein Gymnasium besucht hat. Mit dem Abitur kann man an einer Universität studieren. In Österreich und in der Schweiz heißt dieser Abschluss **die Matura**.
2. **Heinrich-Heine-Universität** ist der Name der Universität in Düsseldorf. **Heinrich Heine** (1797 – 1856) war ein sehr berühmter deutscher Dichter, der in Düsseldorf aufgewachsen ist.

6

Was bedeuten die folgenden Ausdrücke aus dem Hauptdialog? Kreuzen Sie die richtige Antwort an.

1. **Ich bin gerne bereit**, viel zu arbeiten.
   - ■ **A** Vielen Dank, dass Sie eine Arbeit für mich haben.
   - ■ **B** Ich bin auf viel Arbeit vorbereitet.
   - ■ **C** Sie helfen mir sehr bei der Arbeit.

2. Ich habe sehr gute **Kenntnisse im Umgang mit Computern**.
   - ■ **A** Ich schreibe viel mit dem Computer.
   - ■ **B** Ich bin sehr an Computern interessiert.
   - ■ **C** Ich habe viel Erfahrung mit Computern.

3. Die Teamarbeit ist im Studium **zu kurz gekommen**.
   - ■ **A** Die Arbeit in einem Team war sehr wichtig.
   - ■ **B** Wir arbeiteten nicht oft genug im Team.
   - ■ **C** Die Teamarbeit war häufig ein Problem.

4. **Da fragt man sich**, warum …
   - ■ **A** Ich verstehe nicht ganz, warum …
   - ■ **B** Ich stelle fest, warum …
   - ■ **C** Ich habe jetzt gemerkt, warum …

7

Weitere Informationen im Lebenslauf sind:
Schule und Studium:
Name, Ort und Art der Schule (z.B. **Gymnasium**) und Abschluss (z.B. **Abitur**); Name der Universität, das Studienfach (z.B. **Betriebswirtschaft**) und die Art des Abschlusses, z.B. **Bachelor**, **Master**.
Beruf:
Art der Tätigkeit (**Bankkaufmann**, **Sekretärin**), Name und Ort der Firma.

In einem schriftlichen Lebenslauf findet man meist folgende Informationen:

Angaben zur Person
Name:
Geburtsdatum:
Geburtsort:
Staatsangehörigkeit:
Schulbildung und Studium
Berufsausbildung
Berufserfahrung
Besondere Kenntnisse
Fremdsprachen:
Computer:

LEBENSLAUF

Angaben zur Person
Name: Eric Vanderberg
Geburtsdatum: 15.06.1983
...

Schulbildung und Studium
1989 – 1993 Grundschule Bilk, Düsseldorf
1994 – 2003 Comenius-Gymnasium, Düsseldorf
2003 Abitur
2008 – 2013 Studium der Betriebswirtschaft, Heinrich-Heine-Universität, Düsseldorf

Was passt zusammen?

1. Berufsausbildung	___ A	2007 – 2008 Tätigkeit als Bankkaufmann
2. Berufserfahrung	___ B	Englisch (C1), Spanisch (B1)
3. Besondere Kenntnisse	___ C	2004 – 2007 Ausbildung zum Bankkaufmann

8

Gut zu wissen:
1. Zeitangaben (**2002, dann, nach der Schulzeit**) stehen oft am Anfang des Satzes. Beachten Sie, dass danach das Verb folgt und nicht die Person:
2014 habe ich ...
2. Zum Gebrauch der Präpositionen **an, in** und **bei**: **an** + Schule/ Universität, **in** oder **bei** + Bank / Firma; **bei** + Arbeitsstellen, die kein Gebäude sind, z.B. **bei einer Zeitung**.

Wenn Sie von Ihrer Ausbildung und Ihrer beruflichen Karriere erzählen möchten, sind die folgenden Sätze nützlich:

1998 habe ich die Schule / das Gymnasium abgeschlossen.
Danach habe ich eine Ausbildung zum/zur ... begonnen.
Anschließend habe ich ... an der Universität Düsseldorf studiert.
2003 habe ich das Studium / die Ausbildung **abgeschlossen.**
Von 2003 bis 2012 war ich als ... tätig.
Seit 2013 arbeite ich bei/in einer Bank / Firma / **bei** einer Zeitung.
Dort bin ich für die Beratung / Reparaturen / wirtschaftliche Themen / **zuständig.**

Die Zeitangaben **danach**, **dann** und **anschließend** können als synonym verwendet werden.

Bringen Sie die Wörter in die richtige Reihenfolge. Beginnen Sie mit der Zeitangabe.

1. eine | angefangen | 2013 | zur | ich | . | Ausbildung | habe | Fotografin

_____

2. einem | bin | Bankkaufmann | ich | . | Seit | tätig | Jahr | als

_____

3. ich | arbeitete | einer | . | Von | 2014 | bis | bei | Firma | großen | 2012

_____

4. Abitur | ich | geschrieben | dem | Nach | . | viele | habe | Bewerbungen

_____

9

Suchen Sie eine Stelle, eine Arbeit oder einen Job?
Dann können Sie Folgendes tun:

die Stellenanzeigen lesen oder
selbst **eine Anzeige aufgeben**
sich bewerben ...
    um + Stelle / Job
    als + Beruf
    bei + Ort (z.B. bei einer Firma)
sich auf das Bewerbungsgespräch / Vorstellungsgespräch vorbereiten
und **sich vorstellen**

Gut zu wissen:
die Arbeit = Tätigkeit im Allgemeinen
die Stelle = eine feste Arbeit; die Position, in der man arbeitet
der Job = 1. eine Tätigkeit für eine kurze Zeit, z.B. nur in den Ferien; 2. Synonym für Arbeit in der Umgangssprache

Ergänzen Sie **als**, **auf**, **bei** und **um**.

1. Sie hat sich ____ Sekretärin beworben.

2. Gestern habe ich von einer freien Stelle ____ einer Zeitung erfahren.

3. Er möchte sich ____ den Job ____ Redakteur bewerben.

4. Hast du dich schon ____ das Vorstellungsgespräch vorbereitet?

10

Im Hauptdialog haben Sie eine neue Zeitform der Vergangenheit kennen gelernt: Das **Plusquamperfekt**. Beispiele:

Ich <u>hatte</u> nach einer journalistischen Tätigkeit <u>gesucht</u>.
Die Arbeit im Team <u>war</u> zu kurz <u>gekommen</u>.

<u>Bildung:</u>
Präteritum von **haben** / **sein** + Partizip Perfekt des Hauptverbs

Die Regeln für den Gebrauch der Hilfsverben **haben** and **sein** sind die gleichen wie beim Perfekt.

11

Das **Plusquamperfekt** wird für Handlungen in der Vergangenheit verwendet, die **vor** einer anderen vergangenen Handlung (meist im Präteritum) stattfanden.

	Vorher:
Er war nicht zu Hause.	**Er <u>war</u> nach Berlin <u>gefahren</u>.**
Warum kam er nicht?	**Er <u>hatte</u> den Termin <u>vergessen</u>.**

Sätze im Plusquamperfekt werden oft mit einer Zeitangabe eingeleitet:
davor, zuvor oder vorher, ein Jahr davor, zwei Tage vorher usw.
Sie machte eine Ausbildung zur Fotografin. Ein Jahr <u>davor</u> <u>hatte</u> sie die Schule <u>abgeschlossen</u>.

 TR. 236

Hören Sie, was vorher passiert ist. Ergänzen Sie dann die Lücken.

1. Sie kam nicht zu Peters Party. Er _____ sie nicht _____ .

2. Endlich konnte ich wieder arbeiten. Ich _____ lange krank _____ .

12

Was war vorher? Ordnen Sie die passenden Sätze im Plusquamperfekt zu.

1. Endlich fand er eine Stelle!	___ **A** Vorher hatte ich eine Lehre gemacht.
2. Sie suchte einen Job in einer neuen Firma.	___ **B** Er war erst kurz zuvor in Urlaub gefahren.
3. 2011 begann ich zu studieren.	___ **C** Der Termindruck bei der alten Firma war zu hoch gewesen.
4. Das Bewerbungsgespräch meines Bruders war leider erfolglos.	___ **D** Er hatte schon ohne sie angefangen.
5. Gestern war mein Kollege bereits wieder im Büro.	___ **E** Davor hatte er mehr als 40 Bewerbungen geschrieben.
6. Sie kamen fünf Minuten zu spät zu ihrem Deutschkurs.	___ **F** Er hatte sich nicht gut darauf vorbereitet.

13

Man kann sich gut auf ein Vorstellungsgespräch vorbereiten, denn es gibt typische Fragen, die sehr oft gestellt werden. Lesen Sie die Fragen und denken Sie an Antworten, die Sie selbst geben würden.

Lebenslauf:	**Welche Berufsausbildung haben Sie?** **Was haben Sie bisher beruflich gemacht?**
Grund für die Bewerbung:	**Warum wollen Sie sich (beruflich) verändern? Warum sind Sie an der Tätigkeit als … interessiert?**
Gehalt:	**An welches Gehalt hatten Sie gedacht?**
Kenntnisse und Fähigkeiten:	**Haben Sie Sprachkenntnisse / Computerkenntnisse?** **Haben Sie Kenntnisse im Umgang mit …?** **Welche Fähigkeiten bringen Sie mit, die für diesen Beruf nützlich wären?**

Was kann man auf die letzte Frage nach den Fähigkeiten antworten? Hören Sie drei Antworten und ergänzen Sie die Sätze.

 TR. 237

1. Ich bin _____.

2. Ich habe viel _____.

3. Ich kann auch _____.

14

Sind Sie bereit für ein Vorstellungsgespräch? Hören Sie die Fragen und ordnen Sie die passenden Antworten zu.

1. TR. 238

2. TR. 239

3. TR. 240

4. TR. 241

5. TR. 242

6. TR. 243

____ **A** Ich suche neue und abwechslungsreiche Aufgaben.

____ **B** Ja, ich habe bisher immer im Team gearbeitet.

____ **C** Ich war bei einer Bank tätig.

____ **D** An 2000 Euro im Monat.

____ **E** Ich bin sehr gut im Umgang mit Kunden.

____ **F** Ja, ich habe sehr gute Computerkenntnisse.

15

Sven und Anja waren zusammen auf dem **Gymnasium**, haben sich aber seit dem **Abitur** nicht mehr gesehen. Nach zehn Jahren treffen sie sich zufällig wieder. Ergänzen Sie die Lücken.

> an   nach   bei   interessiert   verändern
> studiert   kommen   Tätigkeit   Beruf   Betriebswirtschaft
> Gehalt   Firma   Ausbildung

Anja: Was hast du eigentlich _____ (1) dem Abitur gemacht? Hast du _____ (2)?

Sven: Nein, ich habe eine _____ (3) zum Bankkaufmann gemacht. Für mich war wichtig, sofort einen _____ (4) zu haben und ein regelmäßiges _____ (5) zu bekommen. Und du?

Anja: Ich habe _____ (6) studiert.

Sven: Klar! Du hattest dich ja schon immer für wirtschaftliche Zusammenhänge _____ (7). Wo hast du denn studiert?

Anja: In Düsseldorf, _____ (8) der Heinrich-Heine-Universität.

Sven: Und wo arbeitest du jetzt?

Anja: Jetzt bin ich _____ (9) einer großen _____ (10) in Düsseldorf. Die _____ (11) ist wirklich abwechslungsreich, aber leider _____ (12) meine Kinder zu kurz.

Sven: Vielleicht solltest du dich beruflich _____ (13).

Anja: Daran hatte ich auch schon gedacht.

16

In dieser Lektion haben Sie neue unregelmäßige Verben kennengelernt, die wichtig für das Thema **Bewerbung** sind.
Lesen Sie die Beispiele mit dem Infinitiv. Hören Sie dann auf Ihrer CD die Formen für die 3. Person Singular Präsens und Präteritum sowie das Partizip.
Sprechen Sie die Formen nach. Achten Sie auf die Betonung und die Aussprache der kurzen und langen Vokale.

1. mit der Ausbildung beginnen

    beginnt - begann - begonnen
     TR. 244

2. das Studium abschließen

    schließt ab - schloss ab - abgeschlossen
    TR. 245

3. sich bei einer Firma bewerben

    bewirbt - bewarb - beworben
    TR. 246

4. eine Stellenanzeige aufgeben

    gibt auf - gab auf - aufgegeben
    TR. 247

5. von einer freien Stelle erfahren

    erfährt - erfuhr - erfahren
    TR. 248

Interkulturelles

Ausbildung in Deutschland, Österreich und in der Schweiz

Nach der Schulzeit gibt es verschiedene Möglichkeiten der beruflichen Ausbildung. Man kann zum Beispiel an einer **Fachhochschule** oder an einer **Universität** studieren. Oder man macht eine **berufliche Ausbildung** bzw. eine **Lehre**. Zu den Berufen, für die man eine Lehre macht, gehören Mechaniker, Verkäuferin, Koch und viele andere mehr.

Die Lehre ist eine **duale Ausbildung** und dauert zwei bis dreieinhalb Jahre. In dieser Zeit lernen **die Auszubildenden** (oder kurz: **die Azubis**) die

praktische Seite eines Berufs in einem Betrieb und sie besuchen ein bis zwei Tage pro Woche eine **Berufsschule**, an der sie Unterricht in Theorie haben.

TR. 249

der Vorteil = positive Eigenschaft; etwas, das nützlich ist
der Auftrag = die Bestellung von Produkten oder Dienstleistungen, in Sylvias Fall: von Fotos
verdienen = Geld für seine Arbeit bekommen
etwas einteilen = etwas (Geld, Zeit, Essen) in bestimmte Teile oder Gruppen gliedern

1

Sylvia ist Fotografin von Beruf. Sie ist selbstständig. Das bedeutet: Sie ist ihre eigene Chefin, ist nicht bei einer Firma fest angestellt und hat keine festen Arbeitszeiten. Hören Sie auf Ihrer CD, was Sylvia über ihre **Arbeitsbedingungen** sagt, und schreiben Sie die Wörter in die Lücken.

Aufträge   Vorteile   Hobbys   verdiene   einteilen   selbstständige

1. Ich bin _____ Fotografin.
2. Das hat viele _____.
3. Ich kann meine Zeit selbst _____.
4. Ich habe neben dem Beruf Zeit für _____.
5. Ich bekomme viele interessante _____.
6. Ich bin nicht reich, aber ich _____ genug.

2

Die folgenden Wörter kommen in dieser Lektion vor. Was bedeuten sie? Ordnen Sie die richtige Erklärung zu.

1. routiniert sein	___ A ohne Arbeit
2. motiviert	___ B nicht fest angestellt
3. das Zeugnis	___ C jeden Tag von 8.00 bis 16.00 Uhr
4. freiberuflich tätig	___ D langjährige Erfahrung haben
5. arbeitslos	___ E begeistert und gerne bereit für etwas
6. geregelte Arbeitszeiten	___ F ein Dokument über den erfolgreichen Abschluss der Schulzeit oder des Studiums

3

 TR. 250

Nach dem Bewerbungsgespräch zeigt Thomas Kowalski Eric die Redaktion. Als sie die Küche erreichen, trifft Eric eine Person, die er kennt. Hören Sie das Gespräch und kreuzen Sie an, welcher Titel passt. Nur eine Antwort ist richtig.

- ▨ **A** Eric bekommt die Stelle. Super!
- ▨ **B** Große Freude über das Wiedersehen mit Aynur!
- ▨ **C** So eine Überraschung! Ich bin sprachlos!
- ▨ **D** Routiniert, witzig und trotzdem arbeitslos!

4

 TR. 250

Hören Sie das Gespräch noch einmal und entscheiden Sie, ob die folgenden Aussagen richtig oder falsch sind.

		richtig	falsch
1.	Thomas verabschiedet sich, weil er noch einen Termin hat.	▨	▨
2.	Sylvia wusste von dem Bewerbungsgespräch.	▨	▨
3.	Erics Zeugnisse waren leider nicht da.	▨	▨
4.	Eric denkt, dass das Bewerbungsgespräch nicht erfolgreich war.	▨	▨
5.	Silvia findet andere Dinge wichtiger als Geld.	▨	▨
6.	Für Eric ist es nicht wichtig, einen sicheren Arbeitsplatz zu haben.	▨	▨
7.	Eric kennt die Geschichte über das Krokodil.	▨	▨
8.	Sylvia, Thomas und Aynur hatten vor längerer Zeit ein Krokodil gesucht.	▨	▨

5

1. Wörter wie **ach**, **hm**, **ähm** und **na ja** sind typisch für die gesprochene Sprache. Man verwendet sie, wenn man nicht sofort antworten will oder Zeit braucht, um das passende Wort zu finden.
2. Um ein Wort besonders zu betonen, kann man es an die erste Stelle im Satz stellen: <u>Reich</u> **wird man nicht.**

Lesen Sie die Fragen aus dem Hauptdialog und ordnen Sie die passenden Antworten zu.

1. Eric! Was machst du denn hier?

2. Und wie war das Bewerbungsgespräch?

3. Bist du hier fest angestellt?

4. Verdient man denn als Freiberufler genug?

5. Hast du die Fotos zu der Serie über das Krokodil gemacht?

____ A Ja, dafür war ich verantwortlich.

____ B Na ja, reich wird man nicht.

____ C Ach, meine Zeugnisse sind sehr gut und ich war sehr motiviert.

____ D Ich hatte gerade ein Bewerbungsgespräch.

____ E Nein, ich bin selbstständige Fotografin.

6

Was bedeuten die folgenden Wörter und Ausdrücke aus dem Dialog? Kreuzen Sie die richtige Antwort an.

1. eine **Zusage**
   - ■ A ein Vorteil
   - ■ B eine positive Antwort
   - ■ C ein guter Auftrag

2. jemanden **aufklären**
   - ■ A jemanden verabschieden
   - ■ B für jemanden verantwortlich sein
   - ■ C jemandem den Zusammenhang erklären

3. **mit** einer Person beruflich **zu tun haben**
   - ■ A mit einer Person zusammenarbeiten
   - ■ B eine Person motivieren
   - ■ C einer Person etwas nicht erzählen

4. **sich amüsieren**
   - ■ A sprachlos sein
   - ■ B Spaß haben und über etwas lachen
   - ■ C einen Eindruck haben

7

Aus Lektion 30 kennen Sie schon die Wörter **flexibel** und **belastbar**. Hier sind weitere Qualifikationen und Eigenschaften, die für einen Beruf wichtig sind:

Qualifikationen:
ein gutes Zeugnis aus der Schulzeit oder aus dem Studium,
gute Referenzen (z.B. von der letzten Arbeitsstelle oder von einem Professor an der Universität) und
eine langjährige Praxis / Erfahrung

Eigenschaften:
qualifiziert, motiviert, selbstständig, zuverlässig, verantwortungsvoll, routiniert (oder **erfahren**) oder entsprechende Substantive, z.B. **die Belastbarkeit, die Verantwortung**.

selbstständig =
1. ohne fremde Hilfe; 2. nicht fest angestellt

Lesen Sie die Beschreibungen. Welche Eigenschaft passt am besten? Schreiben Sie die Wörter in die Lücken.

verantwortungsvoll	selbstständig	zuverlässig	routiniert

1. Nach 20 Jahren Berufserfahrung bin ich sehr _____.

2. Der Beruf eines Arztes ist _____, denn er trägt die Verantwortung für seine Patienten.

3. Wir suchen junge Leute, die _____ arbeiten können, also ohne Hilfe.

4. Ich kann meiner Sekretärin viele Aufgaben geben und weiß, dass sie sie nicht vergisst. Sie ist _____.

8

Wie heißen die Substantive zu den folgenden Adjektiven? Ordnen Sie den Buchstabensalat und notieren Sie die Wörter.

Gut zu wissen:
Substantive auf **-heit, -ik, -ine, -ion, -keit, -schaft, -tät** und **-ung** sind immer feminin.

1. selbstständig - die _____ BSTSELKEITIGSTÄDN

2. motiviert - die _____ VAMIOOTITN

3. flexibel - die _____ TÄTEXFLILIBI

4. zuverlässig - die _____ KIETZULÄSSVERIG

5. routiniert - die _____ OUNERIT

9

erhalten (erhält,
erhielt, hat erhalten) =
bekommen
**(die) Verantwortung
tragen (für)** =
verantwortlich sein
**(die) Verantwortung
übernehmen** = bereit
sein, Verantwortung zu
bekommen
Beide Ausdrücke
haben außerdem die
Bedeutung **(die) Schuld
auf sich nehmen.**

Was ist wichtig für Sie im Job? Beantworten Sie die Frage für sich selbst.
Sie können die folgenden Strukturen verwenden:
Mir ist wichtig, dass ich ...
Ich (persönlich) finde es wichtig, dass ich ...
Ich lege Wert darauf, dass ich ...

Hier sind einige Vorschläge:
... meine Zeit selbst / frei einteilen kann.
... mit interessanten Menschen zu tun habe.
... viel Geld verdiene / ein hohes Einkommen habe.
... neben dem Beruf Zeit für ... habe.
... abwechslungsreiche Aufträge erhalte.
... Verantwortung tragen / übernehmen kann.
... eine geregelte Arbeitszeit habe.
... einen sicheren Job habe.
... hilfsbereite Kollegen habe.

 TR. 251

10

Hören Sie auf Ihrer CD, was Frau Kremer und Herr Holsten über ihre
Arbeitssituation sagen.
Kreuzen Sie die Themen an,
über die die Personen sprechen.

1. gut verdienen / ein gutes Ein-
   kommen   ▪   ▪

2. eine geregelte Arbeitszeit   ▪   ▪

3. hilfsbereite Kollegen   ▪   ▪

4. Zeit frei einteilen können   ▪   ▪

5. interessante Aufträge   ▪   ▪

6. ein sicherer Arbeitsplatz   ▪   ▪

11

Die Konjunktion **nachdem** leitet einen Nebensatz ein. Die Handlung im Nebensatz findet **vor** der Handlung im Hauptsatz statt. Die Vorzeitigkeit wird durch **nachdem** und eine entsprechende Zeitform ausgedrückt:

<u>Nebensatz (vorzeitig)</u>	<u>Hauptsatz (Gegenwart/ Zukunft)</u>
Nachdem du **gegessen hast**, *Perfekt*	**gehen** wir ins Kino. *Präsens*

<u>Nebensatz (vorzeitig)</u>	<u>Hauptsatz (Vergangenheit)</u>
Nachdem er **angekommen war**, *Plusquamperfekt*	**rief** er seine Mutter **an**. *Präteritum*

Der Nebensatz mit **nachdem** steht meist vor dem Hauptsatz, kann ihm aber auch folgen. Bringen Sie die Wörter in die richtige Reihenfolge.

1. den Auftrag | viel Geld | bekam | . | **Nachdem** ich | erledigt hatte, | ich

    _____

2. **nachdem** er | Sie | an, | rief ihn | schon gegangen war | . | im Büro

    _____

Gut zu wissen:
In der gesprochenen Sprache wird im Neben- und im Hauptsatz oft auch das Perfekt verwendet. Beispiele dafür finden Sie im Hauptdialog.

12

Die Vorzeitigkeit im Nebensatz kann nicht nur mit **nachdem**, sondern auch mit den Konjunktionen **als** und **sobald** ausgedrückt werden:
Nachdem/Als/Sobald er die Schule beendet hatte, ging er ins Ausland.

Ergänzen Sie die die Sätze mit dem Perfekt oder Plusquamperfekt der angegebenen Verben. Die Zeitform im Hauptsatz hilft Ihnen dabei.

1. Nachdem wir ihr alles _____, war sie sprachlos. *(erzählen)*

2. Sobald er sein erstes Gehalt _____, macht er eine große Party. *(bekommen)*

3. Als meine Kollegen nach Hause _____, bekamen wir noch einen wichtigen Auftrag. *(gehen)*

4. Nachdem ich die Fotos _____, zeige ich sie den Redakteuren. *(machen)*

Gut zu wissen:
Die Verwendung von **als** in der Bedeutung von **nachdem** ist nur möglich, wenn sich die Handlung im Hauptsatz auf die Vergangenheit bezieht.

13

Sie kennen schon viele Wörter aus der **Wortfamilie Arbeit**. Lesen Sie die folgenden Wörter laut:

Art der Arbeit:
die Zusammenarbeit, die Teamarbeit, die Teilzeitarbeit

Personen in der Arbeitswelt:
der Arbeitnehmer, der Arbeitgeber,
der Mitarbeiter (= 1. Arbeitnehmer; 2. Kollege),
der Arbeitslose

Apropos
Arbeitszeiten, man kann
(in) Teilzeit ⟷
(in) Vollzeit arbeiten
geregelte (= feste)
Arbeitszeiten ⟷
Gleitzeit haben

Außerdem:
der Arbeitsplatz (= die Arbeitsstelle)**, die Arbeitszeit,**
die Arbeitsagentur (oder: **Agentur für Arbeit**),
die Arbeitserlaubnis, die Arbeitslosigkeit, die Arbeitsbedingungen

14

Lesen Sie die Erklärungen und ordnen Sie die Wörter zu.

1. Diese Menschen haben keine Arbeit:	___ **A** der Arbeitgeber
2. Ein anderes Wort für „Job, Stelle":	___ **B** die Arbeitserlaubnis
3. Sie macht man, wenn man nicht Vollzeit arbeitet:	___ **C** die Mitarbeiterin
4. Man fängt zwischen 8.00 und 10.00 Uhr an zu arbeiten:	___ **D** der Arbeitsplatz
5. Alle Personen, die arbeiten:	___ **E** die Arbeitnehmer
6. Er hat Angestellte:	___ **F** die Arbeitsagentur
7. Ein anderes Wort für „die Kollegin":	___ **G** die Arbeitslosen
8. Man braucht sie, um im Ausland arbeiten zu dürfen:	___ **H** die Gleitzeit
9. Sie ist zuständig, wenn man arbeitslos ist und eine neue Arbeit sucht:	___ **I** die Teilzeitarbeit

15

Mit den folgenden Sätzen können Sie Ihre Arbeitssituation beschreiben.

**Ich bin Arbeiter / Auszubildender/ Angestellter / Beamter /
Freiberufler / Unternehmer / Rentner.**

Ich bin freiberuflich tätig ↔ fest angestellt.
Ich bin bei einer Firma angestellt.
Ich arbeite in einem Betrieb.
Ich leite eine Abteilung / einen Betrieb.
Ich bin berufstätig ↔ zurzeit arbeitslos.

**Ich bin selbstständig und besitze einen eigenen Betrieb / eine eigene
Firma.**

Ich verdiene ... Euro netto / brutto.
Mein Einkommen / Meine Rente beträgt ... Euro.

Für Frauen: Ich
bin Arbeiterin /
Auszubildende /
Angestellte /
Beamtin /
Freiberuflerin /
Unternehmerin /
Rentnerin.

Gut zu wissen:
der Beamte =
Angestellter
des Staates. In
Deutschland sind zum
Beispiel Lehrer an
staatlichen Schulen
oder Polizisten
Beamte. Beachten
Sie: **der Beamte, ein
Beamter.**
das Einkommen = das
Gehalt

16

Wer sagt was? Zu jeder Person und ihrer Arbeitssituation passen immer
zwei Sätze. Ordnen Sie die Sätze den Fotos zu.

1 2 3 4

___ **A** Als Unternehmer bin ich für 20 Angestellte verantwortlich.

___ **B** Ich bin Beamter.

___ **C** Meine Rente ist leider nicht sehr hoch.

___ **D** Zurzeit bin ich freiberuflich tätig.

___ **E** Ich bin selbstständig und leite eine Firma.

___ **F** Ich habe weder ein festes Einkommen noch geregelte Arbeits-
zeiten.

___ **G** Ich war lange berufstätig. Jetzt bin ich Rentnerin.

___ **H** Seit drei Jahren bin ich an einem Gymnasium tätig.

17

Ergänzen Sie die Sätze mit den fehlenden Wörtern.
Achtung: Drei Wörter passen nicht.

Aufträge	Zusage	Zeugnis	Eindruck	Vorteile
Praxis	Einkommen	Suche	Referenzen	Nachteile

der Beitrag =
Geldsumme, die man
regelmäßig bezahlt,
zum Beispiel an eine
Versicherung
die Pflegeversicherung
= Versicherung für
den Fall, dass jemand
nicht mehr allein für
sich sorgen kann und
von anderen gepflegt
werden muss

1. Die Firma sucht einen Mitarbeiter mit langjähriger _____.

2. Die freiberufliche Tätigkeit hat sowohl _____ als auch _____.

3. Ich gehe heute auf die _____ nach einem Job.

4. Hoffentlich erhält Eric eine _____.

5. Er erledigt alle _____ sehr zuverlässig.

6. Ich habe den _____, dass ihr euch gut amüsiert.

Interkulturelles

Arbeitslosigkeit und Sozialversicherung

Die **Agentur für Arbeit** hat verschiedene Aufgaben. Sie hilft Arbeitslosen bei der Suche nach einer neuen Stelle und bietet Kurse an, in denen man Bewerbungen trainieren oder sich weiter qualifizieren kann. Für eine bestimmte Zeit der Arbeitslosigkeit bekommt man Arbeitslosengeld.

Alle Arbeitnehmerinnen und Arbeitnehmer zahlen von ihrem Einkommen einen Teil in die **Sozialversicherung** ein. Zur Sozialversicherung gehören die Arbeitslosen-, Kranken-, Pflege- Renten- und Unfallversicherung. Die Unfallversicherung für den Fall eines Unfalls am Arbeitsplatz zahlt nur der Arbeitgeber. Die Beiträge für die Arbeitslosen-, Pflege- und Rentenversicherung werden von Arbeitnehmern und Arbeitgebern zu je 50 Prozent übernommen. Bei der Krankenversicherung zahlen die Arbeitnehmer etwas mehr.

Die Höhe der Beiträge hängt von der Höhe des Einkommens ab: Wer wenig verdient, zahlt weniger als jemand, der ein höheres Einkommen hat.

1

 TR. 252

wütend sein   schlechte Stimmung   zum Verrücktwerden!

Aynur fühlt sich wie die Personen auf den Fotos. Sie ist sehr **wütend** auf Eric, ihre **Stimmung** ist schlecht, denn ihre Gefühle wurden verletzt. Hören Sie auf Ihrer CD, was sie in dieser Situation sagt. Schreiben Sie die Wörter in die Lücken.

> nervt   beschäftigt   sauer   Verrücktwerden   Schuld

1. Es ist zum _____!

2. Eric ist nur mit sich _____!

3. Es ist alles seine _____!

4. Mich _____ das Ganze!

5. Ich bin wirklich _____ auf ihn!

die Stimmung =
Zustand von Gefühlen
nerven
(umgangssprachlich)
= aufregen, stören
sauer
(umgangssprachlich)
= wütend
**mit sich beschäftigt
sein** = sich nur um sich
selbst kümmern
Zum Verrücktwerden
sagt man, wenn man
nicht mehr weiß, was
man in einer Situation
tun soll.

2

Die Wörter auf der linken Seite kennen Sie schon. Ordnen Sie die entsprechenden Substantive oder Verben zu. Die Angaben in Klammern helfen Ihnen, die neuen Wörter rechts zu finden und zu verstehen.

1. ärgerlich (*Verb*)	____ **A** unschuldig sein
2. klar (*Verb*)	____ **B** das Missverständnis
3. Entschuldigung! (*Verb*)	____ **C** der Anfang
4. Schuld haben (*Gegenteil* ⟷)	____ **D** sich ärgern
5. denken (*Substantiv*)	____ **E** klären
6. das Ende (*Gegenteil* ⟷)	____ **F** sich entschuldigen
7. falsch verstehen (*Substantiv*)	____ **G** der Gedanke

3

In der Zwischenzeit hat Aynur erfahren, dass Eric und Sylvia sich oft treffen. Sie ist zwar sauer, aber sie hat Eric um ein Gespräch gebeten. Jetzt wartet sie zusammen mit ihrer Freundin Claudia in einer Kneipe auf Eric. Eric ist schon auf dem Weg zur Kneipe, aber nicht allein, sondern mit Sylvia.

 TR. 253

Hören Sie auf Ihrer CD die Gespräche der vier Personen und beantworten Sie die Fragen.

	ja	nein
1. Ist Eric Sylvias neuer fester Freund?	■	■
2. Gibt es ein glückliches Ende für Aynur?	■	■

 TR. 253

1. Im Dialog kommt der Ausdruck **Das macht keinen Sinn!** vor, der wörtlich aus dem Englischen übersetzt ist und den man in der Umgangssprache oft verwendet. <u>Korrekt</u> ist aber: **Das ergibt/hat keinen Sinn!** oder **Das ist sinnlos!**

2. Das Adverb **ausgerechnet** drückt aus, dass man eine Situation so nicht erwartet hat und dass man sich darüber ärgert: **Er trifft sich ausgerechnet mit Silvia. / Ausgerechnet mir ist das passiert.**

4

Hören Sie das Gespräch noch einmal. Was sagen und wollen die vier Personen? Kreuzen Sie die richtige Antwort an.

1.
Sylvia findet, dass …
- ■ A Eric stört.
- ■ B Eric sich entschuldigen soll.
- ■ C Eric nicht gut aussieht.

2.
Eric möchte …
- ■ A alle Missverständnisse aufklären.
- ■ B ausgerechnet Claudia treffen.
- ■ C allein in die Kneipe gehen.

3.
Als Claudia von Sylvia und Eric hört, sagt sie:
- ■ A Zum Verrücktwerden!
- ■ B Mach dir keine Sorgen!
- ■ C Das ist ja heftig!

4.
Sylvia sagt zu Aynur:
- ■ A Du täuschst dich.
- ■ B Das hat keinen Sinn.
- ■ C Du warst sehr beschäftigt.

5.
Eric war die ganze Zeit …
- ■ A eifersüchtig.
- ■ B mit seinen Gedanken woanders.
- ■ C sauer auf Aynur.

6.
Eric hofft, dass …
- ■ A Aynur ihm nicht mehr böse ist.
- ■ B er Recht hat.
- ■ C die Stimmung gut ist.

5

Im Dialog gibt es viele Wörter und Ausdrücke aus der Umgangssprache. Was bedeuten sie? Ordnen Sie die richtigen Erklärungen zu.

1. Es tut mir schrecklich leid!	___ A sauer auf eine Person sein
2. etwas miteinander haben	___ B froh sein, dass etwas ein gutes Ende hat
3. jemandem böse sein	___ C etwas ist wirklich extrem
4. Mensch!	___ D man redet über jemanden und dann kommt zufällig genau diese Person
5. Das ist ja heftig!	___ E ein Liebespaar sein
6. Gott sei Dank!	___ F man möchte sich entschuldigen
7. Wenn man vom Teufel spricht ...	___ G das sagt man zu einer Person, wenn man sich über sie ärgert

6

Der emotionalste Teil des Hauptdialogs ist das Gespräch zwischen Aynur und Claudia. Hören Sie noch einmal die einzelnen Sätze dieses Teils. Achten Sie auf die Intonation und sprechen Sie die Sätze nach.

Claudia: Na, was gibt's Neues? Hast du endlich dein Liebesleben in Ordnung gebracht?   TR. 254

Aynur: Ach nein, ganz und gar nicht. Inzwischen weiß ich, dass sich Eric mit einer anderen trifft, und zwar ausgerechnet mit Sylvia, einer Freundin. Es ist zum Verrücktwerden!   TR. 255

Claudia: Eric und eine Freundin von dir? Das ist ja heftig! Bist du dir sicher?   TR. 256

Aynur: Na ja. Er kommt gleich und will mir alles erklären.   TR. 257

Claudia: Mensch! Wenn ihr früher miteinander geredet hättet, wäre doch alles ganz anders gelaufen!   TR. 258

Aynur: Ja vielleicht, aber ich war sauer auf ihn und in so einer Stimmung hätte ein Gespräch keinen Sinn gemacht. Mich nervt das Ganze immer noch.   TR. 259

Claudia: Du bist nicht genervt, du bist ganz einfach eifersüchtig. Ha, wenn man vom Teufel spricht, schau mal, wer da kommt!   TR. 260

275

7

das **Verhalten** = die Art,
wie ein Mensch etwas
tut oder sagt
die Nerven verlieren =
die Kontrolle über sich
selbst verlieren
die Nerven behalten =
die Kontrolle in einer
schwierigen Situation
nicht verlieren

In der Umgangsprache verwendet man oft Ausdrücke mit dem Verb **nerven** und dem Substantiv **Nerv/Nerven**, zum Beispiel:
Du nervst! / Das Ganze nervt (mich)!
Mein Vater / Dieses Gespräch geht mir auf die Nerven.
Ich bin genervt von ihm / von seinem Verhalten.
Ich habe die Nerven verloren ↔ behalten.

Mit welchen Wörtern kann man eine Aussage weniger hart oder härter klingen lassen? Ordnen Sie die Buchstaben und ergänzen Sie die Sätze.

1. *weniger hart:*   W E I G E N D I R   Du nervst _____.

2. *härter:*   L A T T O   Ich bin _____ genervt.

8

In Übung 6 haben Sie sicher die Formen **hättet geredet** und **wäre gelaufen** bemerkt. Es handelt sich um den **Konjunktiv II der Vergangenheit**.

<u>Bildung:</u>
Konjunktiv II (der Gegenwart) von **haben / sein** (**ich hätte, er wäre** usw.)
+ Partizip Perfekt des Hauptverbs

<u>Wichtige Funktionen:</u>
Der Konjunktiv II der Vergangenheit drückt Folgendes aus:

irreale Bedingung:	<u>Hätte</u> ich mich um Aynur <u>gekümmert</u>, dann ...
irrealer Wunsch:	Wenn er doch <u>angerufen</u> <u>hätte</u>!
irreale Vermutung:	Das <u>wäre</u> besser <u>gewesen</u>!

Ergänzen Sie die Lücken mit den Formen des Konjunktiv II.

> gewusst   gesagt hättest   gekommen   hätte   wärst

Warum hast du mir Erics Namen nie gesagt? Dann _____ (1) du

nicht auf falsche Gedanken _____ (2) und ich _____ (3) von

Anfang an _____ (4), wer er ist. Wenn du doch nur seinen Namen

_____ (5)!

9

Der Konjunktiv II der Vergangenheit wird oft in irrealen Bedingungssätzen verwendet. Es gibt wie beim Konjunktiv II der Gegenwart (Lektion 28) die folgenden Möglichkeiten mit und ohne **wenn**:

Hauptsatz:	Nebensatz:
Er <u>wäre</u> gerne zur Party <u>gekommen</u>,	**wenn** er Zeit <u>gehabt hätte</u>.

Nebensatz:	Hauptsatz:
Wenn er Zeit <u>gehabt hätte</u>,	<u>wäre</u> er gerne zur Party <u>gekommen</u>.
<u>Hätte</u> er Zeit <u>gehabt</u>,	<u>wäre</u> er gerne zur Party <u>gekommen</u>.

Im Nebensatz mit **wenn** steht eine irreale Bedingung und im Hauptsatz eine Folge, die in der Vergangenheit nicht realisiert wurde.

Bringen Sie die Wörter in die richtige Reihenfolge.

1. wäre | Es | gewesen | besser | , | **wenn** ich | hätte | gekümmert | . | mich mehr um sie

   _____

2. hättet | **Wenn** | miteinander geredet | ihr | , | weniger Probleme | gehabt | . | hätten | wir alle

   _____

10

Was wäre passiert, wenn ...? Lesen Sie das Beispiel:
Er hat sich entschuldigt. Ich war nicht sauer.
→ **Wenn er sich nicht entschuldigt hätte, wäre ich sauer gewesen.**

Formulieren Sie Sätze mit dem Konjunktiv II der Vergangenheit nach diesem Muster. Stellen Sie sich das Gegenteil vor und ergänzen Sie **nicht**.

1. Sie haben sich getroffen. Aynur und Eric haben ihre Probleme geklärt.

   _____

2. Du hast alles missverstanden. Wir waren so wütend auf dich.

   _____

11

Wenn Sie **sich bei jemandem ent-
schuldigen** möchten, können Sie
die folgenden Sätze verwenden:

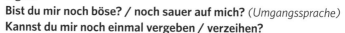

Jemanden um Verzeihung bitten:
**Ich möchte mich für ... entschul-
digen.**
Bist du mir noch böse? / noch sauer auf mich? *(Umgangssprache)*
Kannst du mir noch einmal vergeben / verzeihen?

Einen Fehler zugeben oder auf ein Missverständnis reagieren:
Das Ganze tut mir leid. Ich hatte mich getäuscht.
Das war ein Missverständnis. / Ich hatte das missverstanden.
Das ist/war alles meine Schuld / mein Fehler.

TR. 261

Hören Sie auf Ihrer CD drei Entschuldigungen und schreiben Sie die feh-
lenden Wörter in die Lücken. In jedem Satz fehlen zwei Wörter.

1. Ich möchte mich _____ entschuldigen.

2. Es tut _____ leid.

3. Bitte entschuldige _____!

12

Wie kann man auf eine Entschuldigung reagieren, um sich zu versöhnen?
Trennen Sie die Wörter und schreiben Sie die Sätze.

1. I C H N E H M E D I E E N T S C H U L D I G U N G G E R N E A N .

_____

2. G O T T S E I D A N K K O N N T E N W I R A L L E S K L Ä R E N .

_____

Wenn dann alles wieder in
Ordnung ist, kann man auch, wie
auf dem Foto rechts, mit einem
Getränk **anstoßen** und „**Prost!**"
sagen.

13

Sprichwörter werden verwendet, um eine Situation humorvoll oder kritisch zu kommentieren. Aus dem Hauptdialog kennen Sie schon die ersten zwei Situationen und die passenden Sprichwörter:

- **Wenn man vom Teufel spricht ...** Aynur und Claudia sprechen über Sylvia und Eric, die genau in diesem Moment in die Kneipe kommen.

- Aynur hatte die Beziehung zwischen Eric und Sylvia falsch verstanden. Der Kommentar ihrer Freundin Claudia ist: **Liebe macht blind.**

- Bekannt ist auch das Sprichwort **Reden ist Silber, Schweigen ist Gold.** Aber es wäre besser gewesen, wenn Aynur nicht geschwiegen hätte.

- Zu Eric, der sich um seine Bewerbung gekümmert hat, passt: **Erst die Arbeit, dann das Vergnügen.**

- Am Ende wurden alle Missverständnisse aufgeklärt und man kann sagen: **Ende gut, alles gut.** Oder: **Was lange währt, wird endlich gut.**

blind sein = nicht sehen können
schweigen (schweigt, schwieg, hat geschwiegen) = nichts sagen
das Vergnügen = der Spaß
währen = dauern

14

Welches Sprichwort passt? Ordnen Sie die Sprichwörter den Situationen auf den Fotos zu.

_____ A Wenn man vom Teufel spricht.

_____ B Reden ist Silber, Schweigen ist Gold.

_____ C Erst die Arbeit, dann das Vergnügen.

_____ D Liebe macht blind.

_____ E Was lange währt, wird endlich gut.

15

Die Aussprache von **e**

(1) In der gesprochenen Sprache wird der Vokal **e** nicht immer ausgesprochen. Man schreibt das fehlende e mit einem Apostroph (**'**). Beispiele:

- Statt **es** spricht man manchmal nur **s**:
  Was gibt's? Wie geht's dir? Ich kann's nicht.
- Bei Verben in der 1. Person Singular fehlt oft die Endung **-e**:
  ich hab', ich komm', ich wär', ich hör' usw.

(2) Das **e** in der Infinitivendung **-en** wird oft nur ganz schwach ausgesprochen oder man kann es gar nicht hören.

 TR. 262

Hören Sie auf Ihrer CD, wie die Endung -en bei den vier Verben ausgesprochen wird. Kreuzen Sie an, was Sie hören.

1. hören   ▪ schwaches **e**   ▪ kein **e**

2. müssen   ▪ schwaches **e**   ▪ kein **e**

3. laufen   ▪ schwaches **e**   ▪ kein **e**

4. anfangen   ▪ schwaches **e**   ▪ kein **e**

 TR. 263

16

Hören Sie auf Ihrer CD, was die Personen sagen. Ordnen Sie dann die passenden Reaktionen zu.

1. ●

2. ●

3. ●

4. ●

5. ●

6. ●

A Nein, es ist sicher nicht meine Schuld.

B Ja, es ist alles in Ordnung. Ich habe mich mit ihr versöhnt.

C Das wäre sinnlos gewesen, denn wir waren zu genervt.

D Mensch, das ist ja heftig! Jetzt musst du die Nerven behalten.

E Hoffentlich nur Gutes!

F Ach, ich war mit vielen Dingen beschäftigt.

17

Welches Wort passt in die Lücke? Kreuzen Sie das richtige Wort an.

1. Warum _____ du dich so sehr über ihn?

   ▪ versöhnst   ▪ ärgerst   ▪ nervst

2. Hast du ihre Entschuldigung _____ ?

   ▪ angenommen   ▪ vergeben   ▪ verziehen

3. Du darfst wirklich nicht auf falsche _____ kommen.

   ▪ Vergnügen   ▪ Nerven   ▪ Gedanken

4. Die _____ zwischen mir und meinem Freund war nicht sehr gut.

   ▪ Schuld   ▪ Stimmung   ▪ Verzeihung

5. Er hat _____ , dass er nicht Recht hat.

   ▪ zugegeben   ▪ angestoßen   ▪ gestört

1

2
1. Ich bin Thomas Kowalski. Ich bin Redakteur.
2. Ich bin Herr Braun. Ich bin Chefredakteur.
3. Ich heiße Aynur Hartmann. Ich bin Studentin.
4. Ich heiße Sylvia Moser. Ich bin Fotografin.
5. Ich bin Susanne Kowalski.

4
1. F; 2. T; 3. T; 4. T; 5. T; 6. F; 7. T; 8. F

7
1. Ankara; 2. Berlin; 3. Budapest;
4. Moskau; 5. Paris; 6. Wien

9
stress on the 1. syllable:
Radio, Technik, Disco
stress on the 2. syllable:
Musik, Computer, Hotel
stress on the 3. syllable:
Telefon

10
1. er; 2. ich; 3. sie

12
1. ist; 2. bin; 3. sind

13
(du) studierst; (er, sie, es) studiert; (sie / Sie) studieren; (ich) heiße; (er, sie, es) heißt; (sie / Sie) heißen; (du) bist; (wir) sind; (sie / Sie) sind

15
6. A; 4. B; 1. C; 5. D; 3. E; 8. F; 7. G;
9. H; 10. I; 2. J

16
1. Guten Tag, ich bin Frau Schmidt.
2. Guten Tag, ich heiße Aynur Hartmann.
3. Freut mich. Sie sind Fotografin, oder?
4. Nein. Sylvia Moser ist Fotografin.
5. Aha! Und Sie?
6. Ich bin Studentin. Ich mache hier ein Praktikum.
7. Und was studieren Sie?
8. Ich studiere Journalismus.
9. Interessant!

17
1. du; 2. Sie; 3. ich; 4. er; 5. ihr;
6. sie; 7. wir; 8. es

2

1
1. b; 2. f; 3. c; 4. a; 5. j; 6. e; 7. g;
8. h; 9. d; 10. i

4

	Aynur	Sylvia	Thomas
1.	yes	no	no
2.	no	no	yes
3.	no	yes	no
4.	yes	yes	yes
5.	no	yes	no

5
1. Nachname; 2. Sylvia; 3. Beruf;
4. Adresse; 5. Telefonnummer

7
1. eins; 2. neun; 3. vier; 4. fünf;
5. acht; 6. drei; 7. zwei; 8. sieben;
9. null; 10. sechs

9
1. Frau Müller ist aus Berlin.
2. Wo liegt die Wodanstraße?
3. Aynur fährt in die Türkei.
4. Sind Sie aus Österreich?
5. Fahren Sie nach Düsseldorf?

10
b

11
1. nach; 2. aus; 3. in

12
1. B; 2. C; 3. A; 4. A; 5. C

14
1. der; 2. die; 3. das; 4. die; 5. der;
6. die; 7. der; 8. die; 9. das; 10. das

3

1
1. Kaffee; 2. Kuchen; 3. Schokola-dentorte; 4. Tee;
5. Bier; 6. Mineral-wasser; 7. Cola; 8. Schinkentoast;
9. Orangensaft; 10. Wein

2
1. A; 2. D; 3. F; 4. C; 5. E; 6. B

4

zu Sylvia: einen Kaffee
zu Aynur: einen Apfelkuchen, einen Tee mit Zitrone
zu Thomas: ein Mineralwasser, einen Schinkentoast

7

1. zehn; **2.** sechzehn; **3.** zwölf

8

1. i; **2.** a

9

1. nimmst; **2.** möchte; **3.** zahlt;
4. fährt; **5.** isst; **6.** hätte; **7.** hast

10

1. möchte; **2.** hätte; **3.** nehme

12

1. C; **2.** F; **3.** A; **4.** D; **5.** G; **6.** B; **7.** E

14

1. einen; **2.** den; **3.** ein

15

1. ein; **2.** einen; **3.** einen; **4.** die *(or)* eine; **5.** die;
6. eine; **7.** das; **8.** den; **9.** der

4

2

1. groß; **2.** möglich; **3.** keine;
4. gefährlich

3

1. B; **2.** D; **3.** E; **4.** A; **5.** C

5

1. F; **2.** T; **3.** T; **4.** F; **5.** T; **6.** F

8

1. B; **2.** E; **3.** A; **4.** D; **5.** F; **6.** C

10

1. Zeitungen; **2.** Fotos; **3.** Kuchen;
4. Frauen; **5.** Fische; **6.** Schiffe;
7. Häuser; **8.** Tiere

12

1. groß; **2.** heiß; **3.** lang; **4.** schlecht; **5.** alt

13

1. keine; **2.** kein; **3.** keine; **4.** keinen

14

1. keinen; **2.** nicht; **3.** kein;
4. keinen; **5.** nicht; **6.** keine

16

1. vierundzwanzig;
2. hundert / einhundert;
3. dreiundsechzig; **4.** siebzig;
5. achthundertfünfzig

5

1

1. Haltestelle; **2.** aussteigen;
3. Straßenbahn; **4.** Fahrkartenautomat;
5. entwerten; **6.** U-Bahn; **7.** einsteigen; **8.** Gleis

2

1. Intercity; **2.** S-Bahn; **3.** Regional-Express;
4. um;
5. umsteigen; **6.** direkt

4

1. F; **2.** F; **3.** T; **4.** F; **5.** T; **6.** T

5

1. C; **2.** G; **3.** D; **4.** F; **5.** B; **6.** A; **7.** E

6

1. wie viel; **2.** lange; **3.** Minuten;
4. um

7

1. 7; **2.** 3; **3.** 8; **4.** 2; **5.** 6; **6.** 1; **7.** 5

8

1. steigen; **2.** aus; **3.** kommst;
4. zurück; **5.** fährt; **6.** ab

9

1. C; **2.** A; **3.** J; **4.** H; **5.** G; **6.** E; **7.** B;
8. D; **9.** I; **10.** F

10

1. wollt; **2.** müssen; **3.** umsteigen;
4. kann; **5.** kaufen

11

1. Ich kann nicht kommen.
2. Peter will den Bus nehmen.
3. Sie können mit dem IC um 11 Uhr fahren.
4. Ich muss hier aussteigen.
5. Wohin willst du fahren?

12

1. Rückfahrkarte; **2.** Klasse;
3. zurück; **4.** einfache; **5.** Zuschlag;
6. Erwachsene

13
1. Zwei Fahrkarten hin und zurück nach Köln.
2. Wo kann ich Fahrkarten für die S-Bahn kaufen?
3. Ich möchte eine Einzelfahrkarte.
4. Muss ich die Fahrkarte entwerten?
5. Ich brauche einen Zuschlag für den ICE.
6. Eine einfache Fahrt zweiter Klasse nach Bonn.

14
a. question 5; b. question 4;
c. question 2

15
1. kann; 2. ab; 3. hin; 4. fragen;
5. hält; 6. Minuten

16
1. Der ICE nach München fährt auf Gleis 16 ab.
2. Um wie viel Uhr kommt Peter an?
3. Fährst du um 10 Uhr zurück?
4. Ich will nicht mit der Straßenbahn fahren. /
   Ich will mit der Straßenbahn nicht fahren.
5. Wo können wir Fahrkarten kaufen?
6. Muss ich in Köln umsteigen?

6

2
1. a; 2. b; 3. c; 4. d; 5. e

5
1. a, c, d, g; 2. b, e, f, h

6
1. Disco; 2. Café; 3. Zirkus

7
1. ins; 2. in die; 3. ins; 4. in den;
5. in die; 6. ins; 7. ins

8
1. dich; 2. es; 3. uns

9
1. sie; 2. mich; 3. ihn; 4. uns; 5. es

11
1. Morgen; 2. Mittag; 3. Abend

12
1. Montag; 2. Donnerstag;
3. Mittwoch; 4. Wochenende;
5. Freitag; 6. Samstag; 7. Sonntag;
8. Dienstag

13
1. Montag; Dienstag; Mittwoch; Donnerstag; Freitag; Samstag; Sonntag
2. acht Uhr morgens; elf Uhr vormittags; sieben Uhr abends
3. Morgen; Vormittag; Mittag; Nachmittag; Abend; Nacht
4. zwei Uhr; fünf nach zwei; Viertel nach zwei; halb drei; drei Uhr
5. halb vier; Viertel vor vier; vier Uhr; Viertel nach vier; halb fünf

14
1. soll; 2. darfst; 3. mag

15
1 b; 2 c; 3 a; 4 b

7

2
1. B, D; 2. E, G, H; 3. A, F, I

4
1. T; 2. F; 3. F; 4. T; 5. F; 6. T

5
1. H; 2. F; 3. C; 4. B; 5. G; 6. E; 7. I;
8. A; 9. D

7
1. einem; 2. einer; 3. einem; 4. den; 5. dem

9
1. D; 2. A; 3. F; 4. E; 5. B; 6. C

10
1. zweimal; 2. immer; 3. manchmal

11
1. yes; 2. no; 3. no

13
1. e; 2. en; 3. e; 4. em; 5. er; 6. em

15
1. A; C; D; 2. A; B; D; 3. B; D; 4. B; C

8

1
1. Liebe; 2. Glückwunsch; 3. bei;
4. Papa; 5. Küsschen; 6. Überraschung

2
1. D; **2.** A; **3.** B; **4.** E; **5.** C

4
1. yes; **2.** no; **3.** yes; **4.** no; **5.** yes;
6. yes; **7.** no; **8.** yes; **9.** yes; **10.** no

7
1. Herzlichen Glückwunsch!;
2. Gute Besserung!; **3.** Viel Erfolg!

8
1. B; **2.** G; **3.** F; **4.** C; **5.** A; **6.** D; **7.** E

9
1. mit; **2.** bei; **3.** zum

10
1. von; **2.** mit einem; **3.** zur;
4. aus der; **5.** bei meiner

11
1. schreiben; **2.** gratulieren;
3. vorlesen; **4.** auspacken;
5. wünschen; **6.** erzählen

13
1. Lieber; **2.** dir; **3.** deinen;
4. kommen; **5.** mit; **6.** Herzliche;
7. deine

14
1. dir; **2.** eine Geschichte; **3.** es

15
1. Ich schreibe ihr einen Brief.
2. Sie wünscht ihnen viel Glück.
3. Anna schenkt sie dem Kind.
4. Wir erzählen es ihm.

16
1. Mama; **2.** Papi; **3.** Großmutter; **4.** Opa

9

1
1. e; **2.** d; **3.** a; **4.** b; **5.** c

2
1. e, h; **2.** a, c, f, g; **3.** b, d

3
1. B; **2.** D; **3.** G; **4.** F; **5.** A; **6.** E; **7.** C

5
1. F; **2.** F; **3.** T; **4.** F; **5.** T; **6.** T; **7.** F; **8.** T

7
1. 25. 8.; **2.** 7. 9.

8
1. B; **2.** A; **3.** B; **4.** C

9
1. dieser; **2.** dieses; **3.** diesen;
4. diese

11
1. gefragt; **2.** gekauft; **3.** gehört;
4. gelernt

12
1. gemacht; **2.** haben; **3.** gehört;
4. gelernt; **5.** habe; **6.** gelesen;
7. gewesen; **8.** bin; **9.** gefahren;
10. gespielt; **11.** ist; **12.** gekommen

13
1. Ich habe gelesen.; **2.** Vorgestern.; **3.** Nein.

14
1. Mai – Juni – Juli – August – September
2. vor einem Monat – letztes Wochenende –
   vorgestern –gestern
3. geboren – verheiratet – geschieden
4. im letzten Jahr – letzten Monat –
   letzte Woche – in den letzten Tagen
5. am 5. März – am 11. 3. – am 9. 4. – am 15. April –
   am 3. 11.

15
1. NACHBAR; **2.** MÄRZ; **3.** SCHADE; **4.** VOGEL;
   5. GEWESEN; **6.** ZETTEL; **7.** GESCHIEDEN

16
1. kann; **2.** weiß; **3.** kenne; **4.** weißt; **5.** kann;
6. kennen

10

2
1. über; **2.** auf; **3.** vor; **4.** neben;
5. zwischen; **6.** unter; **7.** in;
8. hinter; **9.** an

3
1. D; **2.** G; **3.** A; **4.** F; **5.** B; **6.** E; **7.** C

5
Reihenfolge: c h f d a e g b

7
1. Buchhandlung; **2.** Kiosk;
3. Post; **4.** Reisebüro; **5.** Metzgerei;
6. Bäckerei

8
1. dem; **2.** die; **3.** der

9
1. b; e; f; g; k
2. a; c; d; h; i; j
11
1. Kreuzung; **2.** rechts; **3.** die erste links

12
1. Geben; **2.** komm; **3.** schaut

13
1. bring; **2.** kommt; **3.** geh; **4.** Gib;
5. biegen (...) ab; **6.** lies (...) vor

15
1. zur Bank; **2.** zum Café

11

1
1. B; **2.** E; **3.** A; **4.** C; **5.** D

2
1. D, F, H, J; **2.** B, C, G, K; **3.** A, E, I

4

	Aynur	Sylvia	Thomas
1.	yes	yes	yes
2.	no	yes	no
3.	yes	no	no
4.	no	no	yes
5.	yes	yes	yes

6
1. F; **2.** F; **3.** T

8
1. C; **2.** F; **3.** A; **4.** B; **5.** G; **6.** E; **7.** D

10
1. bestellen, **2.** studieren, **3.** auspacken,
4. umsteigen, **5.** ausgehen, **6.** einladen, **7.** aufstehen

11
1. B; **2.** E; **3.** G; **4.** B; **5.** C; **6.** A; **7.** D

12
1. kleine; **2.** italienisches; **3.** helle; **4.** bitterer

13
1. gefallen; **2.** schönes; **3.** große;
4. welches; **5.** mir; **6.** lustige

14
1. G; **2.** A; **3.** H; **4.** B; **5.** C; **6.** I; **7.** D; **8.** E; **9.** F

12

2
1. A, B, D, G, I
2. C, E, F, H, J

3
1. C; **2.** A; **3.** D; **4.** E; **5.** B

5
1. F; **2.** T; **3.** F; **4.** T; **5.** T; **6.** F; **7.** F; **8.** F

6
1. Kinderzimmer / das Kinderzimmer;
2. Küche / die Küche;
3. Wohnzimmer / das Wohnzimmer;
4. Schlafzimmer / das Schlafzimmer

8
1. legt; **2.** sitzt; **3.** liegt

9
1. an der; **2.** über der; **3.** neben der; **4.** auf dem;
5. unter dem; **6.** im; **7.** in der; **8.** hinter dem

10
1. Ich lege die Fotos in den Schrank.
Ich lege sie in den Schrank.
2. Ich hänge den Spiegel an die Wand.
Ich hänge ihn an die Wand.
3. Ich stelle den Käfig auf die Kommode.
Ich stelle ihn auf die Kommode.

11
1. Wand; **2.** Mitte; **3.** hinten

14
1. OBEN; **2.** RAUM; **3.** MIETE;
4. VORNE; **5.** STREICHELN;
6. EIGENTUMSWOHNUNG;
7. LEHRER; **8.** NEBENKOSTEN

13

1
1. a; h; **2.** b; e; **3.** c; g; **4.** d; f

2
1. d; **2.** a; **3.** e; **4.** f; **5.** b; **6.** c

3
1. e; **2.** c; **3.** a; **4.** b; **5.** d

5
1. B; **2.** B; **3.** A; **4.** C; **5.** C; **6.** A

8
1. Wir machen ein Picknick, wenn die Sonne scheint.
2. Ich gehe aus, wenn ich gegessen habe.
3. Er kommt um 12 Uhr an, wenn der Zug pünktlich ist.

9
1. Er freut sich, wenn er Geschenke bekommt.
2. Ich komme gern, wenn ich Zeit habe. / Ich komme gerne, wenn ich Zeit habe.
3. Bring ihm das Buch mit, wenn du ihn morgen siehst.
4. Wir gehen spazieren, wenn das Wetter schön bleibt.
5. Sie geht in die Disco, wenn sie ihre Freunde treffen will.

10
1. passt; **2.** geht; **3.** kann

12
1. dich; **2.** uns; **3.** sich

13:
1. freue; **2.** mich; **3.** bedanken;
4. sich; **5.** treffen; **6.** uns; **7.** ändert; **8.** sich; **9.** Freust;
10. dich

14
1. b; **2.** c; **3.** b; **4.** a

15
1. Ich habe mich über deinen Besuch gefreut.
2. Was machen wir am Wochenende, wenn es regnet?
3. Ich gebe dir das Buch, wenn ich es gelesen habe.
4. Er hat sich nie für Kunst interessiert.
 (oder) Er hat sich für Kunst nie interessiert.
5. Schneit es bei euch im Norden?
6. Sie hat endlich seine Freunde kennen gelernt.
 (oder) Sie hat seine Freunde endlich kennen gelernt.
7. Es passt mir gut, wenn wir uns am Freitag treffen.

14

2
1. C; **2.** E; **3.** A; **4.** D; **5.** B

3
1. vier Brötchen, das Brot
2. frisches Obst, der Salat, das Gemüse
3. die Salami, drei Scheiben Schinken, die Bratwurst

5
1. B, C; **2.** B, C, D; **3.** A, C

7
1. Kilo (oder) Kilogramm; **2.** Stück; **3.** Liter

8
1. Liter; **2.** Kilo (oder) Kilogramm; **3.** Gramm;
4. Nudeln; **5.** Tüte (oder) Packung; **6.** Bäcker;
7. Stück; **8.** –

9
1. Am Stück.; **2.** 4 Bratwürste.; **3.** Ja.

11
1. am hellsten; **2.** jünger; **3.** kälter

12
1. billiger als; **2.** wärmer als;
3. lieber als

13
1. TEUER; **2.** GLEICHFALLS;
3. EINKAUFSKORB; **4.** GESUND;
5. SCHNEIDEN

14
1. c; **2.** a; **3.** b

15

2
1. a; **2.** b; **3.** c; **4.** d; **5.** e

3
1. C; **2.** F; **3.** E; **4.** D; **5.** A; **6.** B

5
1. yes; **2.** no; **3.** no; **4.** yes; **5.** no;
6. yes; **7.** yes; **8.** no; **9.** yes; **10.** no

8
1. unfreundliche; **2.** unhöflich;
3. unsympathisch

9
1. unfreundlich; **2.** satt; **3.** faul;
4. höflich; **5.** schüchtern;
6. schlank; **7.** unsympathisch

11
1. hatte; **2.** waren; **3.** hatte

12
1. war; **2.** hatten; **3.** warst; **4.** wart; **5.** hatte; **6.** waren

13

	Frau Kramer	Herr Kolb
1.	yes	no
2.	yes	yes
3.	yes	no
4.	yes	yes
5.	no	yes
6.	no	yes

14
1. Pfand; **2.** weg; **3.** sortieren

16

1
1. d; **2.** b; **3.** e; **4.** a; **5.** c

2
1. kann; **2.** Clown; **3.** sieht nicht aus;
4. vermute; **5.** so (...) wie

3
1. b; **2.** e; **3.** f; **4.** a; **5.** g; **6.** d; **7.** c

5
1. yes; **2.** no; **3.** no; **4.** yes; **5.** yes;
6. yes; **7.** no

6
1. ausziehen; **2.** an

8
1. A, B, D, F, G; **2.** C, E, H, I, J

9
(ich) wollte, (du) wolltest, (er, sie, es) wollte, (wir)
wollten, (ihr) wolltet, (sie) wollten, (Sie) wollten

11
1. B, C; **2.** A, B, C, D; **3.** A, C,D

12
1. Es kann sein, dass sie sich als Clown verkleidet
   hat.
2. Wir vermuten, dass er schon nach Hause
   gegangen ist.

13
1. Du siehst wie mein Freund aus.
2. Das Tier sieht aus wie eine kleine Schlange.

14
1. c; **2.** d; **3.** d; **4.** a

15
1. d; **2.** a; **3.** c; **4.** h; **5.** f; **6.** g; **7.** b; **8.** e

17

1
1. arbeitete; **2.** beendete; **3.** besuchte;
4. fotografierte; **5.** feierte

3
richtige Reihenfolge: B - C - A

4
richtig: **1**, **2**, **4**, **7**; *falsch:* **3**, **5**, **6**

5
1. Kontakt; **2.** nicht wieder einmal; **3.** Zufall; **4.** lange
nicht; **5.** Grüß; **6.** geht

7
Sätze **2**, **4**, **9**

8
1 E; **2** A; **3** F; **4** B; **5** C; **6** D

9
1. Schreibwaren; **2.** Kinderbekleidung; **3.** Lederwaren

10
1. 2. Etage; **2.** oben; **3.** Erdgeschoss

11
1. -s; **2.** der; **3.** eines, einer; **4.** -er

12
1. einer Freundin; **2.** der Hefte; **3.** meines Vaters

13
1 B; **2** C; **3** E; **4** A; **5** D

14
1. sagte; **2.** besuchten; **3.** durftet

15
1. machte; **2.** wollte; **3.** kaufte; **4.** besuchte;
5. warteten; **6.** war

17
1 G; **2** E; **3** C; **4** F; **5** B; **6** A; **7** D

18

2
1. dunklen, Wolle, mit der Hand; **2.** weiße, Mantel,
sehr gut; **3.** hellen, Hose, zu klein

3
Titel **1**

4
1. karierte; **2.** Pullover; **3.** hellblauen; **4.** weich;
5. Sweatshirt

5
1 C; **2** B; **3** B; **4** B; **5** A; **6** C

6
positiv: **1.**, **2.**; *negativ:* **3**

7
1. klein; **2.** dunkel; **3.** Leinen; **4.** gestreift

9
1 E; **2** G; **3** F; **4** H; **5** C; **6** B; **7** A; **8** D

11
1. -es; **2.** -en; **3.** -en; **4.** -e; **5.** -e; **6.** -en

12
1. Welches; **2.** eine; **3.** Welchen

13
1. Was für eine; **2.** Welches; **3.** Zu welchem;
4. Was für einen; **5.** Welche; **6.** Was für ein

15
richtig: **2**; *falsch:* **1**, **3**, **4**

19

2
1 E; **2** G; **3** A; **4** F; **5** B; **6** C; **7** D

3
richtige Reihenfolge: 3 - 1 - 2

4
richtig: **1**, **2**, **3**; *falsch:* **2**, **5**, **6**, **7**

5
1 C; **2** F; **3** D; **4** B; **5** E; **6** G; **7** A; **8** H

6
1. bekommen; **2.** bringen; **3.** bleiben; **4.** sein;
5. kommen; **6.** gehen

7
1. Hand; **2.** Bein; **3.** Fuß; **4.** Bauch; **5.** Schulter;
6. Kopf; **7.** Knie; **8.** Rücken; **9.** Brust

9
Antwort C

10
1. Husten; **2.** starke; **3.** Erkältung

11
1 B; **2** B; **3** A

13
1. trank; **2.** bekam; **3.** fuhr; **4.** gab; **5.** kam; **6.** nahm;
7. halfen; **8.** ging

14
1. schrieb; **2.** wart; **3.** fuhren; **4.** traf; **5.** hieß;
6. fanden; **7.** tat

15
1. wenn; **2.** als

16
1 B; **2** F; **3** A; **4** D; **5** C; **6** E

17
richtige Reihenfolge: (C) - G - B - F - E - A - H - D

20

1
1. das Gesicht; **2.** der Bart; **3.** die Augen;
4. die Nase; **5.** das Ohr; **6.** die Lippen;
7. die Haare; **8.** die Zähne; **9.** die Fingernägel

2
1. eincremen; **2.** Lippenstift; **3.** waschen;
4. die Zahnpasta; **5.** lackieren

3
nein

4
Sylvia: **1**, **4**, **6**, **7**, **8**; *Aynur:* **2**, **3**, **5**, **9**, **10**

5
1. gewaschen; **2.** Kamm; **3.** gepflegt, glänzen;
4. Shampoo, föhne

6
1. *betont*; 2. *unbetont*; 3. *betont*

7
1 B; 2 C; 3 A; 4 F; 5 E; 6 D; 7 J; 8 I; 9 H; 10 G

8
1. mir; 2. dich

9
1. Kamm; 2. Shampoo; 3. Lippenstift

10
1 F; 2 C; 3 B; 4 A; 5 D; 6 E

11
1 B; 2 A; 3 B; 4 C

12
1. Es ist gesund, grünen Tee zu trinken.
2. Ich habe keine Zeit, ihm zu helfen.
3. Wir haben vor, in die Sauna zu gehen.

13
1. uns bald zu besuchen; 2. Tee mitzubringen; 3. sich täglich einzucremen; 4. dich zu entspannen; 5. gut auszusehen

14
Sylvia: **1**, **2**, **3**, **5**; *Thomas:* **2**, **3**, **6**
Satz 4 sagt keiner von beiden.

15
Richtige Reihenfolge: B - D - A - E - C

21

1
Foto 1: **1**, **4**, **6**; *Foto 2:* **2**, **3**, **5**

2
positive Gefühle: die Liebe, gern haben, verliebt sein, die Freude, das Glück, sich freuen
negative Gefühle: die Angst, traurig, unglücklich, die Enttäuschung, der Liebeskummer, nichts empfinden

3
verliebt

4
1 A; 2 B; 3 C; 4 A; 5 A; 6 B

5
1. verliebt; 2. gern; 3. charmant; 4. lacht; 5. älter als; 6. blaue, blonde

6
1 B; 2 A; 3 B; 4 A; 5 A

7
1. offen; 2. humorlos; 3. tolerant; 4. schüchtern; 5. sympathisch; 6. unfreundlich; 7. romantisch; 8. gefühlvoll

9
1. die; 2. das; 3. denen

10
1. der; 2. den; 3. die

11
1. Sylvia, die ich sehr nett finde, ist Aynurs Kollegin.
2. Es gibt viele Themen, für die wir uns interessieren.
3. Es geht um einen Mann, den Claudia nicht kennt.
4. Meine Eltern sind offene Menschen, mit denen ich über alles spreche.

13
1. *falsch*; 2. *richtig*; 3. *falsch*

14
1. besten; 2. genauere; 3. jüngerer; 4. mehr; 5. größte; 6. hübscheres

15
1. -ster; 2. -ste; 3. -te; 4. -sten; 5. -esten; 6. -ste

16
1 G; 2 H; 3 A; 4 F; 5 B; 6 E; 7 C; 8 D

22

1
Vorspeisen: **8**, **9**; *Hauptgerichte:* **3**, **7**;
Beilagen: **1**, **4**, **6**, **9**, **10**; *Nachtisch:* **2**, **5**, **8** *(Käse kann Vorspeise und Nachtisch sein, Salat kann Vorspeise und Beilage sein.)*

2
1. bestellt; 2. schmeckt, versalzen; 3. durch, mag; 4. vergessen

3
Eric und sein Vater: **1**, **2**, **4**, **6**; *seine Mutter:* **1**, **3**, **5**

4
Bedienung: **1**, **4**, **6**; *Gast:* **2**, **3**, **5**

5
1 B; 2 D; 3 F; 4 E; 5 A; 6 C

6
1. lauwarm; **2.** blutig; **3.** trocken

7
1 B; **2** A; **3** C

8
1. Hauptgericht; **2.** Dessert

9
1. Ja, wir haben einen Tisch für vier Personen reserviert. (*Oder:* Ja, für vier Personen haben wir ...)
2. Als Hauptspeise nehme ich ein Steak mit Pommes. (*Oder:* Ich nehme als Hauptspeise ...)
3. Ich habe mich noch nicht entschieden.

10
1 G; **2** D; **3** H; **4** I; **5** C; **6** B; **7** F; **8** E; **9** A

11
1 E; **2** D; **3** F; **4** C; **5** B; **6** A

12
1 B; **2** A; **3** C; **4** B

13
1. reserviert; **2.** schmeckt; **3.** beschweren; **4.** empfiehlt

15
1. werde/wurde/bin ... worden; **2.** wirst/wurdest/bist ... worden; **3.** wird/wurde/ist ... worden; **4.** werden/wurden/sind ... worden; **5.** werdet/wurdet/seid ... worden; **6.** werden/wurden/sind ... worden

16
1. Die Hauptspeisen werden mit Reis serviert.
2. Das Dressing wurde aus Joghurt und Kräutern gemacht.
3. Die Rechnung ist von Herrn Vanderberg bezahlt worden.

17
1 B; **2** G; **3** A; **4** E; **5** C; **6** F; **7** D

18
Foto 1: Text **4**; *Foto 2:* Text **1**

23

2
Besteck: die Gabel, die Kuchengabel, das Messer, der Löffel, der Kochlöffel
Geschirr: die Pfanne, die Tasse, der Teller, die Schüssel, der Topf

3
1 A; **2** B; **3** B

4
ja: **1**, **2**, **3**, **6**, **9**; *nein:* **4**, **5**, **7**, **8**, **10**

5
1 E; **2** C; **3** A; **4** B; **5** F; **6** D

6
richtige Reihenfolge: 3 - 4 - 7 - 8 - 1 - 6 - 2 - 5

8
1. Wozu; **2.** Worüber; **3.** Auf wen; **4.** Worauf; **5.** Wofür; **6.** Mit wem

9
1 C; **2** D; **3** A; **4** B

10
1 B; **2** C

11
1 G; **2** A; **3** F; **4** H; **5** B; **6** D; **7** E; **8** C

12
Susanne: **2**, **4**, **6**
Thomas: **1**, **3**, **4**, **5**, **6**

14
1. Die Getränke müssen aus dem Keller geholt werden.
2. Die Suppe darf nicht zu lange gekocht werden.
3. Zuerst sollen die Pfannkuchen gebacken werden.

15
1. mussten eingekauft werden; **2.** musste abgespült werden; **3.** mussten gewaschen und gebügelt werden

16
1. muss; **2.** zubereitet; **3.** gebraten; **4.** gewendet; **5.** können; **6.** gefüllt; **7.** geschnitten; **8.** gelegt

17
1. Rindfleisch; **2.** Sauerbraten; **3.** Kuchengabel

18
1. Schweiz, Käsefondue; **2.** Deutschland, Bratwürste mit Sauerkraut; **3.** Österreich, Topfenstrudel

24

1
1 C; **2** E; **3** A; **4** E; **5** B

2
1. Meer; **2.** Jugendherberge; **3.** Vollpension;
4. Einzelzimmer

3
1. Wien; **2.** am Meer; **3.** nein

4
richtig: **1**, **3**, **4**, **5**; *falsch:* **2**, **6**, **7**

5
1. faulenzen; **2.** übernachten; **3.** erkundigen;
4. buchen; **5.** fliegen; **6.** anbieten

6
1. Visum; **2.** Stadtplan; **3.** besorgen; **4.** Reisepässe;
5. Versicherung

7
1. Meer; **2.** Wüste; **3.** Strand; **4.** Land

8
1. ans; **2.** im; **3.** aufs; **4.** in; **5.** ins; **6.** bei; **7.** nach

10
1 B; **2** B; **3** C; **4** A

11
1 D; **2** E; **3** B; **4** C; **5** A

12
1 A; **2** C; **3** A

14
1. damit; **2.** dafür; **3.** danach

15
1. Urlaub; **2.** erkundigen; **3.** bleiben; **4.** anbieten;
5. inklusive; **6.** Meer; **7.** Einzelzimmer; **8.** kostet;
9. Unterkunft; **10.** Vollpension; **11.** reservieren

25

1
1 C; **2** A; **3** B

2
1. Türkei; **2.** Gastarbeiter; **3.** geboren; **4.** Deutschen;
5. kehrte, zurück; **6.** Grund

3
Teil 1: B, E, F
Teil 2: A, C, D, G

4
1 B; **2** C; **3** A; **4** C; **5** B; **6** B

5
nicht im Dialog: der Kontakt zu Einheimischen, die
Politik, die Religion

6
1 F; **2** B; **3** E; **4** G; **5** C; **6** D; **7** A

7
richtige Reihenfolge: I - H - F - C - D - A - B - E - G

8
1 F; **2** H; **3** A; **4** I; **5** C; **6** G; **7** E; **8** B; **9** D

9
1. Im Vergleich zu; **2.** ähnlich wie;
3. Im Unterschied zu

10
1. Die Mentalität hier ist ganz anders als in meiner
    Heimat.
2. Wir haben die gleiche Situation wie in der
    Schweiz.

12
1. weil; **2.** Obwohl; **3.** obwohl; **4.** weil; **5.** obwohl

14
1. deshalb; **2.** weil; **3.** trotzdem; **4.** obwohl

16
1. während; **2.** Wegen; **3.** innerhalb

17
1 E; **2** C; **3** B; **4** F; **5** G; **6** A; **7** D

18
Gang, fremd, Landung, einchecken, angenehm,
Maschine, Heimat, ähnlich

U	Q	G	S	Ä	C	A	M	M	I	B	T
E	F	P	L	W	Ö	N	A	U	S	T	L
R	R	A	A	I	N	G	S	X	D	I	A
T	E	I	N	C	H	E	C	K	E	N	Y
Z	M	P	D	G	Ö	N	H	H	E	Q	U
D	D	Ä	U	M	H	E	I	M	A	T	T
I	F	F	N	Y	Ä	H	N	L	I	C	H
G	A	N	G	Ü	G	M	E	C	H	Ö	D
X	W	Y	F	K	E	N	V	U	A	S	S

26

1
1 C; **2** A; **3** D; **4** B

2
2. Sprachkurs; **3.** Kursgebühr; **4.** Dauer; **5.** Kursleiter; **6.** Anfänger; **7.** Anmeldung

3
richtige Reihenfolge: **2 - 5 - 4 - 1 - 3**; *Sie trifft* Eric!

4
Foto 1: B, D, F;
Foto 2: A, C, E, G, H

5
1 A; **2** C; **3** B; **4** A

6
1 C; **2** D; **3** A; **4** E; **5** B

7
1. damit; **2.** um, zu

8
1. um mit Einheimischen sprechen zu können
2. um mich für einen Anfängerkurs anzumelden

9
1. Was muss ich tun, damit du endlich einen Sprachkurs besuchst?
2. Er fährt nach Österreich, um Land und Leute kennen zu lernen.
3. Dieser Kurs ist gut, damit wir die Aussprache üben..
4. Wir lernen Deutsch, um uns auf das Studium vorzubereiten.

11
1. Fortgeschrittene; **2.** Kursleiter; **3.** Kursteilnehmer (*oder:* Teilnehmer); **4.** anmelden; **5.** Stufen (*oder:* Niveaus)

12
Foto 1: A, D, F, H, J
Foto 2: B, C, E, G, I

13
1 E; **2** D; **3** B; **4** H; **5** F; **6** A; **7** G; **8** C

14
1. Hörverstehen, Leseverstehen; **2.** Grammatik; **3.** Schreiben, Sprechen ; **4.** Landeskunde

15
1 F; **2** A; **3** D; **4** G; **5** B; **6** C; **7** E

17
1. für; **2.** zum; **3.** per; **4.** auf; **5.** an; **6.** von; **7.** in

27

1
1 C; **2** A; **3** D; **4** B

2
1 E; **2** F; **3** A; **4** D; **5** B; **6** C

3
1 A, B, D; **2** C

4
richtig: **2**, **3**, **5**
falsch: **1**, **4**, **6**, **7**

5
1 G; **2** C; **3** E; **4** A; **5** D; **6** B; **7** H; **8** F

6
1. können; **2.** müssen; **3.** haben; **4.** sein

7
1. hätte; **2.** könntest; **3.** dürfte; **4.** wüssten; **5.** müsstet; **6.** wären

8
1. bräuchte; **2.** wären; **3.** müsste; **4.** solltet

9
1. Wenn wir doch mehr Zeit hätten!
2. Wenn sie doch hier wären!
3. Wenn ich doch nach Wien fliegen könnte!

10
(ich) würde; (du) würdest; (sie) würden

11
1. Würdest du mir die CD geben?
2. Ich würde ihm einen Brief schreiben.
3. Diese laute Musik würde sie stören.
4. Wenn sie doch mit uns sprechen würden.

12
1. *A:* würdest; *B:* würde (ihm) eine SMS (*oder:* Nachricht) schreiben.
2. *A:* würde; *B:* würde (sich) ein (neues/tolles/ schickes...) Auto kaufen.

13
Wunsch **3**

14
1. träume; **2.** doch, würde; **3.** wünsche; **4.** würde;
5. stelle, (s)treiten; **6.** (größter) Wunsch (*oder:*
Traum), (t)reffen

15
sich umarmen

17
1. miteinander; **2.** aneinander; **3.** voneinander

18
1, **3**, **5**, **6**, **7**, **10**

28

2
1 C; **2** E; **3** A; **4** B; **5** D

3
1 C; **2** A, D; **3** B

4
1 B; **2** A; **3** C; **4** B; **5** A; **6** B

5
1 E; **2** B; **3** D; **4** A; **5** C

6
1 B; **2** C; **3** A

7
1. Tierfilm; **2.** Talkshows; **3.** Nachrichten

8
1 C; **2** E; **3** B; **4** A; **5** D

10
1. Mord ist die beste Medizin; **2.** Münster;
3. Hauptrollen; **4.** Regie führt; **5.** streitet;
6. (plötzlich) tot; **7.** ermordet wurde

11
1. hätte; **2.** würden; **3.** Müsste

12
1 D; **2** B; **3** A; **4** C

13
1. Was würdest du tun, wenn du kein Handy hättest?
2. Wir würden nach Venedig fahren, wenn ihr nicht
  arbeiten müsstet.
3. Wenn ich Schauspieler wäre, würde ich gern
  im „Tatort" mitspielen. / Wäre ich Schauspieler,
  würde ich gern im „Tatort" mitspielen.

14
1 A, B; **2** A, B, D

16
1. Würden Sie, einschalten; **2.** Wärst du so lieb;
3. Könntest du, geben; **4.** Wären Sie so lieb und
würden; **5.** Würde es dir etwas ausmachen; **6.** Wärst
du so nett und würdest

29

1
1. die Tastatur; **2.** der USB-Stick; **3.** das Laufwerk;
4. die Maus; **5.** der Drucker; **6.** das Kabel; **7.** der
Bildschirm; **8.** die Festplatte

2
1. Virus; **2.** Maus; **3.** schließen; **4.** Dokument;
5. verloren; **6.** Fachmann

3
1 A; **2** B

4
richtig: **2**, **3**, **7**; *falsch:* **1**, **4**, **5**, **6**

5
1 E; **2** A; **3** F; **4** C; **5** B; **6** D

6
1. Geräte; **2.** Kostenvoranschlag; **3.** kümmern;
4. ärgerlich; **5.** merkwürdig

7
1 E; **2** C; **3** D; **4** A; **5** B

8
A, C, D, G

9
1. ist kaputt; **2.** hat irgendeinen Fehler;
3. meldet ständig Fehler

10
1. irgendein; **2.** irgendwelche; **3.** irgendwo;
4. irgendwann

11
richtig: **1**, **3**, **4**

12
1 C; **2** D; **3** A ; **4** B

13
1. Entweder; **2.** oder; **3.** zwar; **4.** aber; **5.** weder; **6.**
noch

15

1. Ich habe mir eine CD brennen lassen.

2. Er ließ seinen Sohn allein nach Berlin fahren.

3. Wir müssen den Fernseher reparieren lassen.

16

1. Mein Chef lässt seine Briefe schreiben.

2. Ich ließ die Programme installieren.

3. Wir haben unser Auto waschen lassen.

17

Antwort 1: **3**; *Antwort 2:* **2**; *Antwort 3:* **5**

18

Kunde: **1, 2, 4, 6, 9**
Kundendienst: **3, 5, 7, 8**

19

1. B, C; **2.** A, C, D

30

1

1 D; **2** C; **3** A; **4** B

2

1. Team; **2.** flexibel; **3.** belastbar; **4.** Erfahrung

3

Themen im Bewerbungsgespräch: **2, 3, 4, 6, 7**

4

1. erfahren; **2.** Stellenanzeigen; **3.** verändern;
4. Ausbildung; **5.** Tätigkeit; **6.** wirtschaftliche, Hobby;
7. Fähigkeiten; **8.** Kenntnisse

5

richtige Reihenfolge: **7 - 1 - 5 - 8 - 3 - 2 - 6 - 4**

6

1 B; **2** C; **3** B; **4** A

7

1 C; **2** A; **3** B

8

1. 2013 habe ich eine Ausbildung zur Fotografin
   angefangen.

2. Seit einem Jahr bin ich als Bankkaufmann tätig.

3. Von 2012 bis 2014 arbeitete ich bei einer großen
   Firma.

4. Nach dem Abitur habe ich viele Bewerbungen
   geschrieben.

9

1. als; **2.** bei; **3.** um, als; **4.** auf

11

1. hatte, eingeladen; **2.** war, gewesen

12

1 E; **2** C; **3** A; **4** F; **5** B; **6** D

13

1. flexibel und belastbar; **2.** Erfahrung in Teamarbeit;
3. unter Termindruck sehr gut arbeiten

14

1 C; **2** F; **3** D; **4** A; **5** E; **6** B

15

1. nach; **2.** studiert; **3.** Ausbildung; **4.** Beruf; **5.** Gehalt;
6. Betriebswirtschaft; **7.** interessiert; **8.** an; **9.** bei;
10. Firma; **11.** Tätigkeit; **12.** kommen; **13.** verändern

31

1

1. selbstständige; **2.** Vorteile; **3.** einteilen; **4.** Hobbys;
5. Aufträge; **6.** verdiene

2

1 D; **2** E; **3** F; **4** B; **5** A; **6** C

3

Titel C

4

richtig: **1, 4, 5, 7, 8**
falsch: **2, 3, 6**

5

1 D; **2** C; **3** E; **4** B; **5** A

6

1 B; **2** C; **3** A; **4** B

7

1. routiniert; **2.** verantwortungsvoll; **3.** selbstständig;
4. zuverlässig

8

1. Selbstständigkeit; **2.** Motivation; **3.** Flexibilität;
4. Zuverlässigkeit; **5.** Routine

10

Frau Kremer: **1, 4, 5**
Herr Holsten: **1, 2, 3, 5, 6**

11

1. Nachdem ich den Auftrag erledigt hatte, bekam
   ich viel Geld.

2. Sie rief ihn im Büro an, nachdem er schon
   gegangen war.

12
1. erzählt hatten; **2.** bekommen hat; **3.** gegangen waren; **4.** gemacht habe

14
1 G; **2** D; **3** I; **4** H; **5** E; **6** A; **7** C; **8** B; **9.** F

16
1 C, G; **2** B, H; **3** A, E; **4** D, F

17
1. Praxis; **2.** Vorteile, Nachteile; **3.** Suche; **4.** Zusage; **5.** Aufträge; **6.** Eindruck
Wörter, die nicht passen: Einkommen, Referenzen, Zeugnis

32

1
1. Verrücktwerden; **2.** beschäftigt; **3.** Schuld; **4.** nervt; **5.** sauer

2
1 D; **2** E; **3** F; **4** A; **5** G; **6** C; **7** B

3
1. *nein;* **2.** *ja*

4
1 B; **2** A; **3** C; **4** A; **5** B; **6** A

5
1 F; **2** E; **3** A; **4** G; **5** C; **6** B; **7** D

7
1. irgendwie; **2.** total

8
1. wärst; **2.** gekommen; **3.** hätte; **4.** gewusst; **5.** gesagt hättest

9
1. Es wäre besser gewesen, wenn ich mich mehr um sie gekümmert hätte.
2. Wenn ihr miteinander geredet hättet, hätten wir alle weniger Probleme gehabt.

10
1. Wenn sie sich nicht getroffen hätten, hätten Aynur und Eric ihre Probleme nicht geklärt.
2. Wenn du nicht alles missverstanden hättest, wären wir nicht so wütend auf dich gewesen.

11
1. bei Ihnen (*oder* ihnen); **2.** mir schrecklich; **3.** mein Verhalten

12
1. Ich nehme die Entschuldigung gerne an.
2. Gott sei Dank konnten wir alles klären.

14
1 C; **2** A; **3** D; **4** E; **5** B

15
schwaches **e**: **1, 4**
kein **e**: **2, 3**

16
1 E; **2** D; **3** C; **4** A; **5** F; **6** B

17
1. ärgerst; **2.** angenommen; **3.** Gedanken; **4.** Stimmung; **5.** zugegeben

1

Track 3 – Übung 3

Herr Braun: Guten Morgen, Herr Kowalski.
Thomas: Guten Morgen, Herr Braun.
Herr Braun: Wie geht es Ihnen?
Thomas: Ganz gut, danke. Und Ihnen?
Herr Braun: Gut. Herr Kowalski, das ist Frau Moser.
Sie ist Fotografin.
Thomas: Freut mich.
Herr Braun: Frau Moser, das ist Herr Kowalski.
Sylvia: Grüß Gott.
Herr Braun: Und das ist Frau Hartmann.
Thomas: Guten Morgen. Sie sind Studentin, oder?
Aynur: Ja, ich studiere Journalismus und ich
mache hier ein Praktikum.
Thomas: Aha! Herzlich willkommen!
Sylvia, Aynur: Danke.
Herr Braun: Entschuldigen Sie bitte, ich muss weg.
Auf Wiedersehen!
Thomas, Sylvia, Aynur: Auf Wiedersehen, Herr Braun.
...
Thomas: Alle Kollegen hier duzen sich. Können
wir auch „du" sagen?
Sylvia: Ja gerne. Ich heiße Sylvia.
Und du bist ...?
Thomas: Ich bin Thomas. Und du, wie heißt du
mit Vornamen?
Aynur: Ich heiße Aynur.
Thomas: Wie bitte? Aynur? Wie schreibt man
das?
Aynur: A-y-n-u-r. Das ist türkisch.
Thomas: Interessant!

Mister Braun: Good morning. Mr. Kowalski.
Thomas: Good morning, Mr. Braun.
Mister Braun: How are you?
Thomas: Not bad, thank you. And you?
Mister Braun: I'm fine. Mr. Kowalski, this is Mrs. Moser.
She's a photographer.
Thomas: Nice to meet you.
Mister Braun: Mrs. Moser, this is Mr. Kowalski.
Sylvia: Pleased to meet you.
Mister Braun: And this is Mrs. Hartmann.
Thomas: Good morning. You're a student, aren't
you?
Aynur: Yes, I study journalism and I'm here for a
work placement.
Thomas: I see! Welcome!
Sylvia, Aynur: Thank you.
Mister Braun: Excuse me, I have to go. Goodbye!
Thomas, Sylvia, Aynur: Goodbye, Mr. Braun.

...
Thomas: All the colleagues here use the informal
form of address. Can we also say "du" to
each other?
Sylvia: Yes, of course. My name is Sylvia. And
you are ...?
Thomas: Thomas. And what's your first name?
Aynur: My name's Aynur.
Thomas: Pardon? Aynur? How do you spell that?
Aynur: A-y-n-u-r. It's Turkish.
Thomas: Interesting!

Track 11 – Übung 14
Hallo Klaus!
Oh, hallo Thomas, wie geht es dir?
Ganz gut. Und dir?
Super.
Tschüss!
Tschüss Thomas!

2

Track 15 – Übung 3

Thomas:	Du sagst, der Name „Aynur" ist türkisch.
Aynur:	Ja, meine Mutter ist Türkin, aber mein Vater ist Deutscher.
Thomas:	Aha. Wohnen sie in Düsseldorf?
Aynur:	Nur mein Vater. Meine Mutter lebt in der Türkei.
Sylvia:	Fährst du oft in die Türkei?
Aynur:	Nein, nicht sehr oft. Und du? Woher kommst du?
Sylvia:	Ich komme aus Österreich, aus Wien. Und du Thomas?
Thomas:	Aus Düsseldorf.
Sylvia:	Und wo wohnst du in Düsseldorf?
Thomas:	In der Wodanstraße, direkt am Rhein. Und ihr?
Aynur:	Ich wohne in Bilk.
Sylvia:	Bilk?
Aynur:	Das ist ein Stadtteil von Düsseldorf. Er liegt im Süden.
Sylvia:	Ach so. Und ich wohne in der Bäckerstraße. Hier ist meine Visitenkarte.
Aynur, Thomas:	Danke.
Thomas:	Hast du auch eine Handynummer?
Sylvia:	Ja, die Nummer ist 0172-88 …
Thomas:	Moment! Langsam, bitte!
Sylvia:	0172-88634012.
Aynur:	Bäckerstraße? Dort ist ein Museum, oder?
Silvia:	Ja, das Stadtmuseum und ein Markt …
Aynur:	Richtig, der Karlsmarkt.

Thomas:	You say the name "Aynur" is Turkish.
Aynur:	Yes, my mother is Turkish, but my father is German.
Thomas:	I see! Do they live in Dusseldorf?
Aynur:	Only my father. My mother lives in Turkey.
Sylvia:	Do you often go to Turkey?
Aynur:	No, not very often. And you? Where do you come from?
Sylvia:	I come from Austria, from Vienna. And you, Thomas?
Thomas:	From Dusseldorf.
Sylvia:	And where do you live in Dusseldorf?
Thomas:	In Wodan Street, right on the Rhine. And you?
Aynur:	I live in Bilk.
Sylvia:	Bilk?
Aynur:	It's a district of Düsseldorf. It's in the South.
Sylvia:	I see! And I live in Bäcker Street. Here is my business card.
Aynur, Thomas:	Thank you.
Thomas:	Do you have a mobile number, too?
Sylvia:	Yes, the number is 0172-88 …
Thomas:	Wait a moment! Slowly, please!
Sylvia:	0172-88634012.
Aynur:	Bäcker Street? There is a museum there, isn't there?
Silvia:	Yes, the city museum and a market …
Aynur:	Right, the "Karlsmarkt".

Track 19 – Übung 10
Sprechen Sie Englisch?

Track 20 – Übung 12

1. Woher kommst du?
  Aus England.
2. Wo wohnen Sie, Frau Müller?
  In der Goethestraße 8, in Bonn.
3. Welche Sprachen sprichst du?
  Ich spreche Deutsch und Französisch. Und du?
  Nur Deutsch.

4. Sind Sie Italiener?
  Nein, ich bin Schweizer, aber ich spreche auch Italienisch und Französisch.
5. Ich komme aus Erlangen.
  Wo ist das?
  In Bayern.
  Und wohin fahren Sie?
  Nach Hamburg.

3

Track 25 – Übung 3

Thomas:	Hmm, was nehmt ihr denn?
Sylvia:	Ich nehme einen Kaffee.
Aynur:	Ich nehme lieber einen Tee und ein Stück Kuchen. Möchtest du nichts essen?
Sylvia:	Nein, nur etwas trinken. Und du Thomas?
Thomas:	Hmm, mal sehen. Vielleicht einen Toast oder ein Sandwich ...?
...	
Bedienung:	Guten Tag. Was möchten Sie?
Thomas:	Guten Tag. Die Damen möchten einen Kaffee, einen Tee und einen Kuchen. Und ich hätte gern einen Schinkentoast und ein Mineralwasser.
Bedienung:	Wir haben Käsekuchen, Apfelkuchen und Schokoladentorte.
Aynur:	Einen Apfelkuchen, bitte.
Bedienung:	Gerne. Ist das alles?
Aynur:	Ja.
Bedienung:	Also, einen Apfelkuchen, einen Schinkentoast, einen Kaffee, ein Mineralwasser, einen Tee. Möchten Sie den Tee mit Zitrone oder mit Milch?
Aynur:	Mit Zitrone, bitte.
...	
Thomas:	Hallo, wir möchten bitte zahlen!
Bedienung:	Sofort. Getrennt oder zusammen?
Thomas:	Zusammen.
Bedienung:	Moment ... Das macht 19 Euro 10.
Thomas:	Stimmt so!
Bedienung:	Danke. Auf Wiedersehen!
Thomas:	Auf Wiedersehen!

Thomas:	Hm, what are you going to have?
Sylvia:	A cup of coffee.
Aynur:	I'd rather have a cup of tea and a piece of cake. Wouldn't you like something to eat?
Sylvia:	No, just to drink. What about you, Thomas?
Thomas:	Hm, let's see. Maybe some toast or a sandwich ...?
...	
Waiter:	Good afternoon. What would you like?
Thomas:	Good afternoon. The ladies would like a cup of coffee, a cup of tea and a piece of cake. And I'd like some toast with ham and a mineral water.
Waiter:	We've got cheesecake, apple pie and chocolate cake.
Aynur:	A piece of apple pie, please.
Waiter:	Of course. Is that all?
Aynur:	Yes.
Waiter:	Right, a piece of apple pie, some toast with ham, a cup of coffee, a mineral water, a cup of tea. Would you like the tea with lemon or milk?
Aynur:	With lemon, please.
...	
Thomas:	Hello, can we have the bill, please?
Waiter:	Right away! Are you paying separately or all together?
Thomas:	Together.
Waiter:	Just a moment ... That's 19 Euros 10.
Thomas:	Keep the change!
Waiter:	Thank you. Goodbye!
Thomas:	Goodbye!

Track 32 – Übung 13

Bedienung:	Guten Tag. Was möchten Sie?
Gast:	Guten Tag. Ich hätte gern einen Tee.
Bedienung:	Mit Milch oder mit Zitrone?
Gast:	Mit Milch, bitte.
Bedienung:	Ist das alles?
Gast:	Nein, ich möchte auch etwas essen.
Bedienung:	Ein Sandwich, einen Toast oder einen Kuchen?
Gast:	Einen Kuchen. Haben Sie Apfelkuchen?
Bedienung:	Ja.
Gast:	Gut. Ich nehme ein Stück Apfelkuchen.
Bedienung:	Gerne.

4

Track 37 – Übung 4

Thomas:	Lokalredaktion „Blickpunkte", Kowalski am Apparat.
Anruferin:	Guten Tag! Mein Name ist Kundera.
Thomas:	Guten Tag! Was kann ich für Sie tun, Frau Kundera?
Anruferin:	Ich habe eine Geschichte für die Zeitung. Also ... im Rhein schwimmt ein Krokodil.
Thomas:	Ein Krokodil? Sind Sie sicher?
Anruferin:	Ja, das Tier ist groß, 1 Meter 50 lang ... Sind Sie interessiert?
Thomas:	Ich weiß nicht ... ja, vielleicht. Wo ist das Krokodil jetzt?
Anruferin:	Etwa 10 Kilometer südlich vom Hauptbahnhof. Sie fahren nach Benrath und gehen zum Rhein. Dort sind zwei Schiffe und das Krokodil. Und? Kommen Sie?
Thomas:	Ja, ich denke, wir kommen. Danke für den Anruf.
...	
Sylvia:	Was ist los?
Thomas:	Eine Dame sagt, im Rhein ist ein Krokodil!
Aynur:	Wirklich? Das ist doch nicht möglich!
Sylvia:	Wie bitte? Im Rhein gibt es doch keine Krokodile! Fische, Schiffe, ja, aber Krokodile?
Thomas:	Ich weiß. Aber es ist eine super Geschichte für „Blickpunkte".
Aynur:	Und was machen wir? Fahren wir hin?
Thomas:	Ja, wir fahren nach Benrath und suchen das Krokodil. Sylvia, machst du die Fotos?
Sylvia:	Ja, klar!
Thomas:	Also los!

Thomas:	Local editorial office "Blickpunkte", Kowalski on the phone.
Caller:	Good morning! My name is Kundera.
Thomas:	Good morning! What can I do for you, Mrs Kundera?
Caller:	I've got a story for the newspaper. Well ... a crocodile is swimming in the Rhine.
Thomas:	A crocodile? Are you sure?
Caller:	Yes, the animal is tall, 1.5 meters long ... Are you interested?
Thomas:	I don't know ... yes, maybe. Where is the crocodile now?
Caller:	About 10 kilometres to the south of main station. You go to Benrath and walk to the Rhine. There are two ships and the crocodile. So? Will you come?
Thomas:	Yes, I think we'll come. Thanks for calling.
...	
Sylvia:	What's up?
Thomas:	A lady said there is a crocodile in the Rhine!
Aynur:	Really? But that isn't possible!
Sylvia:	What? There aren't any crocodiles in the Rhine, are there? Fish, ships, yes, but crocodiles?
Thomas:	I know. But it's a great story for "Blickpunkte".
Aynur:	And what shall we do? Shall we go there?
Thomas:	Yes, we'll go to Benrath and we'll look for the crocodile. Sylvia, will you take the pictures?
Sylvia:	Yes, of course!
Thomas:	Well, come on!

Track 41 – Übung 7

Thomas:	„Blickpunkte", Kowalski. Guten Tag.
Frau Kundera:	Guten Tag! Hier spricht Kundera.
Thomas:	Was kann ich für Sie tun?
...	
Thomas:	Kowalski.
Klaus:	Hallo Thomas! Hier ist Klaus.
Thomas:	Oh, hallo Klaus! Wie geht's?

5

Track 50 – Übung 3

Thomas:	Wie spät ist es jetzt?	Thomas:	What time is it now?
Sylvia:	10 Uhr.	Sylvia:	It's 10 o'clock.
Thomas:	Wann fährt der nächste Zug nach Benrath?	Thomas:	When's the next train to Benrath?
Aynur:	Die S-Bahn fährt um 10.11 Uhr.	Aynur:	The S-Bahn leaves at 10.11.
Thomas:	Müssen wir umsteigen?	Thomas:	Do we have to change trains?
Aynur:	Nein, die Verbindung ist direkt.	Aynur:	No, it's a direct connection .
Thomas:	Und um wie viel Uhr kommen wir in Benrath an?	Thomas:	And what time will we arrive in Benrath?
Aynur:	Um 10.23 Uhr.	Aynur:	At 10.23.
Sylvia:	Aber wir können auch den Regional-Express nach Köln nehmen. Er hält auch in Benrath.	Sylvia:	But we can also take the Regional-Express to Cologne. It stops in Benrath, too.
Aynur:	Wie lange fahren wir?	Aynur:	How long does that take?
Sylvia:	Nur sechs Minuten.	Sylvia:	Only six minutes.
Thomas:	In Ordnung. Wir nehmen den Regional-Express.	Thomas:	All right. We'll take the Regional-Express.
Sylvia:	Und die Fahrkarten?	Sylvia:	And the tickets?
Thomas:	Wir müssen am Informations-schalter fragen.	Thomas:	We'll have to ask at the information service.

... (Am Informationsschalter)   *... (At the information service)*

Bahnbeamter:	Guten Tag. Was kann ich für Sie tun?	Railway official:	Good morning. What can I do for you?
Thomas:	Guten Tag. Wir wollen mit dem Regional-Express nach Benrath fahren.	Thomas:	Good morning. We want to go to Benrath by the Regional-Express.
Bahnbeamter:	Drei Personen? Hin und zurück?	Railway official:	Three return tickets?
Aynur:	Nein, nur zwei. Ich habe ein Semesterticket.	Aynur:	No, only two. I've got a Semester-ticket.
Bahnbeamter:	Also zwei Hin- und Rückfahrkarten. Dann nehmen Sie ein 4erTicket.	Railway official:	OK. Two returns. You'd best buy a four journey ticket.
Sylvia:	Wo können wir das Ticket kaufen?	Sylvia:	Where can we buy that?
Bahnbeamter:	Dort am Fahrkartenautomaten.	Railway official:	Over there from the ticket machine.
Sylvia:	Und auf welchem Gleis fährt der Zug ab?	Sylvia:	I see! And which platform does the train leave from?
Bahnbeamter:	Auf Gleis 15.	Railway official:	15.
Sylvia:	Danke für die Informationen. Auf Wiedersehen.	Sylvia:	Thanks for the information. Goodbye.
Bahnbeamter:	Auf Wiedersehen.	Railway official:	Goodbye.

Track 59 – Übung 14

Auf Gleis 10.

Ja, in Köln und Mainz.

Nein, die nächste ist Düsseldorf Hauptbahnhof.

6

Track 63 – Übung 4

Thomas:	Siehst du das Krokodil?
Aynur:	Nein, ich sehe es nicht. Was machen wir jetzt?
Thomas:	Ich weiß nicht. Wie spät ist es?
Aynur:	Viertel vor eins.
Thomas:	So spät! Wir suchen das Krokodil schon zwei Stunden!
Aynur:	Ja, und die Leute hier wissen auch nichts.
Thomas:	Was meinst du, fahren wir ins Büro zurück?
Aynur:	Einverstanden! Wo ist Sylvia? Ich sehe sie nicht.
...	
Aynur:	Ah, hier bist du!
Sylvia:	Ja, ich mache Fotos und gehe ein wenig spazieren.
Aynur:	Aber hier darfst du nicht weitergehen. Das ist privat.
Sylvia:	Oh!
Thomas:	Hör mal Sylvia, Aynur und ich möchten nach Düsseldorf zurückfahren. Kommst du mit?
Sylvia:	Ja, gerne.
...	
Sylvia:	Und was machen wir jetzt?
Thomas:	Naja, am Nachmittag müssen wir arbeiten.
Sylvia:	Und dann? Sollen wir das Krokodil noch suchen?
Aynur:	Ich habe eine Idee: Wir gehen heute Abend in den Zirkus und fragen dort. Vielleicht fehlt ein Krokodil. Was haltet ihr davon?
Sylvia:	Gute Idee! Aber ich habe keine Zeit. Ich will in den Sportverein gehen.
Thomas:	Ich habe leider auch keine Zeit. Aber am Mittwoch oder am Donnerstag können wir vielleicht in den Zirkus gehen.

Thomas:	Can you see the crocodile?
Aynur:	No, I can't. What shall we do now?
Thomas:	I don't know. What time is it?
Aynur:	A quarter to 1.
Thomas:	So late! We have been looking for the crocrodile for two hours!
Aynur:	Yes, and no one here knows anything.
Thomas:	What do you think, shall we go back to the office?
Aynur:	Right! Where is Sylvia? I can't see her.
...	
Aynur:	Ah, here you are!
Sylvia:	Yes, I'm just taking some pictures and going for a little walk.
Aynur:	But you're not allowed to go any further, here. It's private property.
Sylvia:	Oh!
Thomas:	Listen Sylvia, Aynur and me would like to go back to Düsseldorf. Are you coming?
Sylvia:	Yes, I'd like to.
...	
Sylvia:	And what shall we do now?
Thomas:	Well, this afternoon we have to work.
Sylvia:	And after that? Should we continue looking for the crocodile?
Aynur:	I have an idea: Let's go to the circus this evening and we'll ask there. Maybe they're missing a crocodile. What do you think?
Sylvia:	Good idea! But I'm busy. I want to go to the sports club.
Thomas:	I'm afraid I haven't got time, either. But maybe we can go to the circus on Wednesday or Thursday.

Track 65 – Übung 6

Marco:	Hallo Karin, was machst du heute?
Karin:	Ich gehe in die Disco. Und du?
Marco:	Ich weiß nicht. Vielleicht gehe ich ins Café.

Karin:	Mit Doris?
Marco:	Nein, sie geht in den Zirkus.

7

Track 72 – Übung 3

Aynur:	Gehst du regelmäßig in den Sportverein?
Sylvia:	Ja, einmal in der Woche.
Aynur:	Und was machst du dort?
Sylvia:	Eine Stunde Gymnastik. Und du, was machst du in deiner Freizeit?
Aynur:	Ich fahre gern Fahrrad. Aber am liebsten treffe ich Freunde. Wir gehen zusammen aus, wir kochen oder wir hören Musik.
Sylvia:	Thomas, was ist mit dir? Hast du ein Hobby?
Thomas:	Ja, Computer. Ich surfe gern im Internet. Und ich interessiere mich für Kunst und Kultur. Meine Frau und ich besuchen oft Ausstellungen oder gehen in Konzerte.
Sylvia:	Auch heute Abend?
Thomas:	Nein. Heute Abend haben wir ein Familienfest.
Sylvia:	Oh, wie schön! Was feiert ihr?
Thomas:	Meine Tochter Lisa hat Geburtstag.
Sylvia:	Wie alt wird sie?
Thomas:	Sieben. Meine Frau bereitet eine Party vor, mit einer Torte und mit Geschenken.
Sylvia:	Toll! Und was schenkst du deiner Tochter?
Thomas:	Ein Kartenspiel und ein paar Bilderbücher … Und was machst du nach dem Sportverein?
Sylvia:	Oh, ich bekomme noch Familienbesuch.
Thomas:	Wer kommt denn?
Sylvia:	Meine Tante aus Berlin. Sie ist zum ersten Mal in Düsseldorf und ich will ihr die Stadt zeigen. Und du Aynur?
Aynur:	Heute Abend mache ich nichts Besonderes. Meine Freundin kommt. Sie bringt mir die neue CD von den „Fantastischen Vier" mit.
Sylvia:	Aha! Also dann, ich wünsche euch viel Spaß! Tschüss!
Aynur:	Danke, dir auch. Tschüss!
Thomas:	Tschüss!

Aynur:	Do you go to the the sports club regularly?
Sylvia:	Yes, once a week.
Aynur:	And what do you do there?
Sylvia:	I exercise for one hour. And you, what do you do in your free time?
Aynur:	I like cycling. But most of all I like meeting friends. We go out together, cook or listen to music.
Sylvia:	Thomas, what about you? Do you have a hobby?
Thomas:	Yes, the computer. I like to surf the internet. And I'm interested in art and culture. My wife and I often visit exhibitions or go to concerts.
Sylvia:	This evening, too?
Thomas:	No. This evening we are going to have a family party.
Sylvia:	Oh, that's nice! What are you celebrating?
Thomas:	It's the birthday of my daughter Lisa.
Sylvia:	How old is she?
Thomas:	Seven. My wife is preparing a party with cakes and gifts.
Sylvia:	Great! And what are you giving as a present to your daughter?
Thomas:	A card game and a few pictures books … And what are you going to do after the sports club?
Sylvia:	Oh, I'm having part of my family visiting.
Thomas:	Oh, who's coming?
Sylvia:	My aunt from Berlin. It'll be her first time to Düsseldorf and I want to show her the town. And you, Aynur?
Aynur:	This evening, I'm not doing anything special. My friend's coming. She'll bring along the new CD of Die fantastischen Vier for me.
Sylvia:	Oh, I see! Well, have a lot of fun! Bye!
Aynur:	Thanks, you too. Bye!
Thomas:	Bye!

Track 78 – Übung 11

1. – Was machst du in deiner Freizeit?
  – Ich treffe gern Freunde.
2. – Magst du Kunst?
  – Nein, ich interessiere mich nicht für Kunst.

3. – Ich esse nicht gern Kuchen, und du?
  – Ich auch nicht.

8

Track 84 – Übung 3

Susanne:	Hallo Thomas, da bist du ja endlich!
Thomas:	Hallo. Wo ist denn unser Geburtstagskind?
Susanne:	Da kommt sie.
Thomas:	Hallo, mein Schatz.
Lisa:	Hallo Papa! Endlich! Ich will doch meine Geschenke haben.
Thomas:	Ja, sofort. Aber zuerst singen wir ein Lied für dich.
Lisa:	Au ja!
Thomas, Susanne:	Zum Geburtstag viel Glück, zum Geburtstag viel Glück, zum Geburtstag, liebe Lisa, zum Geburtstag viel Glück.

...

Lisa:	Darf ich jetzt die Geschenke auspacken?
Thomas:	Aber ja. Herzlichen Glückwunsch zum Geburtstag!
Lisa:	Ui, ein Kartenspiel. Danke, Papa.
Susanne:	Und schau mal, hier ist eine Karte von Oma.
Lisa:	Kannst du mir die Karte bitte vorlesen?
Susanne:	Oma schreibt: „Liebe Lisa, alles Gute zu deinem Geburtstag! Das nächste Mal feiere ich mit dir. Küsschen von deiner Oma."
Lisa:	Und wo ist das Geschenk von Oma?
Susanne:	Hier. Es ist eine Überraschung.

...

Lisa:	Ui, das ist aber toll. Jetzt kann ich mit einem Krokodil baden.
Thomas:	Das gibt es doch nicht! Nicht möglich!
Susanne:	Was ist los? Das ist doch nur ein Schwimmtier!
Thomas:	Ja, aber du weißt, wir suchen ein Krokodil im Rhein. Das ist wirklich lustig!
Susanne:	Du meinst, „euer" Krokodil ist vielleicht ein Schwimmtier aus Plastik?
Thomas:	Ja, genau. Das muss ich morgen meinen Kolleginnen erzählen. Sylvia und Aynur lachen sicher auch!

Susanne:	Hello Thomas, you are here at last!
Thomas:	Hello. Where is our birthday girl?
Susanne:	Here she is.
Thomas:	Hello, my sweetheart.
Lisa:	Hello daddy! Finally! I just want to have my gifts.
Thomas:	Yes, soon. But first of all we'll sing a song for you.
Lisa:	Fine!
Thomas, Susanne:	Happy birthday to you, happy birthday to you, happy birthday, dear Lisa, happy birthday to you.

...

Lisa:	Can I unwrap the gifts now?
Thomas:	Of course. Happy birthday!
Lisa:	Oh, a card game. Thanks, daddy.
Susanne:	And look, here is a card from grandma.
Lisa:	Can you read the card to me, please?
Susanne:	Grandma writes: "Dear Lisa, all the best for your birthday! Next time I'll celebrate with you. Kisses from your grandma."
Lisa:	And where is the gift from grandma?
Susanne:	Here. It's a surprise.

...

Lisa:	Oh, that's really great. Now I can have a bath with a crocodile.
Thomas:	That can't be true! Not possible!
Susanne:	What's the matter? That's just a bath toy!
Thomas:	Yes, but you know we are looking for a crocodile in the Rhine. That's really funny!
Susanne:	You mean, "your" crocodile is maybe a bath toy made of plastic?
Thomas:	Yes, exactly. I have to tell that to my colleagues tomorrow. Sylvia and Aynur will surely laugh, too!

Track 90 – Übung 12

Lieber Max,
wie geht es dir? Ich bin in Berlin und besuche meine
Eltern. Bis bald!
Viele liebe Grüße
deine Steffi

9

Track 94 – Übung 4

Thomas:	Guten Morgen, Frau Schmidt.		*Thomas:*	Good morning, Mrs. Schmidt.
Frau Schmidt:	Guten Morgen, Herr Kowalski. Und? Was haben Sie in den letzten Tagen gemacht? Haben Sie das Krokodil gesucht?		*Frau Schmidt:*	Good morning, Mr. Kowalski. Well, what did you do in the last few days? Did you look for the crocodile?
Thomas:	Ja, am 1. Juni sind Sylvia, Aynur und ich nach Benrath gefahren. Wir haben dort das Krokodil gesucht und ein paar Leute gefragt, aber ohne Erfolg.		*Thomas:*	Yes, on the 1st of June Sylvia, Aynur and I went to Benrath. There we looked for the crocodile and questioned a few people, but without any success.
Frau Schmidt:	Schade! Ach übrigens, gestern hat eine Frau für Sie angerufen.		*Frau Schmidt:*	That's a pity! Oh, by the way, yesterday a woman called for you.
Thomas:	Was hat sie gesagt?		*Thomas:*	What did she say?
Frau Schmidt:	Sie hat die Geschichte über das Krokodil in der Zeitung gelesen.		*Frau Schmidt:*	She read the story about the crocodile in the newspaper.
Thomas:	Und weiter?		*Thomas:*	And then?
Frau Schmidt:	Und dann hat sie von ihrem Nachbarn erzählt. Dieser Nachbar ist ein Tierfreund und er hat viele Haustiere. Und nun ist ein Tier weg.		*Frau Schmidt:*	And then she spoke about her neighbour. This neighbour is a animal lover and he's got a lot of pets. And now one animal is missing.
Thomas:	Ja, und?		*Thomas:*	Yes, and what then?
Frau Schmidt:	Naja, diese Haustiere sind sehr exotisch und nun fehlt ein Krokodil. Wollen Sie hinfahren und den Tierfreund befragen? Er heißt Greiner und wohnt in ... Moment, ich habe seine Adresse auf einen Zettel geschrieben. Hier ist der Zettel.		*Frau Schmidt:*	Well, these pets are very exotic and now a crocodile is missing. Do you want to go there to question the animal lover? His name is Greiner and he lives in ... Just a moment, I wrote his address on a piece of paper. Here is the piece of paper.
Thomas:	Danke. Aha, Oskar Greiner, Neanderstraße ... Wo ist das? Kennen Sie diese Straße?		*Thomas:*	Thanks. I see, Oskar Greiner, Neander street ... Where is that? Do you know that street?
Frau Schmidt:	Ja, ich glaube, die Straße liegt im Stadtteil Flingern. Sie nehmen den Bus Nummer 834 und steigen an der vierten oder fünften Haltestelle aus.		*Frau Schmidt:*	Yes, I think, the street is situated in the district Flingern. You take the bus number 834 and you get off on the forth or fifth station.
Thomas:	Vielen Dank, Frau Schmidt.		*Thomas:*	Thanks a lot, Mrs. Schmidt.
Frau Schmidt:	Keine Ursache. Also dann, bis später!		*Frau Schmidt:*	Don't mention it. Well then, see you later!
Thomas:	Bis später! Tschüss, Frau Schmidt.		*Thomas:*	See you later! Bye, Mrs. Schmidt.

Track 100 – Übung 13
1. Was hast du gestern Abend gemacht?
2. Wann ist Peter gekommen?
3. Hast du Maria in den letzten Tagen gesehen?

10

Track 102 – Übung 2

1. Er geht über die Brücke zum Bus.
2. Der Vogel ist auf der Mauer.
3. Das Kind spielt vor dem Haus.
4. Die Haltestelle liegt neben dem Kiosk.
5. Das Hotel liegt zwischen der Post und der Bank.

6. Das Schiff ist unter der Brücke.
7. Sie geht in die Disco.
8. Das Kind ist hinter dem Haus.
9. Das Auto fährt an der Ampel nach rechts.

Track 104 – Übung 4

Sylvia:	Wohin müssen wir jetzt gehen? Rechts oder links?
Thomas:	Ich habe keine Ahnung. Aynur, gib mir mal den Stadtplan.
Aynur:	Oh, tut mir leid. Ich habe ihn im Büro vergessen.
Thomas:	Macht nichts! Wir fragen jemanden.
Thomas:	Entschuldigen Sie bitte, wie kommen wir zur Neanderstraße?
Mann:	Tut mir leid, ich bin nicht von hier.
Thomas:	Hmm. Da kann man nichts machen.
Mann:	Fragen Sie doch in der Apotheke oder am Kiosk gegenüber.
Thomas:	Gute Idee! Danke.
...	
Thomas:	Guten Tag, wir suchen die Neanderstraße.
Mann im Kiosk:	Neanderstraße? Warten Sie ... Gehen Sie diese Straße entlang immer geradeaus, am Kindergarten und an der Schule vorbei bis zur Kreuzung. Dort gehen Sie nach rechts, dann wieder geradeaus. Dann die erste Straße links. Das ist die Neanderstraße.
Thomas:	Also, noch einmal. Wir gehen bis zur Kreuzung, dann rechts, dann geradeaus, dann links.
...	

Sylvia:	Where do we have to go now? Right or left?
Thomas:	I have no idea. Aynur, give me the city map.
Aynur:	Oh, I'm sorry. I forgot it in the office.
Thomas:	It doesn't matter! We'll ask somebody.
Thomas:	Excuse me, please, how do we get to Neander Street?
Man:	I'm sorry, I'm not from here.
Thomas:	Hmm. Never mind.
Man:	Ask in the pharmacy or at the kiosk opposite.
Thomas:	Good idea! Thank you.
...	
Thomas:	Good morning, we are looking for Neander Street.
Man in the kiosk:	Neander Street? Wait a second ... Go along this street always straight ahead, pass the kindergarten and the school until you get to a crossroad. There you turn right, then again straight ahead. Then the first street on the left. That's Neander Street.
Thomas:	Well, once again. We go to the crossroad, then right, then straight ahead, then left.
...	

Mann im Kiosk:	Genau!
Sylvia:	Ist es weit? Sollen wir mit dem Bus zurückfahren?
Mann im Kiosk:	Nein, nein, es sind nur 10 Minuten zu Fuß.
Sylvia:	Ja, das ist wirklich nicht weit. Vielen Dank für die Auskunft.
Mann im Kiosk:	Keine Ursache.

Man in the kiosk:	Exactly!
Sylvia:	Is it far? Should we go by bus?
Man in the kiosk:	No, no, it's only 10 minutes to walk.
Sylvia:	Yes, that's not really far. Thanks a lot for the information.
Man in the kiosk:	Don't mention it.

Track 108 – Übung 9
a. Am Kiosk gibt es Zeitungen.
b. Er geht auf die Post.
c. Die Kinder spielen im Park.
d. An der Ampel müssen Sie abbiegen.
e. Fahren Sie über die Kreuzung.
f. Geh in die Straße links.
g. Ich gehe auf den Platz.
h. Vor dem Hotel ist ein Auto.
i. Der Park liegt hinter dem Bahnhof.
j. Neben dem Kino ist ein Café.
k. Das Schiff fährt unter die Brücke.

Track 110 – Übung 10
Dialogue 1
– Entschuldigen Sie bitte, wie komme ich zur Post?
– Tut mir leid. Ich bin nicht von hier.

Dialogue 2
– Ich suche den Kindergarten. Ist es weit?
– Nein, nur 10 Minuten zu Fuß.

Track 114 – Übung 15
1. Sie sind an der Schule. Gehen Sie die Straße entlang und dann rechts. Dann geradeaus über die Kreuzung. Links sehen Sie die …
2. Sie sind am Bahnhof. Gehen Sie links bis zur Kreuzung. Dort gehen Sie rechts, dann noch einmal rechts durch die Fußgängerzone. Dann gehen Sie links. Dort sehen Sie einen Kiosk. Neben dem Kiosk ist ein …

11

Track 116 – Übung 3

Thomas:	Sind wir hier richtig?
Aynur:	Ja, hier steht „Greiner". Er wohnt im 2. Stock.
Thomas:	Er ist noch nicht zu Hause. Dann warten wir eben.
…	
Sylvia:	Herr Greiner wohnt aber sehr schön!
Thomas:	Stimmt, die Straße ist ruhig gelegen, aber nicht zu weit vom Zentrum.
Aynur:	Das gelbe Haus von Herrn Greiner finde ich besonders schön. Die Tür ist grün, die Fensterrahmen sind blau … Mir gefallen bunte Häuser.
Sylvia:	Du hast Recht. Dieses Haus ist wirklich schön. Ich mache ein paar Fotos.
…	

Thomas:	Are we at the right house here?
Aynur:	Yes, here it says "Greiner". He lives on the 2nd floor.
Thomas:	He isn't at home yet. So we'll just wait.
…	
Sylvia:	Mr. Greiner lives in a very nice area
Thomas:	That's right, the street is quiet, but not too far from the centre.
Aynur:	I find Mr. Greiner's yellow house especially nice. The door is green, the window frames are blue … I like colourful houses.
Sylvia:	You are right. This house is really nice. I'll take some photos.
…	

Aynur:	Hast du heute schon viel fotografiert?
Sylvia:	Ja, ich bin früh aufgestanden und sofort nach dem Frühstück bin ich losgegangen und habe Fotos in der Altstadt gemacht. Du weißt ja, ich wohne ganz zentral. Und was hast du heute schon gemacht?
Aynur:	Heute Morgen hat mein Vater angerufen und mich zum Abendessen eingeladen.
Thomas:	Apropos essen, habt ihr keinen Hunger? Es ist schon Mittag. Nach dem Gespräch mit Herrn Greiner können wir doch etwas essen gehen.
Sylvia:	Wo möchtest du denn essen?
Thomas:	Auf dem Weg zur Neanderstraße habe ich ein kleines Lokal gesehen.
Aynur:	Welches? Das kleine griechische?
Thomas:	Ja. Vielleicht können wir dort Mittag essen.
Sylvia, Aynur:	Einverstanden!
Thomas:	Hoffentlich kommt Herr Greiner bald!

Aynur:	Have you already taken a lot of photos today?
Sylvia:	Yes, I got up early and immediately after breakfast I set off and took photos in the old town centre. As you know, I live quite central.- And what have you already done today?
Aynur:	This morning my father called and invited me for dinner.
Thomas:	Talking about food, aren't you hungry? It's noon already. After the conversation with Mr. Greiner we could go and eat something.
Sylvia:	Where would you like to eat?
Thomas:	On the way to Neander Street I saw a small pub.
Aynur:	Which one? That small greek one?
Thomas:	Yes. Maybe we can have some lunch there.
Sylvia, Aynur:	Agreed!
Thomas:	I hope Mr. Greiner will come soon!

Track 117 – Übung 5

1. aufstehen
2. ins Bett gehen
3. duschen
4. einkaufen
5. frühstücken
6. zu Mittag essen
7. zu Abend essen
8. die Kinder zur Schule bringen
9. zur Arbeit gehen
10. nach Hause kommen

Track 119 – Übung 6

1. • Du wohnst aber schön!
   ○ Ja, die Wohnung ist wirklich ruhig und nah am Zentrum gelegen.
2. • Wohnen Sie in der Stadt?
   ○ Nein, ich wohne außerhalb, auf dem Land.
3. • Wie ist deine Wohnung?
   ○ Meine Wohnung liegt im Erdgeschoss und ist laut. Aber es gibt eine Terrasse.

12

Track 128 – Übung 4

Hr. Greiner:	Kommen Sie herein! Sie können Ihre Jacken hier an die Garderobe hängen.
Thomas:	Danke. Sylvia, Aynur, gebt mir eure Jacken.
Hr. Greiner:	Darf ich Ihnen alles zeigen?
Thomas:	Ja, gerne.
Hr. Greiner:	Wir gehen zuerst ins Wohnzimmer.

...

Hr. Greiner:	Also, hier stehen meine Terrarien. Schauen Sie, dort auf dem Regal stehen meine Schildkröten. Und dort über der Heizung sehen Sie zwei Schlangen.
Aynur:	Über der Heizung?
Hr. Greiner:	Ja. Schlangen brauchen viel Wärme.
Aynur:	Aha! Sind die giftig?
Hr. Greiner:	Nein, nein, die sind ganz ungefährlich. Sie können sie gern streicheln.
Aynur:	Nein, danke!
Hr. Greiner:	Möchten Sie auch meine Papageien sehen?
Sylvia:	Oh ja, wo sind die denn?
Hr. Greiner:	Sie sind in der Küche. Kommen Sie!

...

Aynur:	Uj, die sind aber wunderschön!
Hr. Greiner:	Warten Sie, ich stelle die Käfige auf den Tisch. Dann können Sie die Papageien besser sehen.
Sylvia:	Sie haben wirklich viele exotische Tiere!
Hr. Greiner:	Ja, ich bin Lehrer für Biologie und interessiere mich für Tiere in Australien.
Sylvia:	Ach so! Ich habe schon gesehen, an der Wand im Wohnzimmer hängen viele Fotos von Australien. Mein Kompliment, es sind sehr schöne Fotos!
Hr. Greiner:	Danke.
Thomas:	Aber sagen Sie, ein Krokodil haben Sie nicht? Oder ist es im Badezimmer?
Hr. Greiner:	Ein Krokodil? Nein. Das ist zu groß für meine Wohnung!

Mr. Greiner:	Come in! You can hang your jackets up here on the hall-stand.
Thomas:	Thank you. Sylvia, Aynur, give me your jackets.
Mr. Greiner:	Shall I show you everything?
Thomas:	Yes, that would be nice.
Mr. Greiner:	First we will go into the living-room.

...

Mr. Greiner:	Well, here are my terraria. Look, on the shelf over there are my turtles. And over the radiator you can see two snakes.
Aynur:	Over the radiator?
Mr. Greiner:	Yes. Snakes need warm temperatures.
Aynur:	I see! Are they poisonous?
Mr. Greiner:	No, no, they are quite harmless. If you like you can stroke them.
Aynur:	No, thanks!
Mr. Greiner:	Would you like to see my parrots, too?
Sylvia:	Oh yes, where are they?
Mr. Greiner:	They are in the kitchen. This way.

...

Aynur:	Oh, they are really beautiful!
Mr. Greiner:	Wait a moment, I'll put the cages on the table. So you can see the parrots better.
Sylvia:	You have many exotic animals indeed!
Mr. Greiner:	Yes, I'm a biology teacher and I'm interested in animals from Australia.
Sylvia:	I see! I already saw many pictures from Australia on the wall in the living-room. My compliment, they are very good pictures!
Mr.Greiner:	Thank you.
Thomas:	But tell us, haven't you got a crocodile? Or is it in the bathroom?
Mr. Greiner:	A crocodile? No. That's too big for my flat!

Track 130 – Übung 6
1. In diesem Zimmer spielen die Kinder.
2. Hier kochen wir das Essen.
3. Hier stehen ein Sofa, zwei Sessel, ein Tisch und Regale.
4. In diesem Zimmer steht ein Bett und ein Schrank.

Track 133 – Übung 10
1. Wohin legst du die Fotos?
2. Wohin hängst du den Spiegel?
3. Wohin stellst du den Käfig?

13

Track 139 – Übung 4

Susanne:	Thomas, ich möchte deine Kolleginnen endlich kennen lernen. Was meinst du, können wir uns am Samstag mit ihnen treffen?
Thomas:	Das ist eine gute Idee. Wann sollen wir sie treffen? Am Abend?
Susanne:	Nein, am Nachmittag. Dann kann Lisa auch dabei sein.
Thomas:	Gut. Was hältst du von einem Biergarten oder einem Café?
Susanne:	Nein, ich möchte sie lieber zu einem Picknick am Rhein einladen. Das Wetter ist so schön. Und Lisa freut sich schon sehr auf ein Picknick.
Thomas:	Hm, und was machen wir, wenn es regnet?
Susanne:	Dann gehen wir natürlich nicht an den Rhein. Aber ich habe im Radio gehört, das Wetter bleibt schön und die Sonne scheint.
Thomas:	Also gut, ich frage mal Sylvia und Aynur und rufe dich dann zurück. Bis später!
Susanne:	Tschüss. Bis später!

...

Thomas:	Habt ihr am Samstagnachmittag schon etwas vor? Meine Frau und ich möchten euch zu einem Picknick einladen.
Sylvia:	Am Samstag? Ja, das passt mir gut. Aynur, kannst du auch?
Aynur:	Ja, für ein Picknick habe ich immer Zeit!
Sylvia:	Wann und wo treffen wir uns?
Thomas:	Um 3 Uhr an der Brücke nach Oberkassel. Von dort gehen wir noch etwa 5 Minuten zu Fuß. Ich kann euch abholen, wenn ihr wollt.
Sylvia:	Ja.
Aynur:	Gerne.

Susanne:	Thomas, I really would like to meet your colleagues. What do you think, could we meet them on Saturday?
Thomas:	That's a good idea. When shall we meet them? In the evening?
Susanne:	No, in the afternoon. That way Lisa can come, too.
Thomas:	Fine. What do you think of a beer garden or a café?
Susanne:	No, I'd prefer to invite them to a picnic at the Rhine. The weather is so lovely. And Lisa is already looking forward to a picnic.
Thomas:	Hm, and what shall we do, if it rains?
Susanne:	Then, of course, we won't go to the Rhine. But I've heard on the radio, that the weather's going to stay fine und the sun's going to shine.
Thomas:	Well then, I'll ask Sylvia and Aynur and I'll call you back. See you later!
Susanne:	Bye. See you later!

...

Thomas:	Do you have anything planned for Saturday afternoon? My wife and I would like to invite you to a picnic.
Sylvia:	On Saturday? Yes, that suits me fine. Aynur, can you also make it?
Aynur:	Yes, I always have time for a picnic!
Sylvia:	When and where shall we meet?
Thomas:	At 3 o'clock at the bridge to Oberkassel. From there we have to walk for about 5 minutes. I can pick you up, if you want.
Sylvia, Aynur:	Yes, that would be very nice.

Sylvia:	Sollen wir etwas mitbringen? Vielleicht einen Kuchen? Oder eine Flasche Sekt?	*Sylvia:*	*Shall we bring something along? Perhaps a cake? Or a bottle of sparkling wine?*
Thomas:	Nein, nein, das ist nicht nötig. Susanne bereitet alles vor.	*Thomas:*	*No, no, that's not necessary. Susanne is preparing everything.*
Sylvia:	In Ordnung! Sag deiner Frau schon mal vielen Dank für die Einladung!	*Sylvia:*	*All right! Say "thank you" to your wife for the invitation!*

14

Track 151 – Übung 4

Thomas:	Was bereitest du denn für das Picknick vor?	*Thomas:*	*What are you going to prepare for the picnic?*
Susanne:	Ich mache einen Obstsalat. Der schmeckt immer so lecker. Dann gibt es Wurst, Käse, Tomatensalat und natürlich Brot.	*Susanne:*	*I'm going to make a fruit salad. It always tastes so delicious. Then we'll have sausage, cheese, tomato salad and of course bread.*
Thomas:	Brot? Ich finde Brötchen aber besser als Brot.	*Thomas:*	*Bread? But I like rolls better than bread.*
Susanne:	Also gut, dann nehmen wir Brötchen.	*Susanne:*	*Well, o.k., let's have rolls then.*
Thomas:	Musst du noch viel einkaufen? Ich kann dir helfen, wenn du willst.	*Thomas:*	*Do still you have to buy a lot? I can help you if you like.*
Susanne:	Oh, ja bitte. Kannst du die Getränke im Supermarkt besorgen? Dort sind sie am billigsten.	*Susanne:*	*Oh yes, please. Can you get the beverages from the supermarket? There they are the cheapest.*
Thomas:	Kein Problem. Kann ich dir sonst noch helfen?	*Thomas:*	*No problem. Can I help you with anything else?*
Susanne:	Nein, danke. Ich brauche nur noch frisches Obst und Gemüse, dann muss ich noch in die Metzgerei. Zum Bäcker gehe ich erst morgen.	*Susanne:*	*No, thanks. I only need fresh fruit and vegetables and I need to go to the butcher's. I'm not going to the baker's until tomorrow.*
Thomas:	Gut. Nimmst du Lisa zum Einkaufen mit?	*Thomas:*	*Fine. Are you taking Lisa shopping with?*
Susanne:	Ja. Lisa, kommst du? Wir gehen einkaufen!	*Susanne:*	*Yes. Lisa, are you ready? We are going shopping!*
Lisa:	Ich komme!	*Lisa:*	*I'm coming!*
Thomas:	Vergiss die Einkaufstaschen nicht!	*Thomas:*	*Don't forget the shopping bags!*
Susanne:	Oh ja, danke! Bis später dann.	*Susanne:*	*Oh yes, thanks! See you later.*
...		...	
Verkäuferin:	Guten Tag, was darf es sein?	*shop assistant:*	*Good afternoon, what can I get you?*
Susanne:	Ich hätte gern 10 kleine Bratwürste und 400 Gramm Salami.	*Susanne:*	*I'd like 10 small fying sausages and 400 grams of salami.*
Verkäuferin:	Die Salami am Stück oder geschnitten?	*shop assistant:*	*The salami in one piece or sliced?*
Susanne:	Geschnitten. Ganz dünne Scheiben, bitte.	*Susanne:*	*Sliced. Very thin slices, please.*
Verkäuferin:	Darf es sonst noch etwas sein? Wir haben heute Schinken im Angebot.	*shop assistant:*	*Would you like anything else? Today we have got ham on offer.*
Susanne:	Nein, danke. Das ist alles.	*Susanne:*	*No, thank you. That's everything.*
Verkäuferin:	Das macht dann 11 Euro und 45 Cent ... Danke. Einen schönen Tag noch!	*shop assistant:*	*Then it's 11 Euro and 45 Cent ... Thank you. Have a nice day!*

Susanne:	Gleichfalls. Auf Wiedersehen!		Susanne:	The same to you. Goodbye!
Lisa:	Und wohin gehen wir jetzt?		Lisa:	And where are we going now?
Susanne:	Zum Markt. Wir brauchen noch Tomaten, Gurken und etwas Obst.		Susanne:	To the market. We still need tomatoes, cucumbers and some fruit.

Track 155 – Übung 9
1. Möchten Sie den Schinken am Stück oder geschnitten?
2. Was darf es sein?
3. Ist das alles?

15

Track 162 – Übung 4

Susanne:	Sylvia, hast du den Obstsalat schon probiert?		Susanne:	Sylvia, have you already tried the fruit salad?
Sylvia:	Ja, ich hatte schon eine Portion, aber ich nehme gern noch etwas.		Sylvia:	Yes, I have already had a portion, but I'd like to have a bit more.
Susanne:	Aynur, was kann ich dir noch anbieten?		Susanne:	Aynur, what else can I offer you?
Aynur:	Oh, danke, ich bin satt. Es war wirklich alles sehr lecker.		Aynur:	Oh, thanks, I'm really full. Everything was really delicious.
Susanne:	Und du, Lisa? Noch etwas Nachtisch?		Susanne:	And you, Lisa? More dessert?
Lisa:	Nein.		Lisa:	No.
Susanne:	Was ist los mit dir? Du bist heute aber schüchtern!		Susanne:	What's the matter with you? You are a bit shy today!
...			...	
Sylvia:	Lisa, erzähl doch mal. Gehst du schon in die Schule?		Sylvia:	Lisa, tell me. Do you already go to school?
Lisa:	Ja, in die erste Klasse.		Lisa:	Yes, I'm in my first year.
Aynur:	Macht es dir Spaß?		Aynur:	Do you enjoy it?
Lisa:	Oh ja, besonders Malen und Sport.		Lisa:	Oh yes, especially painting and sports.
Aynur:	Und wie ist deine Lehrerin? Ist sie streng?		Aynur:	And what is your teacher like? Is she strict?
Lisa:	Nein, sie ist nett. Ich mag sie.		Lisa:	No, she's nice. I like her.
Aynur:	Das ist prima. Ich bin früher nie gern in die Schule gegangen. Ich war auch eine schlechte Schülerin. Und du, Sylvia?		Aynur:	That's great. I never used to like going to school. And I was not very good either. And you, Sylvia?
Sylvia:	Ich war ganz gut. Hattest du eigentlich als Kind einen Traumberuf?		Sylvia:	I was quite good. By the way, did you have a dream job when you were a child?
Aynur:	Ja, Ärztin.		Aynur:	Yes, doctor.
Sylvia:	Und du, Lisa? Was möchtest du später einmal werden?		Sylvia:	And you, Lisa? What would you like to become later?
Lisa:	Ich möchte Künstlerin werden.		Lisa:	I'd like to become an artist.
Thomas:	Sagt mal, wollen wir nicht langsam gehen? Es ist schon spät.		Thomas:	Tell me, isn't it just about time to go? It's already late.

Sylvia:	Ja, in Ordnung.
...	
Lisa:	Hier, Papa, die Flaschen!
Thomas:	Nein, das sind Pfandflaschen. Die werfen wir nicht weg.
Susanne:	Thomas, hier ist noch mehr Abfall!
Thomas:	Ich hole ihn gleich. Lisa, bring doch die Flaschen zurück zu Mama.
Lisa:	Gut. Aber dann ...

Sylvia:	Yes, all right.
...	
Lisa:	Here, daddy, the bottles!
Thomas:	No, these are refundable bottles. We don't throw them away.
Susanne:	Thomas, there's still some more waste here!
Thomas:	I'll get it in a minute. Lisa, take the bottles back to mummy.
Lisa:	Okay. But then ...

Track 168 – Übung 13

Frau Kramer: Als Kind war ich sehr schüchtern und ich war oft allein. Am liebsten habe ich mit meinem Hund gespielt. Ich bin aber sehr gern in die Schule gegangen. Ich war eine fleißige und sehr gute Schülerin. Meine Lehrer waren nicht streng und die Schule hat mir immer Spaß gemacht. Ich hatte auch einen Traumberuf: Ärztin.

Herr Kolb: Auch ich bin gern in die Schule gegangen und ich hatte viele Freunde in der Schule. Nach der Schule sind wir oft mit dem Fahrrad an den Rhein gefahren und haben dort Fußball gespielt. Ich war sehr sportlich und mein Traumberuf war Sportler. Naja, früher habe ich wirklich viel Sport gemacht und leider wenig gelernt. (lacht) Ich war wirklich faul und ein schlechter Schüler.

16

Track 173 – Übung 4

Lisa:	Papa, Papa! Schau mal! Was ist das hier?
Thomas:	Wo denn?
Lisa:	Hier! Da schwimmt etwas im Fluss.
Thomas:	Was denn?
Lisa:	Es sieht aus wie ein Tier. Es ist so grün und braun wie mein Schwimmtier zu Hause.
Thomas:	Wie bitte?
...	
Sylvia:	Nicht möglich! Das ist wirklich ein Krokodil!
Aynur:	Ein echtes?
Sylvia:	Nein, es sieht echt aus, aber es ist aus Holz und Styropor.
Thomas:	Ja, aber wie kommt es hierher? Wem kann es gehören? Was meint ihr?
Sylvia:	Ich vermute, dass es dem Theater gehört.
Aynur:	Aber warum schwimmt das Krokodil im Rhein?
Sylvia:	Vielleicht, weil jemand einen Spaß machen wollte.

Lisa:	Daddy, Daddy! Look! What is that over there?
Thomas:	Oh, where?
Lisa:	There! There is something floating in the river.
Thomas:	What is it?
Lisa:	It looks like an animal. It's as green and brown as my bath toy at home.
Thomas:	Pardon?
...	
Sylvia:	Not possible! That's a crocodile indeed!
Aynur:	A real one?
Sylvia:	No, it looks like real, but it is made of wood and polystyrene.
Thomas:	Yes, but how did it get here? To whom does it belong? What do you think?
Sylvia:	I suppose it belongs to the theatre.
Aynur:	But why is the crocodile floating in the Rhine?
Sylvia:	Maybe, because somebody wanted to play a joke.

Thomas:	Das ist gut möglich. Ich denke aber, dass es jemand für den Karneval gemacht hat.
Sylvia:	Für den Karneval? Das verstehe ich nicht. Karneval war im Februar. Warum ist das Krokodil jetzt im Juni hier?
Thomas:	Der Karneval ist bei uns so wichtig wie Ostern oder Weihnachten. Man bereitet ihn das ganze Jahr vor, auch im Juni.
Aynur:	Ja, man plant sehr früh die Masken und Kostüme und man baut schon jetzt Figuren für den nächsten Umzug. Hast du den Umzug im Februar nicht gesehen?
Sylvia:	Nein, ich musste nach Wien fahren. Und ich habe noch nie an einem Karneval in Düsseldorf teilgenommen.
Susanne:	Entschuldigt die Unterbrechung, aber kann es sein, dass ihr genau dieses Krokodil für eure Zeitung sucht? Nehmt es doch mit und schreibt eure Geschichte zu Ende!
Thomas:	Eine ausgezeichnete Idee!

Thomas:	That's quite possible. But I think that somebody built it for the carnival.
Sylvia:	For the carnival? I don't understand that. Carnival was in February. Why is the crocodile here now, in June ?
Thomas:	The carnival is as important for us as Easter or Christmas. They prepare it all year long, also in June.
Aynur:	Yes, they plan the masks and costumes very early and are now already building the figures for the next parade. Didn't you see the parade in February?
Sylvia:	No, I had to go to Vienna. And I've never attended a carnival in Düsseldorf.
Susanne:	Sorry to interrupt you, but could it be that you are looking for exactly this crocodile for your newspaper? Take it with you and finish writing your story!
Thomas:	Excellent idea!

17

Track 181 - Übung 1

1. Thomas Kowalski arbeitete in der Redaktion.
2. Aynur beendete ihr Praktikum.
3. Susanne besuchte viele Ausstellungen.
4. Sylvia Moser fotografierte viel.
5. Lisa feierte ihren 7. Geburtstag.

Track 182 - Übung 3

Susanne:	Lisa, schau mal, da ist Sylvia. Hallo, Sylvia! So ein Zufall!
Sylvia:	Hallo, Susanne! Tag, Lisa! Wir haben uns ja lange nicht gesehen. Wie geht es euch?
Susanne:	Ach, ganz gut, danke. Und selbst?
Sylvia:	Prima. Ich habe immer noch Urlaub und genieße die Freizeit. Und wie geht es Thomas?
Susanne:	Auch gut. Er wollte eigentlich zum Einkaufen mitkommen, aber er durfte noch nicht aus der Redaktion weg.
Sylvia:	Apropos Redaktion, gibt es wieder einen Praktikanten? Aynur hat ihr Praktikum ja schon lange beendet.
Susanne:	Keine Ahnung. Thomas erzählte mir nichts. Hast du noch Kontakt zu Aynur?
Sylvia:	Ja, wir treffen uns morgen und gehen in die neue Ausstellung des Goethe-Museums.
Susanne:	Die ist wirklich interessant. Wir waren auch schon dort. Grüß Aynur von mir!
Sylvia:	Das mache ich gerne. So, ich muss langsam weiter. Was müsst ihr noch besorgen?
Susanne:	Am Montag fängt die Schule an und wir brauchen noch Hefte und Stifte für Lisa. Außerdem wollen wir uns nach Kleidung umschauen. Und du?
Sylvia:	Die Batterie meines Fotoapparats ist leer und nun suche ich die Fotoabteilung.
Susanne:	Die ist im Erdgeschoss am Ende der Rolltreppe. Sag mal, möchtest du nicht wieder einmal zum Abendessen kommen?
Sylvia:	Ja, sehr gern, danke. Rufst du mich an?
Susanne:	Klar! Also bis bald!
Sylvia:	Tschüss und noch viel Spaß beim Einkaufen!

Track 185 – Übung 7

2. So eine angenehme Überraschung!
4. Wir haben uns ja eine Ewigkeit nicht gesehen.
9. Wir müssen uns unbedingt mal wieder treffen.

Track 186 – Übung 10

1. Wo bekomme ich Hefte und Stifte? - Die bekommen Sie in der 2. Etage bei Schreibwaren.
2. Ich suche Batterien für meinen Fotoapparat. - Die gibt es oben am Ende der Rolltreppe.
3. Wo finde ich die Abteilung für Damen? - Im Erdgeschoss. Fahren Sie mit dem Aufzug nach unten.

18

Track 187 – Übung 3

Verkäuferin: Guten Tag. Kann ich Ihnen helfen?
Susanne: Guten Tag. Wir suchen eine Hose und einen Pullover für meine Tochter, Größe 140.
Verkäuferin: Hm, mal sehen. Hosen haben wir hier. Was für eine Hose soll es sein?
Susanne: Vielleicht eine Jeans. Was meinst du, Lisa?
Lisa: Mir gefällt die karierte Hose hier. Meine Freundin hat auch so eine.
Susanne: Ja, die ist hübsch. Probier sie mal an! Können Sie uns auch noch Pullover zeigen?
Verkäuferin: Ja, kommen Sie mit.
...
Verkäuferin: Schauen Sie, wie gefallen Ihnen diese Pullover hier? Soll es eine bestimmte Farbe sein?
Susanne: Eigentlich nicht. Schau mal Lisa, wie findest du den roten Pullover?
Lisa: Nein, ich mag lieber den hellblauen.
Verkäuferin: Ja, der ist wirklich schön. Am besten, Ihre Tochter probiert alles mal an.
Susanne: Wo sind die Umkleidekabinen?
Verkäuferin: Dort hinten.
...

Susanne: Hübsch siehst du aus! Der Pullover passt hervorragend zu der karierten Hose.
Verkäuferin: Ja, das steht Ihrer Tochter wirklich gut. Die hellen Farben und auch das karierte Muster sind in diesem Herbst sehr in Mode.
Susanne: Und wie passt dir die neue Hose? Ist sie groß genug?
Lisa: Ja, ich denke schon.
Verkäuferin: Zu dem Pullover gibt es übrigens auch Schal und Handschuhe in der gleichen Farbe.
Susanne: Nein, danke. Sagen Sie, aus welchem Material ist eigentlich der Pullover? Kann ich ihn in der Waschmaschine waschen?
Verkäuferin: Er ist aus Wolle. Waschen Sie ihn lieber mit der Hand.
Susanne: Hm, nicht sehr praktisch. Vielleicht nehmen wir doch lieber ein Sweatshirt ...
Verkäuferin: Wir haben Sweatshirts in allen Farben. Darf ich sie Ihnen zeigen?
Lisa: Ich möchte aber den Pullover. Der ist so schön weich.
Susanne: Na gut, wir nehmen ihn. Zieh dich wieder um und dann bezahlen wir. ... Vielen Dank für Ihre Hilfe.
Verkäuferin: Gern geschehen.

Track 188 – Übung 6
Der Hut steht Ihnen ausgezeichnet.

Track 189 – Übung 6
Ich finde dein Kleid sehr schick.

Track 190 – Übung 6
Die Hose ist zu klein. Sie passt nicht.

19

Track 191 – Übung 3

Frau Schmidt: Guten Morgen, Herr Kowalski. Wie geht es Ihnen?

Thomas: Guten Morgen. Ach, ich fühle mich nicht sehr gut.

Frau Schmidt: Was fehlt Ihnen denn?

Thomas: Ich habe Kopfschmerzen, mein Hals tut weh. Ich glaube, ich bin krank.

Frau Schmidt: Hoffentlich ist das keine Grippe! Waren Sie schon beim Arzt?

Thomas: Nein, so schlimm ist es doch nicht. Immer wenn ich zum Arzt gehe, fühle ich mich noch schlechter. Außerdem habe ich sehr viel Arbeit. Schauen Sie, hier liegen die Bewerbungen der neuen Praktikanten und ich muss mich noch auf die Gespräche mit ihnen vorbereiten.

Frau Schmidt: Ist das wirklich so wichtig? Ich meine, die Gesundheit kommt zuerst.

Thomas: Ja, aber die Arbeit ...

Frau Schmidt: Nichts aber. Erst gestern hat mir meine Schwester Anni geschrieben, dass sie eine schwere Grippe hatte und sogar ins Krankenhaus musste.

Thomas: Ach ja?

Frau Schmidt: Ja. Hören Sie selbst. Liebe Martina, stell dir vor, ich musste ins Krankenhaus. Das ist passiert: Während ich im Büro am Computer arbeitete, bekam ich auf einmal hohes Fieber und starke Schmerzen. Ein Kollege brachte mich sofort ins Krankenhaus. Dort blieb ich drei Tage und man untersuchte mich gründlich. Keine Sorge, es war nicht sehr ernst. Nur eine Grippe. Als ich endlich nach Hause kam, ging es mir schon viel besser. Bist du schon aus dem Urlaub zurück? Ich rufe dich an. Deine Anni. Sehen Sie, Herr Kowalski, mit der Gesundheit macht man keinen Spaß.

Thomas: Ja, ja, Sie haben natürlich Recht. Ich rufe gleich mal meinen Hausarzt an.

...

Arzthelferin: Arztpraxis Dr. Willner, guten Tag.

Thomas: Guten Tag, hier ist Thomas Kowalski. Ich brauche einen Termin beim Doktor. Ist es heute noch möglich?

Arzthelferin: Ist es dringend?

Thomas: Na ja, ich fühle mich nicht sehr gut, vielleicht eine Grippe ...

Arzthelferin: Dann kommen Sie doch einfach in der Praxis vorbei. Wir haben bis 12.30 Uhr Sprechstunde.

Thomas: In Ordnung, ich kann in einer halben Stunde bei Ihnen sein. Vielen Dank.

Arzthelferin: Keine Ursache. Bis später. Auf Wiederhören.

Track 192 – Übung 9
- Hallo Peter, wie geht es dir?
+ Ach, ich fühle mich schwach und müde.
- Was fehlt dir denn?
+ Ich glaube, ich bin erkältet.

20

Track 193 – Übung 3

Aynur: Tag, Sylvia. Du bist ja schon da!

Sylvia: Hallo, Aynur. Komme ich zu früh?

Aynur: Nein, nein, aber ich bin noch nicht ganz fertig. Ich habe gerade geduscht und mir die Haare gewaschen.

Sylvia: Ja, das sehe ich. Du hast wohl später noch etwas vor?

Aynur: Ja, richtig. Aber komm doch erst einmal herein. Wenn es dir nichts ausmacht, dann gehe ich noch kurz ins Bad. Meine Haut ist so trocken und ich muss mir noch das Gesicht eincremen.

Sylvia: Kein Problem. Nimm dir Zeit!

...

Sylvia: Sag mal, seit wann schminkst du dich eigentlich? Ich habe dich noch nie mit Lippenstift gesehen.

Aynur: Na ja, ich finde, das sieht gut aus. Was meinst du, was soll ich mit meinen Haaren machen? Deine Haare sehen immer so gepflegt aus und sie glänzen so schön. Wie machst du das?

Sylvia: Ich mache eigentlich nichts Besonderes. Ich verwende einfach ein mildes Shampoo und ich föhne sie. Aber warum legst du heute so viel Wert auf dein Aussehen? Triffst du dich vielleicht später mit einem Mann?

Aynur: Ach was!

Sylvia: Sag schon, hast du einen neuen Freund?

Aynur: Hm, wer weiß … Gibst du mir bitte mal den Föhn und den Kamm dort?

Sylvia: Hier, bitte. Während du dir die Haare föhnst, kann ich ja schon mal Tee machen. Ich habe eine neue Sorte mitgebracht.

Aynur: Gute Idee! Und stell bitte keine neugierigen Fragen mehr! O.K.?

Sylvia: Ja, ich verspreche dir, keine neugierigen Fragen mehr zu stellen. Aber ich interessiere mich doch für …

Aynur: Sylvia!

Sylvia: Schon gut! Ich koche jetzt den Tee.

…

Aynur: Hm, der Tee schmeckt etwas seltsam. Ist das grüner Tee?

Sylvia: Ja, den habe ich bei meinem letzten Urlaub in einem Wellness-Hotel zum ersten Mal getrunken.

Aynur: Du warst in einem Wellness-Hotel? Aha! Sind diese Hotels eigentlich nur ein Mode-trend oder kann man sich dort wirklich gut erholen?

Sylvia: Also ich habe mich dort sehr wohl gefühlt und die anderen Gäste auch.

Aynur: Und was macht man dort den ganzen Tag?

Sylvia: Oh, es gibt viele Möglichkeiten, sich zu ent-spannen, den Stress abzubauen und etwas für die Gesundheit zu tun.

Aynur: Das klingt gut! Erzähl doch noch mehr.

Sylvia: Na ja, wir haben jeden Morgen nach einem gesunden Frühstück Yoga gemacht, dann konnte man Massagen bekommen, Gymnas-tik machen und …

Track 195 – Übung 14

Sylvia: Wie ich Stress abbaue? Also, ich kann mich sehr gut entspannen, wenn ich Musik höre, Yoga mache oder ein heißes Bad nehme. Ich erhole mich aber auch sehr gut, wenn ich an der frischen Luft spazieren gehe und Menschen fotografiere.

Thomas: Stress ist wirklich ein Problem. In den letzten Tagen hatte ich sehr viel Arbeit im Büro. Und was tue ich gegen den Stress? Wenn ich zu Hause bin, bade ich immer lange. Manchmal mache ich zusammen mit meiner Frau Yoga. Das ist gut gegen meine Rückenschmerzen. Und wenn wir Zeit haben, gehen wir auch in die Sauna.

21

Track 196 – Übung 3

Aynur: Wie findest du die Kneipe? Ist doch toll hier, oder?

Claudia: Ja, sie ist ganz nett. Aber ich verstehe nicht, dass wir uns hier treffen. Wir sind doch immer in dem Café, das in der Nähe der Uni liegt.

Aynur: Das stimmt, aber ich bin in letzter Zeit lieber hier.

Claudia: Na ja, du hast schon am Telefon etwas erzählt. Geht es um den Mann, den du hier treffen willst?

Aynur: Ja. Ach, Claudia, ich glaube, ich habe mich verliebt.

Claudia: Nein! Wirklich? In wen? Kenne ich ihn?

Aynur: Nein, ich denke nicht. Er heißt übrigens Eric.

Claudia: Eric? Nein, ich kenne niemanden, der so heißt. Beschreib ihn doch mal! Wo hast du ihn kennen gelernt?

Aynur: Ich bin ihm hier zum ersten Mal begegnet und wir haben uns ein paar Mal zufällig wieder gesehen. Wir haben ein bisschen geflirtet und ich finde ihn einfach süß.

Claudia: Eine genauere Beschreibung, bitte! Wie sieht er aus?

Aynur: Also, er ist nicht sehr groß, schlank, gut gekleidet. Er ist etwas älter als ich. Er hat blonde, kurze Haare und dann die Augen ...

Claudia: Was ist mit seinen Augen?

Aynur: Er hat die schönsten blauen Augen, die ich kenne. Er ist jemand, der viel lacht. Er ist temperamentvoll und so charmant ...

Claudia: Ui, du bist wirklich verliebt. Weiß er, dass du ihn gern hast?

Aynur: Nein, ich habe Angst, es ihm zu sagen. Was ist, wenn er eine feste Freundin hat?

Claudia: Aber wenn du eine Chance haben willst, dann musst du etwas unternehmen und nicht nur einfach warten und unglücklich sein. Oder hast du eine bessere Idee?

Aynur: Und wenn er nichts für mich empfindet? Und wenn ich dann enttäuscht bin?

Claudia: Mein Gott, Aynur! Das kannst du doch gar nicht wissen! Siehst du ihn heute noch?

Aynur: Ja, vielleicht kommt er später.

Claudia: Dann tu etwas! Sprich mit ihm! So, und jetzt brauche ich noch einen Milchkaffee. Und du?

Aynur: Ja, ich auch.

Claudia: Hallo! Können wir noch etwas bestellen? Zwei Milchkaffee, bitte!

Track 197 – Übung 13

+ Lebt Maria allein?
- Nein, sie hat einen festen Freund.

+ Steht ihr euch nahe?
- Ja, wir haben eine feste Beziehung.

+ Seid ihr eng befreundet?
- Wir sind nur gute Bekannte.

22

Track 198 – Übung 2

1. **Gast:** Das habe ich nicht bestellt!
   Bedienung: Oh, Entschuldigung!

2. **Gast1:** Die Suppe schmeckt nicht gut.
   Gast2: Ja sie ist versalzen.

3. **Gast1:** Das Steak ist nicht durch.
   Gast2: Ich mag kein blutiges Steak.

4. **Gast:** Haben Sie das Brot vergessen?
   Bedienung: Ich bringe es sofort.

Track 199 – Übung 3

Bedienung: Haben Sie schon gewählt?

Eric: Ja. Als Vorspeise nehmen wir dreimal die Tagessuppe. Können wir zur Suppe auch etwas Brot haben?

Bedienung: Ja, selbstverständlich. Und was nehmen Sie als Hauptgericht?

Eric: Mein Vater und ich hätten gern das Steak mit Pfeffersoße, halb durch bitte. Und als Beilage Reis.

Bedienung: Möchten Sie vielleicht auch einen Salat? Unser Salat wird mit einem hausgemachten Dressing aus Joghurt und frischen Kräutern angemacht.

Eric: Dann nehme ich einen gemischten Salat.

Herr V.: Für mich auch. Den Salat bitte ohne Zwiebeln.

Bedienung: Und was möchten Sie?

Frau V.: Ich habe mich noch nicht entschieden. Vielleicht nehme ich ein vegetarisches Gericht oder Fisch. Können Sie mir etwas empfehlen?

Bedienung: Ja, ich kann Ihnen den Thunfisch empfehlen. Der ist eine Spezialität unseres Koches.

Frau V.: Wie wird der Thunfisch denn zubereitet? Wird er gebacken?

Bedienung: Nein, er wird gegrillt und dann mit Bratkartoffeln serviert.

Frau V.: Werden die Kartoffeln mit Butter gebraten?

Bedienung: Ja, mit Butter und mit Rosmarin.

Frau V.: Das klingt lecker. Ja, ich glaube, ich probiere den Thunfisch.

Bedienung: Gerne. Möchten Sie auch schon den Nachtisch bestellen?

Frau V.: Nein, wir warten noch und entscheiden uns später.

Bedienung: Gut.

...

Frau V.: Sagt mal, hat euch die Suppe geschmeckt?

Herr V.: Also ich fand den Geschmack ausgezeichnet. Leider war sie nur lauwarm.

Frau V.: Und wie ist dein Steak, Eric?

Eric: Na ja, eigentlich wollte ich es halb durch, aber es ist noch ziemlich blutig. Macht dir das nichts aus, Papa?

Herr V.: Nein, man kann es trotzdem essen. Ist wenigstens dein Thunfisch in Ordnung?

Frau V.: Er war zu lange auf dem Grill und nun ist er etwas trocken. Außerdem habe ich keinen Salat bestellt.

Eric: Was meint ihr? Sollen wir uns beschweren?

Herr V.: Ja, das meine ich schon. Herr Ober!

23

Track 200 – Übung 3

Susanne: Thomas, der Tisch muss noch gedeckt werden. Hier sind schon mal die Gläser und das Besteck. Lisa kann dir ja helfen.

Lisa: Wofür brauchen wir so viele Gläser?

Thomas: Für Wasser, Wein und deinen Saft. Apropos Wein, ich muss noch den Wein aus dem Keller holen. Möchtet ihr Rotwein oder Weißwein zum Essen?

Susanne: Ich bevorzuge Rotwein.

Sylvia: Ich auch.

...

Sylvia: Wonach riecht es hier so gut?

Susanne: Es riecht nach den Gewürzen in der Soße. Es gibt nämlich Sauerbraten mit Klößen.

Sylvia: Sauerbraten? Den esse ich zum ersten Mal. Sag mal, wozu brauchst du die Pflaumen hier?

Susanne: Die gebe ich jetzt in die Soße. So, sie ist fast fertig. Nur noch etwas Essig für den typischen süßsauren Geschmack und dann kann gegessen werden. Sylvia, kannst du bitte die Schüssel mit den Klößen nehmen und ins Esszimmer tragen? Thomas, Lisa, habt ihr den Tisch gedeckt?

Thomas: Jaaa!

...

Sylvia: Mein Kompliment, Susanne, das schmeckt wirklich toll. Das nächste Mal lade ich euch zum Essen ein. Dann gibt es Frittatensuppe.

Susanne: Frittatensuppe?

Sylvia: Ja, eine österreichische Spezialität. Zuerst macht man Palatschinken, bei euch sagt man Pfannkuchen. Also zuerst backt man viele Pfannkuchen. Danach müssen die Pfannkuchen in feine Streifen geschnitten werden. Dann bereitet man eine Brühe vor. Wenn sie heiß ist, werden die Pfannkuchenstreifen in die Brühe gelegt. Umrühren und fertig!

Susanne: Das ist schon alles? Das ist ja einfach!

Sylvia: Ja, einfach, aber sehr lecker. Die Suppe kann natürlich noch mit Gewürzen verfeinert werden. Also, machen wir doch bald einmal einen österreichischen Abend bei mir. Vielleicht kann ich auch noch ein paar besondere Süßigkeiten aus Wien mitbringen.

Thomas: Du fährst nach Wien?

Sylvia: Es ist noch nicht sicher. Ich wollte zusammen mit Aynur ein paar Tage wegfahren. Aber wir haben uns noch nicht entschieden.

Track 201 – Übung 12

Susanne: Ich bin keine typische Hausfrau, die alles allein macht. Thomas hilft mir sehr oft. Er putzt die Wohnung, er geht einkaufen, er deckt den Tisch. Viele Arbeiten machen wir auch zusammen: Wir räumen auf und auch Lisa muss helfen. Wir spülen zusammen das Geschirr: Ich oder Thomas spült ab und Lisa trocknet ab.

Thomas: Ich helfe Susanne viel im Haushalt. Ich gehe einkaufen, ich hole die Getränke aus dem Keller, ich räume auf. Sehr oft decke ich den Tisch, während Susanne kocht. Manchmal putze ich sogar die Wohnung. Bügeln mag ich aber nicht. Das muss Susanne machen.

24

Track 202 – Übung 1
1. Wir planen c einen Kurzurlaub in die Turkei.
2. Wir buchen eine Pauschalreise im Reiseburo.
3. Wir suchen einen gunstigen Flug im Internet.
4. Wir packen unseren Koffer.
5. Wir wechseln Geld.

Track 203 – Übung 3

Sylvia: Wir müssen uns endlich entscheiden, wo wir Urlaub machen wollen. In zwei Wochen muss ich schon wieder arbeiten.

Aynur: Ja, ich weiß. Und ich habe nicht so viel Geld. Daran müssen wir auch denken.

Sylvia: Also, ich hatte die Idee, dass wir nach Wien fahren. Dann kann ich dir endlich meine Heimatstadt zeigen. Was hältst du davon?

Aynur: Ich bin mir nicht sicher, ob ich wirklich Urlaub in einer Stadt machen will.

Sylvia: Wien ist aber sehr schön in dieser Jahreszeit und bietet so viele kulturelle Möglichkeiten. Es ist ideal für einen Kurzurlaub. Außerdem müssen wir nicht viel für die Reise vorbereiten, wir müssen nur den Flug buchen und die Koffer packen. Wir brauchen kein Hotel, weil wir bei Freunden von mir übernachten können. Was meinst du?

Aynur: Ehrlich gesagt möchte ich lieber ans Meer fahren, am Strand liegen und faulenzen. Schau mal, die Flüge in die Türkei sind gar nicht so teuer.

Sylvia: Hm, das stimmt. Aber dann brauchen wir noch eine Unterkunft.

Aynur: Oder wir schlafen bei meiner Mutter in Antalya.

Sylvia: Gut, wir fragen jetzt, ob ein Flug nach Wien oder nach Antalya günstiger ist. Bist du damit einverstanden?

Aynur: Ja, das machen wir.

...

Angestellter: Guten Tag. Was kann ich für Sie tun?

Sylvia: Guten Tag. Wir möchten uns nach Last-Minute-Flügen erkundigen. Ist es möglich, nächste Woche noch einen Flug von Düsseldorf nach Wien zu bekommen?

Angestellter: An welchem Tag wollen Sie fliegen?

Sylvia: Am 24. Und wir wollen eine Woche bleiben.

Angestellter: Hm, tut mir Leid, alle Flüge nach Wien sind bereits ausgebucht.

Aynur: Und nach Antalya?

Angestellter: Ja, es gibt noch freie Plätze. Ich kann Ihnen sogar eine günstige Pauschalreise anbieten. Eine Woche Antalya im Doppelzimmer mit Halbpension in einem guten Hotel für nur 512.- Euro pro Person, inklusive Flug.

Aynur: Hm, eigentlich brauchen wir nur einen Flug, wenn wir bei meiner Mutter übernachten.

Angestellter: Flüge gibt es ab 339.- Euro, aber erst am 25. September oder später.

Aynur: Das ist zu spät. Was sollen wir machen? Haben Sie noch eine Idee?

Angestellter: Ja. Schauen Sie doch mal im Internet. Vielleicht finden Sie dort einen passenden Flug.

Sylvia: Das ist eine gute Idee. Vielen Dank.

Angestellter: Gern geschehen. Viel Glück!

Track 204 – Übung 12
Wir fahren in den Süden ans Meer.
Hier gibt es einen Campingplatz.
Eine Reise nach Wien ist ideal in dieser Jahreszeit.

Track 205 – Übung 12
Wir fahren dieses Jahr in die Alpen.
Wir wohnen in einer Jugendherberge.
Wir möchten Urlaub am Strand machen.

Track 206 – Übung 12
Hast du einen passenden Flug gefunden?
Ich habe meine Kreditkarte vergessen.
Können Sie mir sagen, wie viel ein Doppelzimmer kostet?

25

Track 208 – Übung 2
1. Aynurs Großeltern kamen aus der Türkei nach Deutschland.
2. Hier arbeiteten sie als Gastarbeiter.
3. Ihre Tochter, Aynurs Mutter, ist in Düsseldorf geboren.
4. Sie heiratete einen Deutschen.
5. Später kehrte sie in die Türkei zurück.
6. Was kann der Grund dafür sein?

Track 209 – Übung 3

Angestellter: Guten Tag. Kann ich bitte Ihre Flugscheine sehen?
Sylvia, Aynur: Hier bitte.
Angestellter: Danke. Wo möchten Sie sitzen? Am Gang oder am Fenster?
Sylvia: Gibt es noch freie Plätze am Fenster?
Angestellter: Ja, Sie haben Glück. Ist das Ihr Gepäck?
Sylvia: Ja.
Angestellter: Bitte stellen Sie es auf das Band. Gehört das auch dazu?
Sylvia: Nein, das ist meine Fototasche. Die nehme ich als Handgepäck mit ins Flugzeug.
Angestellter: In Ordnung. Hier sind Ihre Bordkarten. Gehen Sie bitte in Abflughalle A, Flugsteig 36. Ich wünsche Ihnen einen angenehmen Flug.
Sylvia, Aynur: Vielen Dank. Auf Wiedersehen.
...
Sylvia: Du hast mir nie erzählt, warum du in Deutschland geblieben bist, obwohl deine Mutter in die Türkei zurückgegangen ist.
Aynur: Hm, das ist eine längere Geschichte, die bei meinen Großeltern anfängt. Sie kamen vor etwa 40 Jahren als Gastarbeiter nach Deutschland, haben sich aber nie wirklich integriert, weil immer klar war, dass sie eines Tages in ihre Heimat zurückkehren wollen.

Sylvia: Und deine Mutter?
Aynur: Sie ist in Deutschland geboren und aufgewachsen. Trotzdem hat sie zwischen zwei Kulturen gelebt: Türkische Tradition zu Hause und außerhalb des Hauses ein Leben in der deutschen Gesellschaft. Na ja, irgendwann hat sie meinen Vater kennen gelernt und ihn geheiratet. Doch das Zusammenleben hat aus vielen Gründen nicht gut funktioniert. Wegen ihrer Eltern ist meine Mutter nach der Scheidung in die Türkei zurückgegangen. Sie wollte bei ihnen sein, weil sie inzwischen alt und etwas krank waren. Zu dieser Zeit habe ich schon studiert und deshalb bin ich nicht mit ihr in die Türkei zurückgekehrt.
Sylvia: Vermisst du deine Mutter nicht?
Aynur: Doch! Deshalb wollte ich ja auch, dass wir Urlaub in der Türkei machen. Ich bin gern in der Türkei, aber leben kann ich dort nicht. Ich fühle mich immer ein wenig fremd. Ich identifiziere mich einfach mehr mit der deutschen Mentalität. Apropos fremd, du bist ja auch Ausländerin.
Sylvia: Ja, aber die Unterschiede zwischen Österreichern und Deutschen sind ja nicht so groß. Vieles ist ähnlich, im Vergleich zur Türkei, wo man ...
Kapitän: Sehr geehrte Fluggäste, hier spricht Ihr Kapitän. Trotz des starken Windes während des Fluges landen wir planmäßig um 16.05 Uhr in Antalya. Wir befinden uns bereits im Anflug.

Track 210 – Übung 7
1. landen
2. der Fluggast
3. einchecken
4. der Abflug
5. der Flugsteig
6. der Flughafen
7. das Flugzeug
8. abfliegen
9. starten

Track 211 - Übung 9

1. Im Vergleich zu Deutschland leben in der Schweiz mehr Ausländer.
2. Die Situation in meiner Heimat ist ganz ähnlich, wie in Deutschland.
3. Im Unterschied zu dir lebe ich gern in einer multikulturellen Gesellschaft.

26

Track 212 - Übung 3

Frau:	Volkshochschule Düsseldorf, guten Tag.
Sylvia:	Guten Tag, mein Name ist Sylvia Moser. Ich möchte mich für einen Türkischkurs anmelden.
Frau:	Für Anmeldungen ist Herr Lehnhart zuständig. Moment, ich verbinde Sie.
Sylvia:	Danke.
...	
Herr Lehnhart:	VHS Düsseldorf, Lehnhart.
Sylvia:	Guten Tag, ich möchte an einem Türkischkurs teilnehmen und wollte mich gern dafür anmelden.
Herr Lehnhart:	Welches Niveau? Anfänger oder Fortgeschrittene?
Sylvia:	Anfänger. Wenn es geht, am liebsten an einem Montag oder Dienstag nach 18 Uhr.
Herr Lehnhart:	Das ist kein Problem. Dienstags findet ein Anfängerkurs um 18.30 Uhr statt. Er dauert bis 20.00 Uhr.
Sylvia:	Das passt mir sehr gut. Und wie funktioniert nun die Anmeldung?
Herr Lehnhart:	Am besten, Sie überweisen die Kursgebühr von 53,- Euro auf unser Konto. Ich gebe Ihnen gleich noch die Daten. Damit sind Sie dann automatisch angemeldet. Für unsere Buchhaltung brauche ich jetzt noch Ihren Namen und Ihre Anschrift.
Sylvia:	Sylvia Moser, Sylvia mit „y". Meine Adresse ist Bäckerstraße ...
...	
Lehrer:	Ich freue mich, dass sich so viele für meine Muttersprache interessieren. Wir nutzen die heutige Stunde, um uns gegenseitig kennen zu lernen. Mich interessiert natürlich als Erstes, warum Sie Türkisch lernen möchten.
Mann:	Ich habe schon mehrere Sprachkurse an der VHS besucht und dabei Italienisch und Spanisch gelernt. Jetzt möchte ich mit Türkisch anfangen, um mich geistig fit zu halten.
Frau:	Mein Mann und ich fahren nächstes Jahr in die Türkei und ich möchte mich jetzt schon darauf vorbereiten.
Eric:	Bei mir ist es etwas anders. Ich war bereits in der Türkei in Urlaub und konnte kein Wort Türkisch. Das fand ich sehr schade.
Sylvia:	Ich habe ähnliche Gründe. Auch ich habe Urlaub in der Türkei gemacht und war begeistert von Land und Leuten. Nun möchte ich die Sprache lernen, damit ich beim nächsten Urlaub mit den Einheimischen sprechen kann. Ich habe während des Urlaubs schon ein paar Sätze gelernt und dabei gemerkt, dass die Grammatik und die Aussprache ziemlich schwierig sind.
Lehrer:	Keine Sorge! Sie haben im Kurs genug Gelegenheit zum Üben und zum Lernen. Waren Sie eigentlich gemeinsam im Urlaub?
Eric:	Nein.
Sylvia:	Also ich war in Antalya. Und Sie?
Eric:	Zufällig war ich auch in Antalya. Von dort bin ich dann weiter nach ...

Track 213 - Übung 15

1. Wann findet der nächste Türkischkurs für Fortgeschrittene statt?

Track 214 – Übung 15
2. Ich spreche schon sehr gut Türkisch. Welches Niveau empfehlen Sie?

Track 215 – Übung 15
3. Ist die Zahl der Teilnehmer begrenzt?

Track 216 – Übung 15
4. Muss ich mich persönlich anmelden?

Track 217 – Übung 15
5. Wie hoch ist die Kursgebühr?

Track 218 – Übung 15
6. Soll ich das Geld überweisen?

Track 219 – Übung 15
7. Wie lange dauert der Kurs?

27

Track 220 – Übung 3
Zu Hause bei Susanne Kowalski

Susanne: Wie war denn deine erste Stunde Türkisch an der VHS? Und wie sind die anderen Teilnehmer? Erzähl doch mal!

Sylvia: Oh, wir hatten viel Spaß. Die anderen Teilnehmer sind nett. Da ist ein älterer Herr, der am liebsten die ganze Zeit sprechen möchte. Das stört mich ein wenig, aber er ist sympathisch. Wirklich nett ist Eric. Wir saßen zufällig nebeneinander und nach der Stunde haben wir uns noch lange unterhalten.

Susanne: Soso! Könnte es sein, dass du ihn mehr als nur „nett" findest?

Sylvia: Weiß ich noch nicht. Auf jeden Fall bin ich froh, dass wir einander so gut verstehen.

Susanne: Habt ihr denn im Kurs schon etwas gelernt? Ich stelle mir vor, dass es nicht leicht ist, Türkisch zu lernen.

Sylvia: Das kannst du laut sagen! Ständig müssen wir fragen „Wie heißt das auf Deutsch?" Unser Kursleiter ist aber sehr geduldig und erklärt alles. Er möchte, dass wir viel sprechen und kleine Dialoge machen. Das fällt mir aber schwer, weil ich große Probleme mit der Aussprache habe.

Susanne: Macht ihr denn keine Übungen dazu?

Sylvia: Doch, aber das reicht mir nicht. Ich müsste noch mehr üben.

Susanne: Warum kaufst du dir nicht die CD zu eurem Buch? Dann könntest du in Ruhe zu Hause üben.

Sylvia: Du hast Recht, das wäre nützlich. Oder ich frage mal Eric. Wir wollten uns sowieso auch außerhalb des Unterrichts treffen, um gemeinsam Hausaufgaben zu machen.

Susanne: Ich merke schon, du hast einen neuen Freund gefunden.

Sylvia: Wer weiß!

Zur gleichen Zeit in der Studentenkneipe

Claudia: Gibt es Neuigkeiten? Träumst du immer noch von Eric?

Aynur: Ehrlich gesagt, ja. Nur leider haben wir uns vor ein paar Tagen über eine dumme Kleinigkeit gestritten und seitdem habe ich nichts von ihm gehört.

Claudia: Schade. Aber ihr seht euch doch wieder?

Aynur: Ich habe keine Ahnung. Ich würde ihn gern wiedersehen. Und ich würde auch gern wissen, wie es weitergeht.

Claudia: Das wäre wirklich gut. Dann hättest du endlich Klarheit.

Aynur: Wenn er doch anrufen würde!

Claudia: Schreib ihm doch eine SMS und verabrede dich mit ihm!

Aynur: Gut, ich versuche es.

Track 221 – Übung 13
1. Ich träume von einer besseren Zukunft.
2. Wenn er doch anrufen würde.
3. Mein größter Wunsch ist, mehr Zeit für dich zu haben.
4. Wir würden uns gern in Ruhe unterhalten.

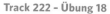

Track 222 – Übung 18
1. Wörter wiederholen
2. Übungen zur Aussprache machen
3. regelmäßig den Unterricht besuchen
4. Dialoge anhören und nachsprechen
5. sich mit Deutschen unterhalten
6. Hausaufgaben machen

28

Track 223 – Übung 3

Nachrichtensprecher: Das waren die Nachrichten des heutigen Tages. Ich wünsche Ihnen noch einen schönen Abend. Bleiben Sie dran, es folgt das Wetter für morgen, Montag, den 21. ...

Susanne: Wie weit bist du mit deiner Arbeit? Wenn du fertig wärst, könnten wir doch zusammen gemütlich fernsehen.

Thomas: Ich bin aber leider noch nicht fertig. Gibt es denn etwas Interessantes im Fernsehen?

Susanne: Im Dritten läuft eine Sendung über Tiere in Afrika. Das würde Lisa sicher gefallen. Ich verstehe nicht, warum man Tierfilme immer erst am Abend zeigt, wenn Kinder schon im Bett sind.

Thomas: Dann nimm die Sendung doch auf Video auf! Wir müssten noch neue Kassetten haben.

Susanne: Das hatte ich sowieso vor. Wärst du so nett und würdest mir die Fernbedienung bringen? Sie liegt auf dem Fernseher.

Thomas: Hier bitte. Und was willst du dir ansehen?

Susanne: In ein paar Minuten beginnt „Tatort". Den würde ich gern sehen. Und auf MDR kommt ein Spielfilm mit Joachim Król, deinem Lieblingsschauspieler. Die Handlung spielt in Venedig und ...

Thomas: Ja, ja, das ist ein Krimi. Den kenne ich schon. Typisch Fernsehen, man zeigt nur noch Wiederholungen, langweilige Talkshows oder Werbung.

Susanne: Reg dich doch nicht so auf! Was ist jetzt mit dem „Tatort"?

Thomas: Wovon handelt er denn?

Susanne: Also, hier steht: „Eine junge Frau, die seit einem tragischen Unfall in einem Wohnheim für Behinderte lebt, liegt tot in ihrem Zimmer. Vergiftet. Kurze Zeit später wird auch Dr. Weis, der Schuld an dem Unfall hatte, ermordet. Kommissar Thiel vermutet einen Zusammenhang und bekommt jede Menge Arbeit." Das klingt doch spannend, findest du nicht?

Thomas: Na ja. Auch ich habe jede Menge Arbeit. Wenn du nichts dagegen hättest, würde ich lieber meinen Artikel zu Ende schreiben. Später können wir ja noch ein Glas Wein zusammen trinken.

Susanne: Wenn du meinst. Könntest du bitte das Licht dort ausschalten und die Tür hinter dir zumachen? Der Film fängt gleich an.

Thomas: Mache ich. Gute Unterhaltung!

Susanne: Danke.

...

Thomas: Verdammter Computer!

Susanne: Mein Gott, was ist denn jetzt schon wieder los?

Track 224 – Übung 16
1. Würden Sie bitte den Fernseher einschalten?

Track 225 – Übung 16
2. Wärst du so lieb und machst die Tür zu?

Track 226 – Übung 16
3. Könntest du mir bitte dir Fernbedienung geben?

Track 227 – Übung 16
4. Wären Sie so freundlich und würden mir mal das Fernsehprogramm geben?

Track 228 – Übung 16
5. Würde es dir etwas ausmachen die Sendung für mich aufzunehmen?

Track 229 – Übung 16
6. Wärst du so nett und würdest das Licht ausschalten?

29

1. Achtung! Der Computer hat einen Virus!
2. Die Maus reagiert nicht.
3. Es ist nicht möglich, das Programm zu schließen.
4. Man kann das Dokument nicht abspeichern.
5. Ich habe wichtige Daten verloren.
6. Hoffentlich kann das ein Fachmann reparieren!

Susanne: Und? Funktioniert der Computer wieder?

Thomas: Nein, es funktioniert überhaupt nichts mehr. Ich kann das Programm weder öffnen noch schließen, die Maus reagiert nicht und der Drucker ... na ja, du siehst ja selbst, alles ist schwarz.

Susanne: Ich verstehe das nicht. Die Geräte sind doch noch fast neu.

Thomas: Ich verstehe es auch nicht. Und das Handbuch hier hilft mir auch nicht weiter.

Susanne: Könnte es sein, dass du einen Virus auf dem Computer hast?

Thomas: Ja, entweder einen Virus oder die Festplatte hat irgendeinen Fehler. Ich weiß es nicht.

Susanne: Konntest du wenigstens alle Dokumente abspeichern?

Thomas: Einen Teil konnte ich noch speichern, aber ich befürchte, dass ich einige Daten verloren habe.

Susanne: Hm, das ist wirklich ärgerlich. Aber vielleicht kann ein Fachmann die Daten retten.

Thomas: Das hoffe ich. Auf jeden Fall müssen wir den Computer reparieren lassen.

Susanne: Soll ich das machen lassen? Du musst doch jetzt zur Arbeit gehen.

Thomas: Ja, das wäre sehr nett. Lass dir aber unbedingt einen Kostenvoranschlag geben.

Susanne: Den brauchen wir wahrscheinlich nicht. Auf dem Computer ist doch noch Garantie.

Thomas: Stimmt, das habe ich fast vergessen.

Susanne: Thomas, keine Sorge, ich kümmere mich um die Reparatur.

Thomas: Danke, ich muss jetzt wirklich los. Hast du hier irgendwo zufällig eine Bewerbung gesehen?

Susanne: Meinst du diese hier?

Thomas: Ja, genau die. Danke.

Susanne: Bitte. Der junge Mann auf dem Foto sieht aber nett aus.

Thomas: Ja, das ist Eric Vanderberg. Er möchte als Redakteur bei uns arbeiten, kann aber erst heute zum Gespräch kommen, weil er vor kurzem noch in der Türkei war.

Susanne: Das ist ja merkwürdig! Eric? Türkei?

Thomas: Warum merkwürdig? Kennst du ihn etwa?

Susanne: Nein, nicht persönlich, aber ich glaube, das ist Sylvias neuer Bekannter. Das wäre ja ein Zufall!

Thomas: Wenn du willst, frage ich ihn. Heute Abend kann ich dir dann mehr erzählen.

Susanne: Mach das! Das würde mich wirklich interessieren.

1. Das Gerät ist kaputt.
2. Der Drucker hat irgendeinen Fehler.
3. Das Programm meldet ständig Fehler.

1. Selbstverständlich bekommen Sie einen Kostenvoranschlag.
2. Leider gibt es dafür keine Ersatzteile mehr.
3. Ja, wir können es liefern. Aber es ist billiger, wenn Sie es persönlich abholen.

1. Kann man dieses alte Gerät noch reparieren?
2. Würden Sie mir das Gerät auch nach Hause liefern?
3. Wir können den Drucker reparieren, aber das ist nicht billig.
4. Dieses Kabel ist fehlerhaft. Ich hätte gern ein neues.
5. Sie können Ihren Scanner in zwei Wochen wieder abholen.
6. Könnten Sie mir einen Kostenvoranschlag machen?
7. Kein Problem, das haben wir auf Lager.
8. Leider nein. Es gibt keine Ersatzteile mehr dafür.
9. Bitte informieren Sie mich, wenn die Reparatur mehr als 100 Euro kostet.

30

Track 235 – Übung 3

Thomas: So, Herr Vanderberg, ich darf uns kurz vorstellen. Das ist Frau Wieland, unsere Personalchefin. Mein Name ist Thomas Kowalski und ich arbeite hier als Redakteur.

Eric: Ich freue mich, Sie kennen zu lernen.

Frau Wieland: Sie haben sich ja um eine Stelle als Redakteur beworben. Die Stelle, die wir besetzen wollen, ist in der Lokalredaktion. Dort ist Herr Kowalski tätig, deshalb führt hauptsächlich er das Bewerbungsgespräch mit Ihnen.

Thomas: Zuerst würde mich interessieren, wie Sie von der Stelle erfahren haben.

Eric: Ich lese regelmäßig die Stellenanzeigen im Internet. Ich hatte schon länger nach einer journalistischen Tätigkeit gesucht, aber erfolglos. Dann habe ich Ihre Anzeige entdeckt und mich gleich beworben.

Thomas: Aha. Ich habe mit großem Interesse Ihren Lebenslauf gelesen. Sie haben ja vor kurzem Ihr Studium abgeschlossen und davor hatten Sie in einer Bank gearbeitet. Da fragt man sich, warum Sie sich beruflich verändern wollen.

Eric: Nach dem Abitur machte ich eine Ausbildung als Bankkaufmann und arbeitete eine Zeit lang in diesem Beruf. Dann begann ich mit dem Studium der Betriebswirtschaft an der Heinrich-Heine-Universität. Ich hatte nämlich festgestellt, dass mich die wirtschaftlichen Zusammenhänge viel mehr interessierten als die Beratung von Bankkunden.

Thomas: Und warum sind Sie nun an der Tätigkeit als Redakteur interessiert?

Eric: Während der Lehre und des Studiums habe ich für verschiedene Zeitungen über wirtschaftliche Themen geschrieben. Dabei habe ich gemerkt, dass das Schreiben mehr als ein Hobby ist und ich gerne in diesem Beruf arbeiten möchte.

Frau Wieland: Wenn Sie im Team von Herrn Kowalski arbeiten, wären Sie allerdings für lokale Themen zuständig und nicht für wirtschaftliche.

Eric: Das ist kein Problem, ich bin flexibel. Für mich ist wichtig, eine abwechslungsreiche Tätigkeit zu haben.

Thomas: Ja, abwechslungsreich ist die Tätigkeit. Man muss aber auch belastbar sein. Wir haben häufig Termindruck und manchmal muss man mehr als zehn Stunden am Tag arbeiten.

Eric: Das macht mir nichts aus. Ich bin gerne bereit, viel zu arbeiten.

Thomas: Bringen Sie noch andere Fähigkeiten mit, die für den Beruf nützlich sein könnten?

Eric: Ja, ich habe sehr gute Kenntnisse im Umgang mit Computern und ich habe schon immer gern mit anderen Menschen zusammengearbeitet. Das war während des Studiums leider oft zu kurz gekommen.

Thomas: Gut, Herr Vanderberg, wir danken Ihnen für das Gespräch. Wir teilen Ihnen unsere Entscheidung dann schriftlich mit. Wenn Sie möchten, können Sie sich noch in der Redaktion umschauen. Ich führe Sie gerne herum.

Eric: Danke, das wäre sehr nett.

Track 236 – Übung 11

1. Sie kam nicht zu Peters Party. Er hatte sie nicht eingeladen.
2. Endlich konnte ich wieder arbeiten. Ich war lange krank gewesen.

Track 237 – Übung 13

1. Ich bin flexibel und belastbar.
2. Ich habe viel Erfahrung in Teamarbeit.
3. Ich kann auch unter Termindruck sehr gut arbeiten.

Track 238 – Übung 14

1. Was haben Sie bisher beruflich gemacht?

Track 239 – Übung 14

2. Haben Sie Kenntnisse im Umgang mit Computern?

Track 240 – Übung 14

3. An welches Gehalt hatten Sie gedacht?

Track 241 – Übung 14

4. Warum wollen Sie sich beruflich verändern?

Track 242 – Übung 14

5. Welche Fähigkeiten bringen Sie für diesen Beruf mit?

Track 243 – Übung 14

6. Haben Sie Erfahrung in Teamarbeit?

31

Track 249 – Übung 1

1. Ich bin selbstständige Fotografin.
2. Das hat viele Vorteile.
3. Ich kann meine Zeit selbst einteilen.
4. Ich habe neben dem Beruf Zeit für Hobbys.
5. Ich bekomme viele interessante Aufträge.
6. Ich bin nicht reich, aber ich verdiene genug.

Track 250 – Übung 3

Thomas: So, nun haben Sie fast alles gesehen. Hier ist noch unsere Küche. Ach, da ist ja auch Sylvia, unsere Fotografin.

Eric: Sylvia?

Sylvia: Eric! Was machst du denn hier?

Eric: Ich hatte gerade ein Bewerbungsgespräch und Herr Kowalski war so nett, mir die Redaktion zu zeigen.

Thomas: Ihr kennt euch? Dann kannst du dich vielleicht weiter um Herrn Vanderberg kümmern. Ich habe noch einen Termin und würde mich gern verabschieden.

Sylvia: Klar! Kein Problem. Tschüss, Thomas.

Thomas: Tschüss, Sylvia. Auf Wiedersehen, Herr Vanderberg.

Eric: Auf Wiedersehen und nochmals danke.

Sylvia: Setz dich doch! Möchtest du einen Kaffee? Ich bin wirklich überrascht, dich hier zu sehen. Warum hast du nicht erzählt, dass du dich hier bewirbst?

Eric: Ich wusste ja auch nicht, dass du hier arbeitest. Als wir uns letzte Woche nach dem Türkischkurs verabschiedet hatten, hatten wir beide keine Zeit mehr, um uns zu unterhalten.

Sylvia: Das stimmt. Und wie ist das Bewerbungsgespräch gelaufen?

Eric: Ach, meine Zeugnisse sind sehr gut und ich war eigentlich sehr motiviert für das Gespräch. Ich habe lange über meine Berufserfahrung gesprochen und dann hat man mich nach meinen Qualifikationen gefragt. Ich hatte den Eindruck, dass sie einen Redakteur suchen, der routinierter ist als ich und schon eine langjährige Praxis hat.

Sylvia: Hm, warte doch erst einmal ab! Vielleicht bekommst du ja doch eine Zusage.

Eric: Ja, lass uns über etwas anderes sprechen. Ich weiß zwar, dass du viel fotografierst, aber dass das dein Beruf ist? Bist du hier fest angestellt?

Sylvia: Nein, ich bin selbstständige Fotografin, erledige aber viele Aufträge für die Zeitung.

Eric: Verdient man denn als Freiberufler genug?

Sylvia: Na ja, reich wird man nicht, aber mir sind andere Dinge wichtiger als Geld. Ich kann meine Zeit meistens frei einteilen und ich habe neben dem Beruf Zeit für meine Hobbys. Außerdem habe ich nicht immer mit den gleichen Menschen zu tun. Das hat Vorteile und ist sehr abwechslungsreich, findest du nicht?

Eric: Doch. Eine geregelte Arbeitszeit finde ich persönlich auch nicht so wichtig, aber einen sicheren Arbeitsplatz schon. Die Arbeitslosigkeit ist zurzeit sehr hoch!

Sylvia: Das stimmt schon, aber als Fotografin habe ich bisher eigentlich immer genug Aufträge bekommen.

Eric: Sag mal, vor einiger Zeit gab es eine witzige Serie über ein Krokodil in Düsseldorf. Hast du etwa die Fotos dazu gemacht?

Sylvia: Ja, ja, dafür war ich verantwortlich. Nachdem wir die Nachricht bekommen hatten, sind wir sofort auf die Suche nach dem Krokodil gegangen. Thomas, also Herr Kowalski, Aynur und ich haben damals gemeinsam an der Serie gearbeitet. Aynur – ähm, Aynur studiert Journalismus und hat hier ein Praktikum gemacht –, also Aynur und ich amüsieren uns noch heute darüber.

Eric: Aynur? Aynur Hartmann?

Sylvia: Ja.

Eric: Nun bin ich aber doch sprachlos. Auch ich kenne Aynur recht gut.

Sylvia: Wirklich? Dann bist du der Mann, der ...

Eric: Jetzt verstehe ich gar nichts mehr. Kannst du mich bitte aufklären?

Track 251 – Übung 10

Frau Kremer: Ich bin freiberuflich tätig. So kann ich mir meine Zeit frei einteilen und habe neben dem Beruf Zeit für meine Familie und meine Hobbys. Mir ist aber auch wichtig, dass ich interessante Aufträge erledigen kann und dabei gut verdiene.

Herr Holsten: Auch ich lege Wert auf interessante und abwechslungsreiche Aufträge. Ich bin seit neun Jahren bei einer Firma fest angestellt und habe dort sehr gute Arbeitsbedingungen: Ich habe einen sicheren Arbeitsplatz und arbeite mit netten und hilfsbereiten Kollegen zusammen. Mir ist sehr wichtig, eine geregelte Arbeitszeit und ein gutes Einkommen zu haben.

32

Track 252 – Übung 1

1. Es ist zum Verrücktwerden!
2. Eric ist nur mit sich beschäftigt!
3. Es ist alles seine Schuld!
4. Mich nervt das Ganze!
5. Ich bin wirklich sauer auf ihn!

Track 253 – Übung 3

Sylvia: Aynur hat in letzter Zeit nicht gerade glücklich ausgesehen.

Eric: Ich gebe zu, dass ich nicht viel Zeit für Aynur hatte. Es wäre sicher besser gewesen, wenn ich mich mehr um sie gekümmert hätte.

Sylvia: Ich denke, du solltest unbedingt mit ihr sprechen und dich für dein Verhalten entschuldigen. Sonst denkt sie noch, dass wir etwas miteinander haben.

Eric: Das hatte ich sowieso vor. Ich treffe mich gleich mit ihr. Willst du nicht mitkommen? Dann könnten wir zusammen alle Missverständnisse aufklären.

Sylvia: Die Idee finde ich nicht so gut. Ich störe dabei bloß.

Eric: Nein, überhaupt nicht. Ihre Freundin Claudia ist schließlich auch da.

Claudia: Na, was gibt's Neues? Hast du endlich dein Liebesleben in Ordnung gebracht?

Aynur: Ach nein, ganz und gar nicht. Inzwischen weiß ich, dass sich Eric mit einer anderen trifft, und zwar ausgerechnet mit Sylvia, einer Freundin. Es ist zum Verrücktwerden!

Claudia: Eric und eine Freundin von dir? Das ist ja heftig! Bist du dir sicher?

Aynur: Na ja. Er kommt gleich und will mir alles erklären.

Claudia: Mensch! Wenn ihr früher miteinander geredet hättet, wäre doch alles ganz anders gelaufen!

Aynur: Ja vielleicht, aber ich war sauer auf ihn und in so einer Stimmung hätte ein Gespräch keinen Sinn gemacht. Mich nervt das Ganze immer noch.

Claudia: Du bist nicht genervt, du bist ganz einfach eifersüchtig. Ha, wenn man vom Teufel spricht, schau mal, wer da kommt!

Sylvia: Hallo, ich bin Sylvia. Und du musst Claudia sein.

Claudia: Stimmt. Ich hab' schon von dir gehört.

Sylvia: Hoffentlich nur Gutes.

Aynur: Eigentlich nicht, ich hab' Claudia gerade erzählt, dass du und Eric ...

Sylvia: Ich und Eric? Oh Aynur, du täuschst dich, es ist alles ganz anders.

Eric: Ja, es ist alles meine Schuld. Ich war die ganze Zeit mit meinen Gedanken woanders. Zuerst die Reise in die Türkei, dann der Türkischkurs, dann die Bewerbung. Ich war so sehr mit mir beschäftigt, dass ich gar nicht gemerkt habe, wie du dich dabei fühlst. Es tut mir schrecklich leid, dass du auf falsche Gedanken gekommen bist.

Aynur: Na ja, ich bin schon irgendwie sauer.

Sylvia: Das musst du nicht sein. Warum hast du mir eigentlich Erics Namen nie gesagt? Dann hätte ich von Anfang an gewusst, wer er ist, als ich ihn im Türkischkurs kennen gelernt habe. Du musst dir wirklich keine Sorgen machen, Eric und ich sind nur gute Freunde, mehr nicht.

Aynur: Wirklich?

Eric: Ja, ganz sicher. Ich hoffe sehr, dass du mir und auch Sylvia nicht mehr böse bist.

Aynur: Nein. Und ihr habt schon Recht. Auch ich bin nicht ganz unschuldig an der Situation.

Claudia: Ja, ja, Liebe macht wirklich blind. Gott sei Dank ist nun alles geklärt.

Sylvia: Ende gut, alles gut! Dann können wir endlich miteinander anstoßen.

Alle: Prost!

Track 254 – Übung 6

Claudia: Na, was gibt's Neues? Hast du endlich dein Liebesleben in Ordnung gebracht?

Track 255 – Übung 6

Aynur: Ach nein, ganz und gar nicht. Inzwischen weiß ich, dass sich Eric mit einer anderen trifft, und zwar ausgerechnet mit Sylvia, einer Freundin. Es ist zum Verrücktwerden!

Track 256 – Übung 6

Claudia: Eric und eine Freundin von dir? Das ist ja heftig! Bist du dir sicher?

Track 257 – Übung 6

Aynur: Na ja. Er kommt gleich und will mir alles erklären.

Track 258 – Übung 6

Claudia: Mensch! Wenn ihr früher miteinander geredet hättet, wäre doch alles ganz anders gelaufen!

Track 259 – Übung 6

Aynur: Ja vielleicht, aber ich war sauer auf ihn und in so einer Stimmung hätte ein Gespräch keinen Sinn gemacht. Mich nervt das Ganze immer noch.

Track 260 – Übung 6

Claudia: Du bist nicht genervt, du bist ganz einfach eifersüchtig. Ha, wenn man vom Teufel spricht, schau mal, wer da kommt!

Track 261 – Übung 11

1. Ich möchte mich bei Ihnen entschuldigen.
2. Es tut mir schrecklich leid.
3. Bitte entschuldige mein Verhalten!

Track 263 – Übung 16

1. Du bist also Sylvia. Ich hab' schon von dir gehört.
2. Stell dir vor, meine Frau trifft sich mit einem anderen.
3. Warum habt ihr nicht früher miteinander gesprochen?
4. Wer hat Schuld an dieser Situation? Vielleicht du?
5. Was hast du eigentlich die ganze Zeit gemacht?
6. Hast du endlich dein Liebesleben in Ordnung gebracht?

1 Das Substantiv

Deklination

	Maskulin	Feminin	Neutrum	Plural
Nom.	der Pullover	die Hose	das Kleid	die Schuhe
Akk.	den Pullover	die Hose	das Kleid	die Schuhe
Dat.	dem Pullover	der Hose	dem Kleid	den Schuhen
Gen.	des Pullovers	der Hose	des Kleides	der Schuhe

(1) Der **Dativ Plural** endet auf **-n**, bei Substantiven, die den Plural auf **-s** bilden, auf **-s**: **mit den Autos**.

(2) Im **Genitiv Singular** erhalten maskuline und neutrale Substantive die Endung **-es** oder **-s**.

-es: - meist bei einsilbigen Substantiven: **des Kindes**

        - bei Substantiven auf **-s, -ß, -sch, -st** oder **-z**: **des Hauses**, **des Fußes**

-s: - bei Substantiven mit zwei oder mehr Silben: **des Vaters**

        - bei Eigennamen: **Sylvias Haus**, **Berlins Kaufhäuser**

        Eigennamen stehen meist vor ihrem Bezugswort. Wenn der Eigenname auf **-s** endet, schreibt man einen Apostroph für das Genitiv-**s**: **Thomas' Tochter**.

(3) In der Umgangssprache wird statt Genitiv oft **von** + Dativ verwendet:

    die Tochter von einem Freund (statt: die Tochter eines Freundes).

Maskuline Substantive der n-Deklination

Einige maskuline Substantive enden – außer im Nominativ Singular – immer auf **-(e)n**:

	Singular		Plural	
Nom.	der Kollege	der Student	die Kollegen	die Studenten
Akk.	den Kollegen	den Studenten	die Kollegen	die Studenten
Dat.	dem Kollegen	dem Studenten	den Kollegen	den Studenten
Gen.	des Kollegen	des Studenten	der Kollegen	der Studenten

Manchmal wird der Genitiv Singular mit **-ns** gebildet: **der Buchstabe, des Buchstabens**; **der Gedanke, des Gedankens**; **der Name, des Namens**.
Diese Regel gilt auch für das neutrale Substantiv **das Herz, des Herzens**.

Nach dem Muster der n-Deklination werden dekliniert:

- viele maskuline Substantive und Nationalitätenbezeichnungen auf **-e**:	der Experte der Pole	der Kunde der Türke
- Internationalismen auf **-and, -ant, -ent, -graf, -ist** und **-oge**:	der Doktorand der Student der Spezialist	der Praktikant der Fotograf der Psychologe
- einige weitere maskuline Substantive, die Personen bezeichnen:	der Architekt der Mensch	der Herr der Nachbar

Substantive aus Adjektiven und Partizipien

Maskuline Substantive auf **-e**, die aus Adjektiven oder Partizipien gebildet werden, folgen nicht der n-Deklination, sondern werden wie Adjektive dekliniert: Sie ändern ihre Endungen entsprechend dem Artikel:

	Maskulin	*Feminin*	*Plural*
Bestimmter Artikel:	**der** Deutsche	**die** Deutsche	**die** Deutschen
Unbestimmter oder ohne Artikel:	**ein** Deutscher	**eine** Deutsche	Deutsche
	Deutscher	Deutsche	

Weitere Beispiele: **der/die Angestellte, der Beamte** (*aber:* **die Beamtin!**), **der/die Bekannte, der/die Einheimische, der/die Erwachsene, der/die Fortgeschrittene und der/die Fremde.**

2 Der Artikel

Der bestimmte Artikel

	Maskulin	*Feminin*	*Neutrum*	*Plural*
Nom.	der	die	das	die
Akk.	den	die	das	die
Dat.	dem	der	dem	den
Gen.	des	der	des	der

Ebenso: **welche/r/s, diese/r/s** und **jede/r/s**. Wie der Artikel im Plural werden **keine, meine/ deine/...**, **irgendwelche** und **alle** dekliniert:

welche/r/s	**Welchen** Kurs besuchen Sie?
diese/r/s	Die Farbe **dieses** Kleides gefällt mir nicht.
jede/r/s	Er besucht mich **jeden** Mittwoch.
keine	Anna und Peter haben **keine** Kinder.
meine, deine, ...	Er fährt mit **seinen** Eltern in Urlaub.
irgendwelche	Hast du **irgendwelche** Ideen?
alle	Sie hilft **allen** Menschen.

Der unbestimmte Artikel

	Maskulin	*Feminin*	*Neutrum*	*Plural*
Nom.	ein	eine	ein	–
Akk.	einen	eine	ein	–
Dat.	einem	einer	einem	–
Gen.	eines	einer	eines	–

Wie der unbestimmte Artikel werden dekliniert:

kein/e	Wir haben noch **keinen** Flug gebucht.
mein/e, dein/e, ...	Die Frau **meines** besten Freundes ist Ärztin.
was für ein/e	**Was für einen** Pullover suchen Sie denn?
irgendein/e	Das Gerät hat **irgendeinen** Fehler.

3 Das Adjektiv

Der Rock ist <u>rot</u>.	*Beim Verb: Adjektiv ohne Endung*
Der <u>rote</u> Rock gefällt mir.	*Vor einem Substantiv: Adjektiv mit Endung*
Ein <u>roter</u> Rock passt gut dazu.	

<u>Regel:</u> Der Artikel (bestimmter, unbestimmter oder Nullartikel) bestimmt die Endung des Adjektivs.

Deklination

1. Adjektivdeklination nach dem bestimmtem Artikel

	Maskulin	Feminin	Neutrum	Plural
Nom.	der alt**e** Rock	die neu**e** Hose	das rot**e** Kleid	die **-en**
Akk.	den alt**en** Rock	die neu**e** Hose	das rot**e** Kleid	die **-en**
Dat.	dem alt**en** Rock	der neu**en** Hose	dem rot**en** Kleid	den **-en**
Gen.	des alt**en** Rockes	der neu**en** Hose	des rot**en** Kleides	der **-en**

Diese Adjektivdeklination verwendet man auch nach:

diese/r/s	Passt das zu **diesem** schönen Kleid?
jede/r/s	Er freut sich auf **jeden** neuen Tag.
welche/r/s	**Welcher** interessante Film läuft heute?

Nach **keine, meine/deine/..., alle** und **irgendwelche** im Plural haben Adjektive immer die Endung **-en**: **keine/seine kleinen Tiere, mit allen/irgendwelchen neuen Studenten**.

2. Adjektivdeklination nach dem unbestimmten Artikel

	Maskulin	Feminin	Neutrum
Nom.	ein alt**er** Rock	eine neu**e** Hose	ein rot**es** Kleid
Akk.	einen alt**en** Rock	eine neu**e** Hose	ein rot**es** Kleid
Dat.	einem alt**en** Rock	einer neu**en** Hose	einem rot**en** Kleid
Gen.	eines alt**en** Rockes	einer neu**en** Hose	eines rot**en** Kleides

Ebenso nach **kein-**, **mein-**, **dein-** usw. im Singular:
kein groß<u>er</u> Mann *(Nominativ)*, **mit meiner klein<u>en</u> Tochter** *(Dativ)*.

3. Adjektivdeklination nach dem Nullartikel

	Maskulin	Feminin	Neutrum	Plural
Nom.	grün**er** Tee	warm**e** Milch	hoh**es** Fieber	lang**e** Haare
Akk.	grün**en** Tee	warm**e** Milch	hoh**es** Fieber	lang**e** Haare
Dat.	grün**em** Tee	warm**er** Milch	hoh**em** Fieber	lang**en** Haare
Gen.	grün**en** Tees	warm**er** Milch	hoh**en** Fiebers	lang**er** Haare

Regeln:
*   Die typische Endung (Signalendung) des bestimmten Artikels hat jetzt das Adjektiv,
    z.B.:
    de**m** Fieber Sie liegt mit hoh**em** Fieber im Bett. *(Dativ)*
    de**r** Milch Sie trinkt eine Tasse warm**er** Milch. *(Genitiv)*
*   Ausnahmen: Im Genitiv Singular maskulin und neutrum hat das Adjektiv die Endung **-en**
    und die Signalendung **-s** ist beim Substantiv: **grünen Tee<u>s</u>, hohen Fieber<u>s</u>**.

Die Adjektivdeklination nach dem Nullartikel verwendet man unter anderem nach den
folgenden Wörtern (alle im Plural!):

einige	Wir müssen über **einige** wichtige Dinge sprechen.
mehrere	In **mehreren** groß**en** Städten arbeitet man heute nicht.
viele	Er kennt **viele** interessante Menschen.
wenige	Es gibt nur noch **wenige** günstige Flüge.
Zahlen	Sie hat täglich mit **20** klein**en** Kindern zu tun.

Die Steigerung des Adjektivs

Grundform	Komparativ	Superlativ	
Anna ist **schön**.	Klara ist **schöner**.	Maria ist **am schönsten**.	*beim Verb*
der **schöne** Tag	der **schönere** Tag	der **schönste** Tag	*vor einem Substantiv*
ein **schöner** Tag	ein **schönerer** Tag	–	

*   Der Komparativ wird mit **-er** gebildet.
*   Der Superlativ wird mit **am ... -(e)sten** bzw. **-(e)st** gebildet.
*   Vor einem Substantiv haben die Komparativ- und Superlativformen die üblichen Adjek-
    tivendungen. Der Superlativ kann nur mit dem bestimmten Artikel verwendet werden.

Besonderheiten:

(1) Viele einsilbige Adjektive erhalten einen Umlaut in den Komparativ- und Superlativfor-
    men: **a**, **o**, **u** **ä**, **ö**, **ü**:

lang	längere Haare	die längsten Haare
groß	eine größere Portion	die größte Portion
jung	mein jüngerer Bruder	mein jüngster Bruder

Ebenso:
alt, hart, kalt, krank, scharf, schwach, stark, warm, dumm, gesund, kurz

(2) Die Superlativendung **-est** verwendet man bei Adjektiven auf **-d**, **-t**, **-s**, **-ß**, **-sch** oder **-z**.
Ausnahme: **groß – größt**.

| schlecht | schlechtere Krimis | die schlecht**esten** Krimis |
| heiß | ein heißerer Tag | der heiß**este** Tag |

(3) Bei Adjektiven auf **-er** oder **-el** entfällt **e** in der Komparativform:

| teuer | ein **teurerer** Flug | der teuerste Flug |
| dunkel | **dunklere** Farben | die dunkelsten Farben |

(4) Unregelmäßige Steigerungsformen:

groß	**größer-**	**größt-**	gut	**besser-**	**best-**
hoch	**höher-**	**höchst-**	viel	**mehr** (!)	**meist-**
nah	**näher-**	**nächst-**	wenig	**weniger** (!)	**wenigst-**

Die Komparativformen **mehr** und **weniger** haben keine Endung und werden ohne Artikel verwendet: **mehr Menschen**, **weniger Ideen**.

Der Vergleich mit wie und als

Grundform	Wir haben die **gleiche** Situation **wie** ihr.
+ (so/genauso) wie	Der Flug nach Antalya ist **so teuer wie** der (Flug) nach Wien.
Komparativ	Hast du eine **bessere** Idee **als** ich?
+ als	Er denkt, dass Rotwein **gesünder als** Weißwein ist.

4 Präpositionen

Übersicht

Akkusativ:	bis, durch, für, gegen, ohne, per, pro, um
Dativ.	ab, aus, bei, mit, nach, seit, von, zu
Akkusativ oder Dativ:	an, auf, hinter, in, neben, über, unter, vor, zwischen
Genitiv:	außerhalb, innerhalb, trotz, während, wegen

Zusammenziehungen mit dem bestimmten Artikel:

bei, von, zu + dem	**beim**, **vom**, **zum**
zu + der	**zur**
in, an + dem	**im**, **am**
in, an, auf + das	**ins**, **ans**, **aufs**

Präpositionen mit Akkusativ

bis	Ich bin **bis** nächsten Dienstag nicht da.	*zeitlicher Endpunkt*
	Wir fahren **bis** Düsseldorf.	*örtlicher Endpunkt*
durch	Eine Reise **durch** die Türkei.	*Richtung*
für	Ein Pullover **für** meine Tochter.	*Adressat/Zweck*
gegen	Eine Tablette **gegen** die Schmerzen.	*Zweck*
	Wir treffen uns **gegen** 16 Uhr.	*ungenaue Uhrzeit*
	Ein Auto ist **gegen** unser Haus gefahren.	*Kontakt mit etwas*
ohne	Den Salat bitte **ohne** Zwiebeln.	*Art und Weise*
per	Man kann sich **per** E-Mail anmelden.	*Art und Weise*
pro	Das kostet 15,- Euro **pro** Person.	*„für jede/n"*
um	Wir landen **um** 16.05 Uhr.	*Uhrzeit*

Die Präposition **bis** wird oft mit einer weiteren Präposition verwendet. Der Kasus richtet sich dann nach der zweiten Präposition:
Wir fahren <u>bis zum</u> Flughafen. *(Dativ)*

Präpositionen mit Dativ

ab	Flüge gibt es **ab** 339,- Euro.	*Ausgangspunkt*
	Ab dem nächsten Montag ...	*Beginn in der Gegenwart oder Zukunft*
aus	Sie kommt **aus** der Schweiz.	*Herkunft (Land)*
	Eine Tasche **aus** Leder.	*Material*
bei	Er wohnt **bei** seinen Eltern.	*Person (Ort)*
	Sie arbeitet **bei** einer Zeitung.	*Arbeitsplatz*
mit	Einen Salat **mit** Thunfisch bitte.	*Art und Weise*
nach	Morgen fliege ich **nach** Berlin.	*Richtung/Ziel*
	Nach der Arbeit mache ich Yoga.	*Zeitangabe*
seit	Ich kenne ihn **seit** vielen Jahren.	*Beginn in der Vergangenheit*
von	Ich komme gerade **vom** Arzt.	*Ausgangspunkt (Person)*
	Das sind Freunde **von** mir.	*Besitz/Zugehörigkeit*
	Du wirst **von** deiner Mutter gerufen.	*Passiv*
von ... bis	Wir sind **vom** 1. **bis** 10.8. nicht da.	*Beginn und Ende*

zu	Wie komme ich **zum** Flughafen?	*Richtung/Ziel*
	Möchtest du etwas Brot **zur** Suppe?	*Ergänzung*
	Ich habe keine Lust **zum** Lernen.	*Ziel/Zweck*
	Eine Ausbildung **zur** Redakteurin.	*Ziel/Zweck*

Präpositionen mit Akkusativ oder Dativ

1. Ortsangaben

Man verwendet den Akkusativ, um die Richtung oder das Ziel anzugeben (**wohin?**). Der Dativ gibt die Position oder den Standort an (**wo?**):

	wohin? (Akkusativ)	*wo?* (Dativ)
an	Wir fahren **an einen See**.	Wir sind **an einem See**.
auf	Stell das Salz **auf den Tisch**.	Das Salz steht **auf dem Tisch**.
hinter	Geh **hinter das Auto**!	**Hinter dem Auto** steht jemand.
in	Tim fährt **ins Gebirge**.	Tim macht **im Gebirge** Urlaub.
neben	Sie setzte sich **neben mich**.	Sie saß **neben mir**.
über	Wir fliegen **über das Meer**.	Wir sind **über dem Meer**.
unter	Er legt etwas **unter das Bett**.	Etwas liegt **unter dem Bett**.
vor	Komm **vor die VHS**!	Ich treffe dich **vor der VHS**.
zwischen	Hast du die Fernbedienung **zwischen die Bücher** gelegt?	Warum liegt die Fernbedienung **zwischen den Büchern**?

Über wird zur Angabe eines Themas nur mit dem **Akkusativ** verwendet:

über	Sie redete die ganze Zeit **über** ihre Mutter.

2. Zeitangaben

In zeitlicher Bedeutung werden die Präpositionen **an**, **in**, **vor** und **zwischen** meist mit dem **Dativ** verwendet:

an	**Am** Montag fängt die Schule an.
in	Wir fliegen **im** September nach Antalya.
vor	Sie kam **vor** vielen Jahren nach Deutschland.
zwischen	**Zwischen** dem Morgen und dem Abend kann viel passieren.

Präpositionen mit Genitiv

außerhalb	Was befindet sich **außerhalb** des Hauses?	*Ort*
	Ich rief **außerhalb** der Sprechstunde an.	*Zeit*
innerhalb	**Innerhalb** der Stadt sind Wohnungen sehr teuer.	*Ort*
	Er erledigte alles **innerhalb** eines Tages.	*Zeit*
trotz	**Trotz** des starken Windes landeten wir planmäßig.	*Gegengrund*
während	**Während** des Fluges habe ich geschlafen.	*Zeitraum*
wegen	Sie ist **wegen** ihrer Erkältung nicht im Büro.	*Grund*

In der Umgangssprache werden **trotz**, **während** und **wegen** oft mit dem Dativ gebraucht:
trotz dem starken Wind / trotz starkem Wind usw.

5 Reflexive Verben

Reflexive Verben (z.B. **sich verlieben**, **sich waschen**) sind Verben mit einem Reflexivprono-
men, das sich auf das Subjekt bezieht. Das Reflexivpronomen steht entweder im Akkusativ
oder im Dativ

Ich verliebe mich.		**Ich wasche mir die Hände.**	
Subjekt	*Reflexivpronomen*	*Subjekt*	*Reflexivpronomen*
	(Akkusativ)		*(Dativ)*

Arten von reflexiven Verben

(1) Es gibt Verben, die immer reflexiv sind:

sich bewerben	Ich bewerbe mich.

Weitere Beispiele:
sich beschweren, sich trennen, sich umsehen, sich verabreden, sich verlieben

(2) Einige Verben können reflexiv sein oder
     mit einem Akkusativobjekt stehen:

sich waschen	Ich wasche mich.
waschen + Akk.	Ich wasche die Kleidung.

Weitere Beispiele:
(sich) anziehen, (sich) bewegen, (sich) eincremen, (sich) treffen

(3) Wenn es im Satz schon ein Akkusativobjekt gibt, verwendet man das Reflexivpronomen im Dativ:

sich waschen	Ich wasche **mir** die Haare.
sich eincremen	Wie oft cremst du **dir** die Hände ein?

(4) Bei Verben, die immer ein Akkusativobjekt brauchen, steht das Reflexivpronomen immer im Dativ:

sich etwas einteilen	Ich kann **mir** die Zeit frei einteilen.
sich etwas vorstellen	Wie stellst du **dir** die Zukunft vor?

Reflexivpronomen im Akkusativ und Dativ

	Akkusativ		*Dativ*		
ich	wasche	**mich**	wasche	**mir**	die Hände
du	wäschst	**dich**	wäschst	**dir**	die Hände
er/sie/es	wäscht	sich	wäscht	sich	die Hände
wir	waschen	uns	waschen	uns	die Hände
ihr	wascht	euch	wascht	euch	die Hände
sie/Sie	waschen	sich	waschen	sich	die Hände

- Mit Ausnahme der 1. und 2. Person Singular sind die Reflexivpronomen im Akkusativ und im Dativ identisch.
- Das Perfekt der reflexiven Verben wird mit **haben** gebildet:
  Ich habe mir die Hände gewaschen. Wo hast du dich beworben?

6 Das Präteritum

Das **Präteritum** wird vor allem in der geschriebenen Sprache verwendet, um über vergangene Handlungen zu erzählen, z.B. in literarischen Texten, Berichten oder Lebensläufen. In der gesprochenen Sprache verwendet man meist nur das Präteritum von **haben**, **sein**, **werden** und den Modalverben. Ansonsten bevorzugt man das Perfekt (siehe § 12).

Nach dem Abitur **machte** Eric eine Ausbildung zum Bankkaufmann. Er **arbeitete** fünf Jahre in einer Bank. Dann **wollte** er sich beruflich verändern und **bewarb** sich bei einer Zeitung.

7 Das Perfekt

Das Perfekt wird vor allem in der gesprochenen Sprache verwendet, um über vergangene Ereignisse zu erzählen. Man findet es aber auch in der geschriebenen Alltagssprache, z.B. in privaten E-Mails.

Gestern **haben** wir zufällig Peter **getroffen**.
Wir **sind** dann zusammen in eine Kneipe **gegangen**.

Bildung:
Präsens von **haben** oder **sein** + Partizip Perfekt des Hauptverbs.

Konjugation

	arbeiten		**fahren**	
ich	habe	gearbeitet	bin	gefahren
du	hast	gearbeitet	bist	gefahren
er/sie/es	hat	gearbeitet	ist	gefahren
wir	haben	gearbeitet	sind	gefahren
ihr	habt	gearbeitet	seid	gefahren
sie/Sie	haben	gearbeitet	sind	gefahren

Haben oder *sein*?

Er **hat** einen Computer **gekauft**.
Hast du dich bei ihr **entschuldigt**?
Sie **haben** sich lange **umarmt**.
Ich **habe** das nicht **gewollt**.

Perfekt mit _haben_:
- *die meisten Verben*
- *reflexive Verben*
- *reziproke Verben*
- *die Modalverben*

Wir **sind** in die Türkei **geflogen**.
Mein Bruder **ist** Arzt **geworden**.
Ich **bin** in Wien **aufgewachsen**.
Was **ist passiert**?
Sie **ist** im Krankenhaus **gewesen**.
Warum **bist** du nicht **geblieben**?

Perfekt mit _sein_:
- *Bewegung von A nach B*
- *Veränderung eines Zustands*

- *Geschehen, Ereignisse*
- *sein und bleiben*

- Einigen Verben der Bewegung (z.B. **fahren**, **fliegen**, **landen**) kann ein Akkusativobjekt, wie z.B. **Auto**, **Flugzeug**, folgen. Das Perfekt wird dann mit **haben** gebildet:
  Er **hat** das Flugzeug sicher **gelandet**.

- Das Perfekt der Verben **legen**, **liegen**, **sitzen** wird mit **haben** gebildet, in Süddeutschland, Österreich und in der Schweiz jedoch mit **sein**:
  Sie **haben/sind** nebeneinander **gesessen**.

8 Das Plusquamperfekt

Das Plusquamperfekt wird vor allem für vergangene Ereignisse oder Handlungen verwendet, die <u>vor</u> einem anderen vergangenen Ereignis stattgefunden haben.

	Das ist vorher passiert:
Heute war er wieder im Büro.	Davor **war** er lange krank **gewesen**.
Ich erhielt endlich eine Zusage,	nachdem ich 80 Bewerbungen **geschrieben hatte**.

Bildung:
Präteritum von **haben** oder **sein** + Partizip Perfekt des Hauptverbs.

Konjugation

	arbeiten	fahren
ich	hatte gearbeitet	war gefahren
du	hattest gearbeitet	warst gefahren
er/sie/es	hatte gearbeitet	war gefahren
wir	hatten gearbeitet	waren gefahren
ihr	hattet gearbeitet	wart gefahren
sie/Sie	hatten gearbeitet	waren gefahren

9 Das Partizip Perfekt

(1) Das Partizip Perfekt wird für die zusammengesetzten Zeitformen benötigt:

Perfekt	Das **habe** ich leider nicht **gewusst**.
Plusquamperfekt	Er **hatte** uns nicht **informiert**.
Konjunktiv II (Vergangenheit)	Wenn er uns doch **angerufen hätte**!
Passiv	Alle Gerichte **werden** frisch **zubereitet**.

(2) Das Partizip Perfekt einiger Verben kann als Adjektiv verwendet werden. Vor einem Substantiv wird es dekliniert.

Als Adjektiv	Heute gibt es **gebackenen** Fisch.
	Gekochte Kartoffeln schmecken mir nicht.

Die Verwendung des Partizip Perfekt als Adjektiv ist <u>nicht</u> möglich bei den Verben **haben** und **sein** sowie bei Verben, die <u>kein</u> Akkusativobjekt haben (z.B. **arbeiten**, **gefallen**).

Bildung

Regelmäßige Verben: Endung **-(e)t**

Einfache Verben:	kaufen	**ge**kauf**t**	ge____t
- mit Stamm auf -d/-t:	reden	**ge**rede**t**	ge____et
	arbeiten	**ge**arbeit**et**	
Trennbare Verben:	zumachen	zu**ge**mach**t**	____ge____t
Nicht trennbare Verben:	erzählen	erzähl**t**	____t
Verben auf -ieren:	reparieren	reparier**t**	____t

Unregelmäßige Verben: Endung **-en** und oft Änderung des Stamms

Einfache Verben:	sehen	**ge**seh**en**	ge____en
Trennbare Verben:	ankommen	an**ge**komm**en**	____ge____en
Nicht trennbare Verben:	verlieren	verlor**en**	____en

Mischverben: Endung **-t** und Änderung des Stamms

Mischverben:	wissen	**ge**wuss**t**	ge____t

Beachten Sie:

- Bei den trennbaren Verben steht **-ge-** zwischen dem Präfix und dem Stamm: **vorhaben vorgehabt**.
- Bei den nicht trennbaren Verben und bei den Verben auf **-ieren** gibt es kein **ge-**: **beenden beendet**, **informieren informiert**.
- Bei allen Mischverben und vielen unregelmäßigen Verben ändert sich oft der Stammvokal und manchmal auch der ganze Stamm: **schreiben geschr**ie**ben**, **nehmen   genommen**.

trennbar:	nicht trennbar:
ab-, an-, auf-, aus-, ein-, fern-, her-, hin-, los-, mit-, vor-, weg-, zu-, zurück-	be-, emp-, ent-, er-, ge-, miss-, ver- zer-

10 Das Passiv

Das Vorgangspassiv

Mit dem Passiv beschreibt man einen Vorgang („Was wird gemacht? Was passiert?").
Wichtig ist der Vorgang oder die Aktion und nicht die handelnde Person.
Die meisten Verben mit einem Akkusativobjekt können das Passiv bilden:

Aktivsatz	Passivsatz
Der Arzt untersucht <u>den Patienten</u>.	**<u>Der Patient</u> wird untersucht.**
Akkusativobjekt	*Subjekt (Nominativ)*

Wenn man die handelnde Person im Passivsatz nennen möchte, verwendet man **von** +
Dativ: **Der Patient wird <u>von dem Arzt</u> untersucht.**

Bildung:
Formen von **werden** + Partizip Perfekt des Hauptverbs.

	Präsens		*Präteritum*		*Perfekt*	
ich	werde	geliebt	wurde	geliebt	bin	geliebt worden
du	wirst	geliebt	wurdest	geliebt	bist	geliebt worden
er/sie/es	wird	geliebt	wurde	geliebt	ist	geliebt worden
wir	werden	geliebt	wurden	geliebt	sind	geliebt worden
ihr	werdet	geliebt	wurdet	geliebt	seid	geliebt worden
sie/Sie	werden	geliebt	wurden	geliebt	sind	geliebt worden

Das Passiv mit Modalverben

Bildung:
Formen des Modalverbs + Partizip Perfekt des Hauptverbs + **werden**

Präsens:	Ich **muss** im Krankenhaus **untersucht werden**.
Präteritum:	Der Computer **konnte** nicht mehr **repariert werden**.

Nur das Modalverb wird konjugiert.
Im Hauptsatz steht das Modalverb in der zweiten Position; das Partizip Perfekt des Haupt-
verbs und **werden** stehen am Satzende.

Das Passiv im Nebensatz

Wortstellung: Das konjugierte Verb steht am Ende.

Präsens:	Er fragt, wann die neue Waschmaschine **geliefert wird**.
Präteritum:	Wir sind sauer, weil das Hotel falsch **gebucht wurde**.
Perfekt:	Ich weiß nicht, ob das Gerät schon **repariert worden ist**.
Mit Modalverb:	Kommst du mit, wenn ich **untersucht werden muss**?

11 Der Konjunktiv II

Funktionen

Mit dem Konjunktiv II der Gegenwart (ich **hätte**, er **würde kommen**) und der Vergangenheit (ich **hätte gehabt**, er **wäre gekommen**) wird Folgendes ausgedrückt:

Höfliche Bitten:	**Könnten** Sie mir bitte helfen?
	Wärst du so lieb und bringst mir das Handy?
Ratschläge:	Ihr **müsstet** auch zu Hause üben.
	An deiner Stelle **hätte** ich nicht so lange **gewartet**.
Vermutungen:	Ein Wörterbuch **wäre** nützlich.
	Das **wäre** sicher besser **gewesen**.
Irreale Wünsche:	Ich **hätte** gern mehr Geld, aber ...
	Wenn er doch **angerufen hätte**!
Irreale Bedingungen:	Wenn du Zeit **hättest**, **könnten** wir ins Kino gehen.
	Hätte er sich nicht **entschuldigt**, dann ...

Der Konjunktiv II der Gegenwart

	Hilfsverben		Modalverben	Unregelmäßige Verben
	haben	**sein**	**können**	**wissen**
ich	hätte	wäre	könnte	wüsste
du	hättest	wär(e)st	könntest	wüsstest
er/sie/es	hätte	wäre	könnte	wüsste
wir	hätten	wären	könnten	wüssten
ihr	hättet	wär(e)t	könntet	wüsstet
sie/Sie	hätten	wären	könnten	wüssten

Bildung:

Stamm des Präteritum + Personalendung (**-e**, **-est**, **-e**, **-en**, **-et**, **-en**)

Präteritum	Konjunktiv II	Die Vokale **a**, **o**, **u** werden zu Umlauten **ä**, **ö**, **ü**.
ich ging	ich ginge	
ich hatte	ich hätte	Ausnahmen: sollte sollte, wollte wollte (ohne
ich konnte	ich könnte	Umlaut).
ich musste	ich müsste	

Die so gebildeten Konjunktiv II - Formen werden meist nur bei den Hilfsverben **haben** und **sein**, den Modalverben und manchmal bei einigen unregelmäßigen Verben (z.B. **brauchen**, **gehen**, **kommen**, **wissen**) verwendet.
In allen anderen Fällen bevorzugt man den Konjunktiv II mit **würde** + Infinitiv.

Der Konjunktiv II der Vergangenheit

Bildung:

Konjunktiv II der Gegenwart von **haben** oder **sein** + Partizip Perfekt des Hauptverbs

	arbeiten		fahren	
ich	hätte	gearbeitet	wäre	gefahren
du	hättest	gearbeitet	wär(e)st	gefahren
er/sie/es	hätte	gearbeitet	wäre	gefahren
wir	hätten	gearbeitet	wären	gefahren
ihr	hättet	gearbeitet	wär(e)t	gefahren
sie/Sie	hätten	gearbeitet	wären	gefahren

12 *Würde* + Infinitiv

Alle regelmäßigen Verben und viele unregelmäßige Verben bilden den Konjunktiv II der Gegenwart mit der Konstruktion **würde** + Infinitiv (**würde** ist der Konjunktiv II von **werden**).

	regelmäßige Verben		unregelmäßige Verben	
ich	würde	warten	würde	fahren
du	würdest	warten	würdest	fahren
er/sie/es	würde	warten	würde	fahren
wir	würden	warten	würden	fahren
ihr	würdet	warten	würdet	fahren
sie/Sie	würden	warten	würden	fahren

Bei den regelmäßigen Verben sind die Formen des Präteritums und des Konjunktiv II identisch. Deshalb verwendet man **würde** + Infinitiv:

er wartete *(Präteritum)* = **er wartete** *(Konjunktiv II)* **er würde warten**

13 Konjunktionen

Hauptsatz + Hauptsatz

1. Einfache Konjunktionen

Mit den folgenden Konjunktionen kann man zwei Hauptsätze oder zwei Satzteile miteinander verbinden.

Beachten Sie die Wortstellung: Nach der Konjunktion steht zuerst das Subjekt und dann das konjugierte Verb:

aber	Ich würde mitkommen, **aber** ich habe keine Zeit.	*Gegensatz*
denn	Sie freut sich sehr, **denn** sie hat einen Job gefunden.	*Grund*
oder	Am Abend sehen wir fern **oder** (wir) gehen ins Kino. Möchten Sie Rotwein **oder** Weißwein trinken?	*Alternative*
sondern	Er fährt nicht in Urlaub, **sondern** (er) bleibt zu Hause.	*Korrektur*
und	Sie war kurz hier **und** ging dann gleich wieder. Kannst du mir bitte Salz **und** Pfeffer geben?	*Verbindung* *Aufzählung*

- **aber** kann auch nach dem Verb stehen: ..., **er hat aber ...**
- **sondern** steht nach einem verneinten Hauptsatz: **Er ist <u>nicht</u> froh, sondern ...**

Eine weitere, häufig gebrauchte Konjunktion ist **jedoch**. Es gibt folgende Möglichkeiten der Wortstellung:

jedoch	Lea kaufte einen Drucker, **jedoch** er war defekt. Lea kaufte einen Drucker, **jedoch** war er defekt. Lea kaufte einen Drucker, er war **jedoch** defekt.	*Gegensatz*

Auch **Adverbien** können zwei Hauptsätze miteinander verbinden, z.B.:

deshalb	Er ist krank, **deshalb** bleibt er heute zu Hause. Er ist krank, er bleibt **deshalb** heute zu Hause.	*Folge*
trotzdem	Er ist krank, **trotzdem** geht er zur Arbeit. Er ist krank, er geht **trotzdem** zur Arbeit.	*Gegengrund*

2. Zweiteilige Konjunktionen

Sie können wie die einfachen Konjunktionen zwei Hauptsätze oder zwei Satzteile miteinander verbinden:

entweder ... oder	Wir buchen **entweder** ein Hotel **oder** (wir) übernachten bei Freunden.	*„a oder b"*
weder ... noch	Ich kann die Datei **weder** speichern **noch** schließen.	*„nicht a und nicht b"*
nicht nur ..., sondern auch	Das Gerät ist **nicht nur** alt, **sondern auch** fehlerhaft.	*„a und auch noch b"*
sowohl ... als auch	Du hast eine gute Figur. Du kannst **sowohl** Hosen **als auch** Röcke tragen.	*„beides, a und b"*
zwar ... aber	Die Software war **zwar** teuer, **aber** sie ist sehr gut.	*„trotz a b"*

Entweder und **zwar** können auch auf Position 1 stehen: <u>**Entweder**</u> **wir buchen ein Hotel oder ...** / <u>**Zwar**</u> **war die Software teuer, aber ...**

Hauptsatz + Nebensatz

Nebensätze sind von einem Hauptsatz abhängig und werden durch eine Konjunktion eingeleitet.

In diesem Kurs kommen die folgenden Nebensatzkonjunktionen vor:
als, **bevor**, **da**, **damit**, **dass**, **ehe**, **falls**, **nachdem**, **ob**, **obwohl**, **sobald**, **während**, **weil** und **(immer) wenn**.

Der Nebensatz kann nach oder vor dem Hauptsatz stehen.
Wortstellung im Nebensatz: Das konjugierte Verb steht am Ende.

Hauptsatz	*Nebensatz*
Ich denke,	**dass** er einen Fehler <u>gemacht hat</u>.
Kannst du bitte anrufen,	**bevor** du <u>kommst</u>?
Nebensatz	*Hauptsatz (Verb – Subjekt)*
Wenn er nach Hause <u>kommt</u>,	macht er eine Stunde Yoga.
Nachdem sie sich <u>getrennt hatten</u>,	blieben sie Freunde.

14 Wortstellung

Die Stellung des Verbs

Das konjugierte Verb kann in drei Positionen stehen:

Position 2

Hauptsatz (Aussage):	Er fliegt in die Türkei.
W-Frage:	Wann treffen wir uns?

Position 1

Ja-/Nein-Frage:	Bist du heute zu Hause?
Imperativ:	Lass uns einen Fachmann anrufen!
Bedingungssatz ohne wenn:	Hätte er mehr Geld, würde er in Urlaub fahren.

Satzende

Nebensatz

- mit Konjunktion:	Wir hoffen, dass er bald eine Arbeit findet.
- indirekte Frage:	Ich weiß nicht, ob sie noch kommt.
- Relativsatz:	Das ist ein Film, den du dir ansehen musst.

Die Satzklammer im Hauptsatz

Bei Verben mit zwei oder drei Teilen steht das konjugierte Verb in Position 2 und die anderen Verbteile am Satzende.

	Position 2		*Satzende*	
		Satzklammer		
Sie	ruft	gleich	**an.**	*trennbares Präfix*
Er	**muss**	noch Brot	**besorgen.**	*Infinitiv*
Wir	**lernten**	uns 2012	**kennen.**	
Sie	**lassen**	das Gerät	**reparieren.**	
Er	**ist**	ins Büro	**gefahren.**	*Partizip Perfekt*
Der Fisch	**wird**	mit Öl	**zubereitet.**	
Wir	**haben**	uns 2012	**kennen gelernt.**	*Infinitiv + Partizip Perfekt*
Das Gerät	**muss**	endlich	**repariert werden.**	*Partizip Perfekt + **werden/ worden***
Es	**ist**	gestern	**repariert worden.**	

Die Wortstellung im Nebensatz

<u>Hauptregel:</u> Das konjugierte Verb steht am Ende.

Hauptsatz	*Nebensatz*	
...,	dass sie gleich **anruft.**	*Ein trennbares Präfix bleibt beim Verb.*
...,	weil er Brot **besorgen muss.**	*Ein Infinitiv oder ein Partizip Perfekt stehen direkt*
...,	als wir uns **kennen lernten.**	*vor dem konjugierten Verb.*
...,	wann er ins Büro **gefahren ist.**	
...,	ob er mit Öl **zubereitet wird.**	
...,	dass es **repariert werden muss.**	*Bei drei Teilen: Partizip Perfekt – werden/worden –*
...,	ob es **repariert worden ist.**	*konjugiertes Verb.*

Wenn der Nebensatz vor dem Hauptsatz steht, folgt nach dem Komma das konjugierte Verb des Hauptsatzes:

Nebensatz	*Hauptsatz*
Wann er ins Büro gefahren ist,	**weiß** ich nicht.
Als wir uns kennen lernten,	**haben** wir beide kein Deutsch gesprochen.

349

Subjekt und Objekte

Position 1	Position 2		
Mein Mann	arbeitet	heute nicht.	*Wenn das **Subjekt** nicht auf Position 1*
Heute	arbeitet	**mein Mann** nicht.	*steht, folgt es meist direkt nach dem Verb.*
Ich	gebe	dem Kind ein Eis.	***Objekte** Bei zwei Substantiven:*
			Dativ vor Akkusativ
			Bei zwei Pronomen: Akkusativ vor Dativ
Ich	gebe	es ihm.	
Ich	gebe	ihm ein Eis.	***Objekte** Pronomen vor Substantiv (Regel:*
			„kurz vor lang")
Ihm	helfen	wir nie wieder.	*Dativ oder Akkusativ auf Position 1: Das*
Diesen Film	kenne	ich nicht.	*Element wird besonders betont.*

Adverbien und adverbiale Ausdrücke

Zu den Adverbien und adverbialen Ausdrücken gehören:

Zeitangaben (wann?):	heute, gestern, danach, 2014, im Herbst, nach dem Abitur, ...
Angaben des Grundes (warum?) und Gegengrundes:	wegen (+ Genitiv), trotz (+ Genitiv)
Angaben der Art und Weise (wie?):	unter Termindruck, mit/ohne Spaß, mit der Hand, leider, gern, ...
Ortsangaben (wo? wohin? woher?):	hier, in/nach Wien, zu/nach Hause, im/ins Büro, aus der Türkei, ...

Die Wortstellung ist relativ frei, aber es gibt ein paar Tendenzen:

(1) Zeit- und Ortsangaben:

2013 hat unser Sohn die Schule beendet.	*Zeit- und Ortsangaben stehen oft in Position 1.*
In meiner Heimat gibt es viele Arbeitslose.	
Ich bin **gestern ins Krankenhaus** gefahren.	*Wenn sie nach dem Verb stehen, gilt „Zeit vor Ort".*

(2) Die Reihenfolge bei Zeit-, Orts- und weiterer Angaben ist meist Zeit Grund Art und Weise Ort:

Er kann	heute	wegen eines Unfalls	erst später	im Büro	sein.
	Zeit	*Grund*	*Art und Weise*	*Ort*	

(3) Wenn ein Dativ- und Akkusativobjekt hinzukommen, steht
   - das Dativobjekt meist vor oder nach der Zeitangabe und
   - das Akkusativobjekt vor der Ortsangabe:

Er schreibt	**seiner Frau**	**jeden Tag**	gern	**E-Mails**	**aus dem Büro.**
	Dativ	*Zeit*		*Akkusativ*	*Ort*

Er schreibt	**jeden Tag**	**seiner Frau**	gern	**E-Mails**	**aus dem Büro.**
	Zeit	*Dativ*		*Akkusativ*	*Ort*

15 Wortbildung

Substantive

1. Zusammensetzungen

Substantive können zusammen mit anderen Substantiven, Adjektiven oder Verben neue, zusammengesetzte Substantive bilden. Der letzte Teil der Zusammensetzung bestimmt den Artikel.

Substantiv + Substantiv:	das Wasser + **das** Glas	→ **das Wasserglas**
	das Glas + **die** Schüssel	→ **die Glasschüssel**
	die Stadt + **der** Plan	→ **der Stadtplan**
Adjektiv + Substantiv:	kurz + **der** Urlaub	→ **der Kurzurlaub**
	süß + **die** Speise	→ **die Süßspeise**
Verb + Substantiv:	wohnen + **der** Ort	→ **der Wohnort**
	essen + **das** Zimmer	→ **das Esszimmer**
Präposition + Substantiv:	mit + **der** Arbeiter	→ **der Mitarbeiter**
	nach + **die** Speise	→ **die Nachspeise**

- Manchmal wird **-(e)s** oder **-(e)n** an das erste Substantiv angehängt: **der Arbeitsplatz, der Suppenteller**.
- Bei Zusammensetzungen mit Verben wird nur der Stamm verwendet: **wohn-, ess-**.

2. Wortbildung mit Suffixen

Mit bestimmten Suffixen (Endungen) kann man aus Adjektiven, Substantiven und Verben Substantive bilden.

Adjektiv + -heit:	gesund	→ die Gesund**heit**
Adjektiv + -keit:	zuverlässig	→ die Zuverlässig**keit**
Adjektiv + -igkeit:	arbeitslos	→ die Arbeitslos**igkeit**
Substantiv + -schaft:	der Freund	→ die Freund**schaft**
Verb + -ung:	üben	→ die Üb**ung**

- Substantive mit den Endungen **-heit, -keit, -igkeit, -schaft** und **-ung** sind immer feminin.
- Die Endung **-keit** verwendet man für Adjektive auf **-bar, -ig, -lich, -sam** und meist auch auf **-el/-er: belastbar → Belastbarkeit**, möglich → Möglichkeit, **dunkel → Dunkelheit**.
- Die Endung **-igkeit** verwendet man für Adjektive auf **-haft, -los** und bei einigen normalen Adjektiven: **neu → die Neuigkeit**.

- Bei der Wortbildung mit Verben entfällt meist die Infinitivendung **-(e)n**: **wohn(en)** → **die Wohnung**.

Aus dem Infinitiv kann man ebenfalls Substantive bilden. Die so gebildeten Substantive sind immer neutrum:

Verb (Infinitiv):	leben	→ **das** Leben
	schreiben	→ **das** Schreiben

Adjektive

1. Wortbildung mit Suffixen

Mit den folgenden Suffixen (Endungen) kann man aus Substantiven, Verben und Adverbien Adjektive bilden.

Substantiv + -haft:	der Fehler	→ fehler**haft**
Substantiv + -ig:	die Eifersucht	→ eifersücht**ig**
Adverb + -ig:	heute	→ heut**ig**
Substantiv + -isch:	der Alkohol	→ alkohol**isch**
Substantiv + -lich:	das Glück	→ glück**lich**
Substantiv + -los:	der Humor	→ humor**los**
Verb + -bar:	bezahlen	→ bezahl**bar**
Verb + -sam:	unterhalten	→ unterhalt**sam**

- Die Endung **-los** hat die Bedeutung „ohne": **humorlos** „ohne Humor", **gefühllos** „ohne Gefühl".
- Die Endung **-bar** bedeutet „kann gemacht werden": **bezahlbar** „kann bezahlt werden".

Die Adjektive **frei**, **reich** und **voll** können wie Suffixe verwendet werden und aus Substantiven Adjektive bilden. Sie drücken aus, dass etwas nicht (**frei**) oder aber in großer Menge (**reich**, **voll**) vorhanden ist:

Substantiv + -frei:	der Alkohol	→ alkohol**frei**
Substantiv + -reich:	der Erfolg	→ erfolg**reich**
Substantiv + -voll:	der Humor	→ humor**voll**

2. Adjektive mit Präfix

Mit den Präfixen un- und in- drückt man das Gegenteil aus:

un- + Adjektiv:	glücklich	→ **un**glücklich
	freundlich	→ **un**freundlich
in- + Adjektiv:	tolerant	→ **in**tolerant
	formell	→ **in**formell